滿語故事譯粹

莊吉發編譯

滿　語　叢　刊
文史哲出版社印行

國家圖書館出版品預行編目資料

滿語故事譯粹 / 莊吉發編譯. -- 再版. -- 臺北市：文史哲, 民 105.11
面： 公分.（滿語叢刊；8）
ISBN 978-957-547-213-9 (精裝)
ISBN 978-957-547-214-6 (平裝)

1.滿洲語-讀本

802.918　　82002723

滿 語 叢 刊 8

滿語故事譯粹

編譯者：莊吉發
出版者：文史哲出版社
http:// www.lapen.com.tw
e-mail:lapen@ms74.hinet.net
登記證字號：行政院新聞局版臺業字五三三七號
發行人：彭正雄
發行所：文史哲出版社
印刷者：文史哲出版社
臺北市羅斯福路一段七十二巷四號
郵政劃撥帳號：一六一八〇一七五
電話886-2-23511028・傳真886-2-23965656

實價新臺幣三六〇元

民國八十二年（1993）五月初版
民國一〇五年（2016）十一月初版再刷

ISBN 978-957-547-214-6　　65008

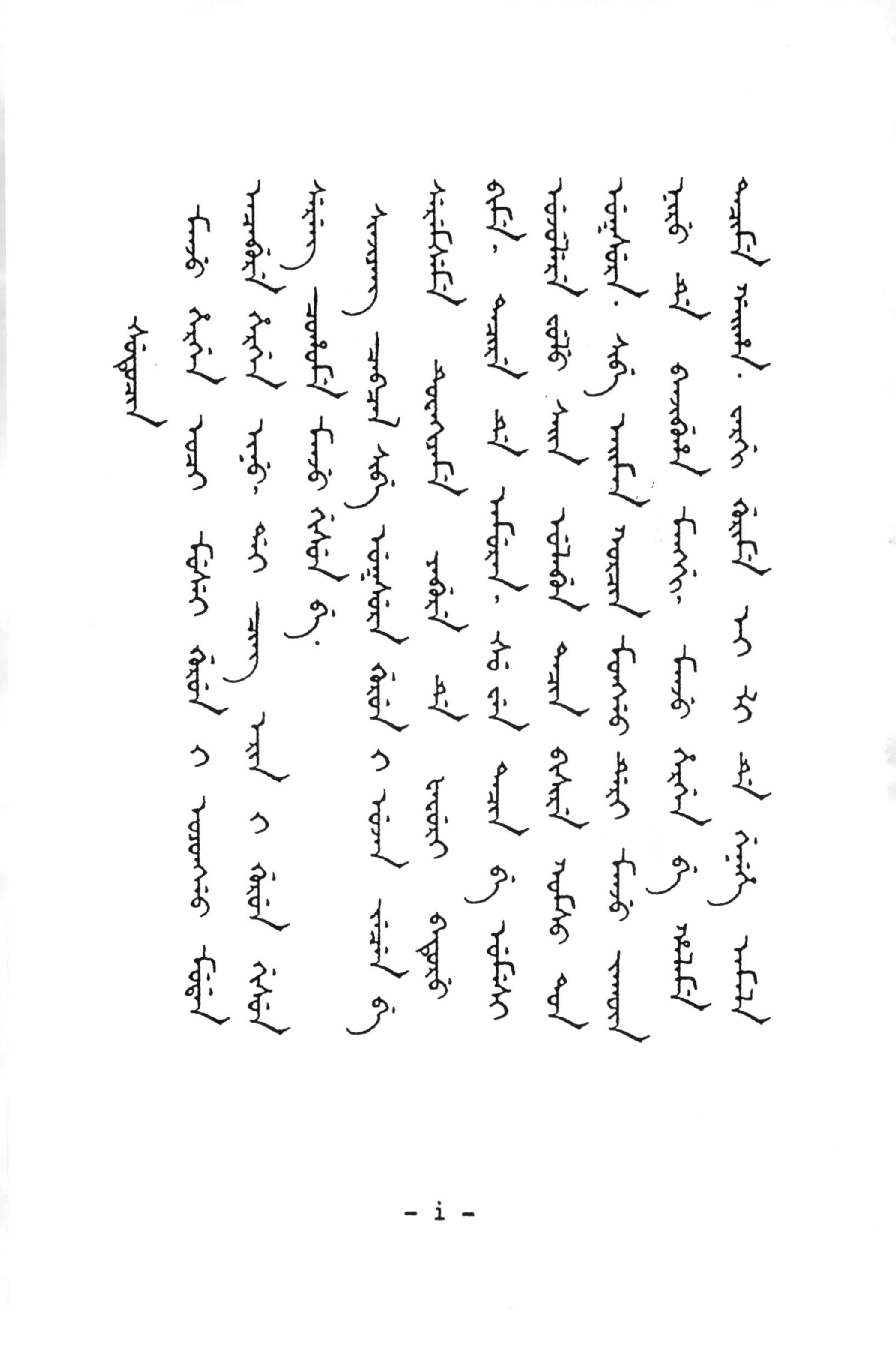

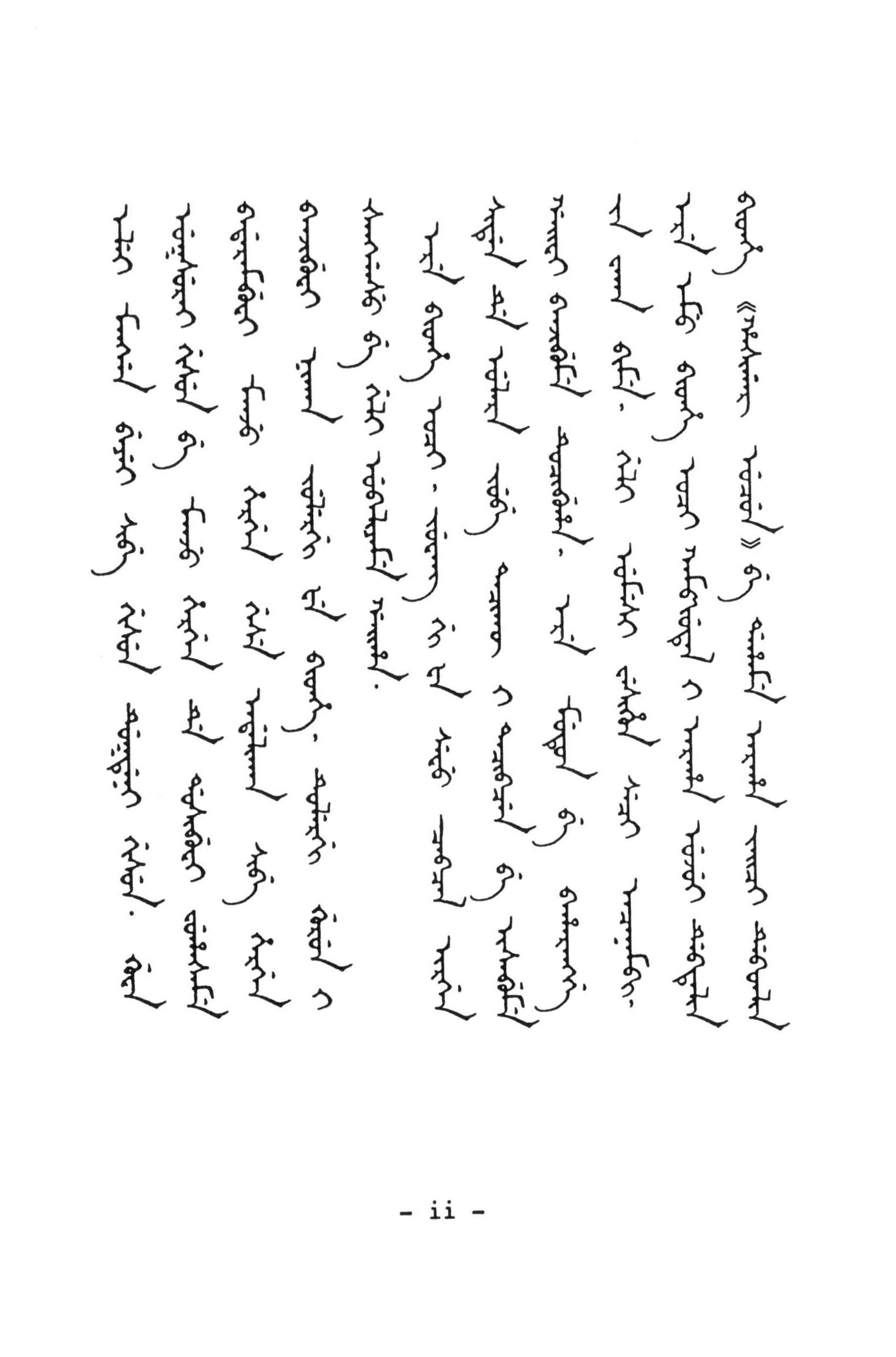

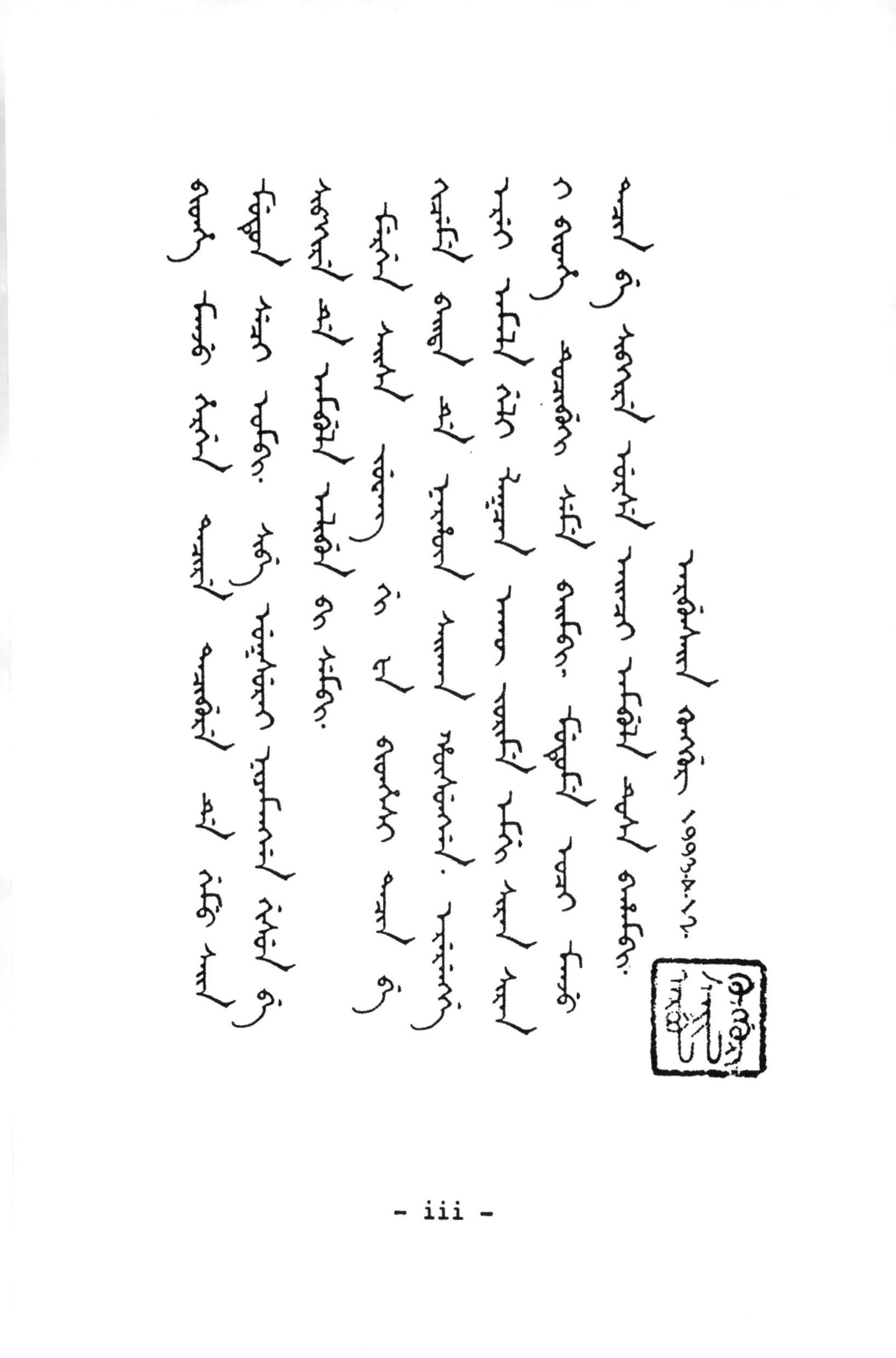

[illegible]

[illegible]

[illegible] 1993.8.12

序（漢譯）

滿文是我國重要的拼音文字，有清一代的國語就是滿洲語。

在新疆察布查爾的錫伯族，是個曾經英勇戍邊、一直勤於學習、具有優良傳統、又注重文化教育的少數民族。錫伯族自隨科爾沁蒙古編入滿洲八旗之後，即改習滿洲語文。及至西遷伊犁後，更利用本族語言、俚語和外來語等加入滿文裡，研發成與滿洲文相似的錫伯文，長期大量翻譯漢文古籍與西洋作品，擔任了使滿文繼續傳承的重大使命。

本書編譯資料係莊吉發教授經由各種管道收錄流傳於當地的民間故事，和錫伯文教科書課文而成。千山阻隔，得來不易，彌足珍貴。本書亦是繼《喀什噶爾之歌》之後第二部以電腦排印的滿文譯作，是學習與教學滿洲語文的最佳教材，尤其對研究錫伯語有興趣的，更有幫助。

莊吉發教授以著作等身的堅實背景、勤於教學的工作態度，而能不吝給予我們合作努力表現的機會，實吾輩萬幸。祈求牛刀續試、相繼出版，庶幾得以造福更多滿學界朋友，幸甚。

廣定遠謹誌　民國八十二年四月十二日

出版説明

我國歷代以來，就是一個統一的多民族國家，各有不同的民族語文。滿洲文字的創制，可以說是清代文化的重要特色。明神宗萬曆二十七年（一五九九）二月，清太祖努爾哈齊命巴克什額爾德尼、扎爾固齊噶蓋，以蒙古字母為基礎，配合女真語音，聯綴成句，而創制了滿文，是一種拼音文字，由上而下，由左而右直行書寫，字形整齊，是一種優美的邊疆文字。這種由蒙古文字脫胎而來的初期滿文，習稱老滿文，又稱為無圈點滿文。天聰六年（一六三二）三月，清太宗皇太極命巴克什達海改進滿文，在老滿文字旁加上圈點，使音義分明，同時增添一些新字母，於是滿文的語音、形體，更加完善，區別了原來容易混淆的語音。達海奉命改進的滿文習稱新滿文，又稱為有圈點滿文。滿族入關以後，滿文一躍而成為清廷的重要文字，對外代表國家，對內比漢文的地位更為特殊。有清一代，所謂國語，就是指滿洲語文而言，滿洲語文遂成為東北各少數民族通行的共同語文，滿文的創制及改進，更加速了滿洲文化的發展。

錫伯族是我國東北地區的少數民族之一，使用科爾沁蒙古方言。清太宗崇德年間（一六三六至一六四三），錫伯族同科爾沁蒙古一起歸附於滿洲，編入蒙古八旗。清聖祖康熙三十一年（一六九二），將科沁蒙古所屬錫伯族編入滿洲八旗，從此以後，錫伯族普遍開始學習並使用滿洲語文。乾隆中葉，清軍統一新疆南北兩路，為了加強西北地區的防務，陸續從瀋陽、開原、遼陽、義州、金州等地抽調錫伯兵到新疆伊犁河南岸一帶屯墾戍邊，編為八個牛彔，組成錫伯營。嘉慶七年（一八〇二），在察布查爾山口開鑿大渠，引進伊犁河水。嘉慶十三年（一八〇八），大渠竣工，長達一百八十里，命名為察布查爾大渠，開墾了七萬八千多畝的良田。錫伯族的口語，與滿語雖然有不少差異，但其書面語，與滿語則其本相似。清代通行的新滿文，共有十二字頭，第一字頭含有一百三十一個字母，是第二至第十二字頭的韻母。錫伯文雖然廢除了發音重複的十三個音節字母，為解決有音無字的問題，又另行創制了三個字母，合計共一百二十一個音節字母，但在基本上仍然襲用滿文。錫伯族具有注重文化教育的優良傳統，他們西遷到伊犁河谷以來，固然將許多漢文古籍譯成滿文，同時還繙譯了不少外國文學作品，譯文細膩生動。光緒八年（一八八二），在察布查爾錫伯營的八個牛彔，都先後開辦了義學。民國二年（一九一三），又開始普遍興辦了正規學校，各小學所採用的錫伯文課本，基本上就是滿文教材。一九五四年三月，成立錫伯自治縣，廢除寧西舊稱，改用錫伯族喜愛的察布查爾渠名作為自治縣的名稱，定名為察布查爾錫伯自治縣。西遷到伊犁的錫伯族，由於地方偏僻，受到外界的影響較少，所以能繼續使用本民族的語言文字，同時對滿文的保存作出了重大貢獻。

工欲善其事，必先利其器。近年以來，為了充實滿文基礎教學，曾搜集多種滿文教材。本書選譯的四十篇故事，主要是取材於察布查爾錫伯自治縣六年制小學錫伯文課本，中國第一歷史檔案館屈六生先生主編《滿文教材》，以及《滿蒙漢三文合璧教科書》等，都是譯成滿文的短篇故事，有些是譯自我國古籍的成語故事，有些則譯自外國寓言。本書係據滿文手稿譯出漢文，並注出羅馬拼音，題為《滿語故事譯粹》，以示譯自滿文，對於初學滿文者，或可提供一定的參考價值。

錫伯文課本含有部分錫伯語方言及罕見詞彙，因不見於一般滿文字書，在繙譯過程中，曾就正於滿族協會廣定遠先生、新疆人民出版社賀靈先生、中央民族學院季永海先生、中國第一歷史檔案館吳元豐先生、郭美蘭女士，謹致謝忱。郭美蘭女士曾就漢文譯稿與錫伯文課本手稿逐句核對，提供了許多寶貴的意見，衷心感謝。本書羅馬拼音及漢文譯稿，是由國立臺灣師範大學歷史研究所博士班葉高樹君負責輸入電腦，滿族協會張華克先生負責滿文部份的電腦排版，在此一併致謝。此種電腦排版軟體，是由廣定遠先生領導開發的，由於這種滿文電腦排版軟體的出現，使得本書的排印更為精美，而且對滿文印刷的現代化向前邁進了一步。

滿文與漢文是兩種不同的語系，語法結構並不相同，又有頗多的錫伯族方言，譯文未能兼顧信雅達，欠妥之處，在所難免，尚祈方家不吝教正。

民國八十二年五月一日

莊吉發　識

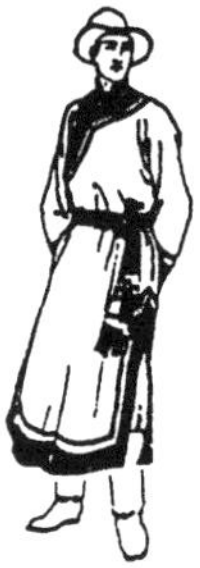

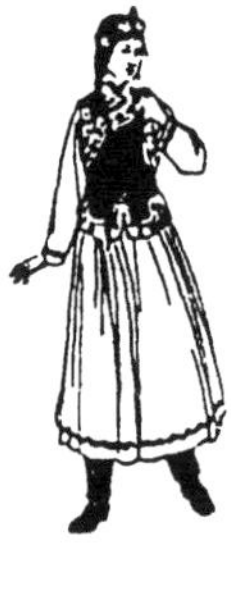

滿語故事譯粹

目　　錄

附　　錄

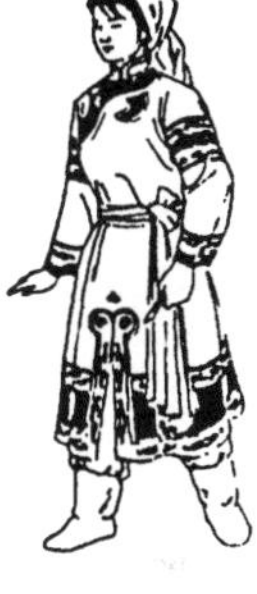

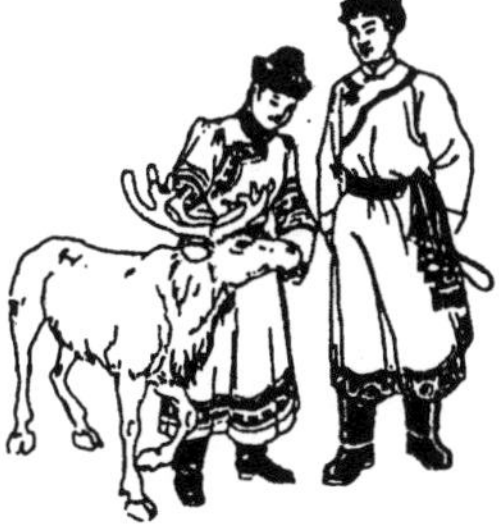

滿語故事譯粹

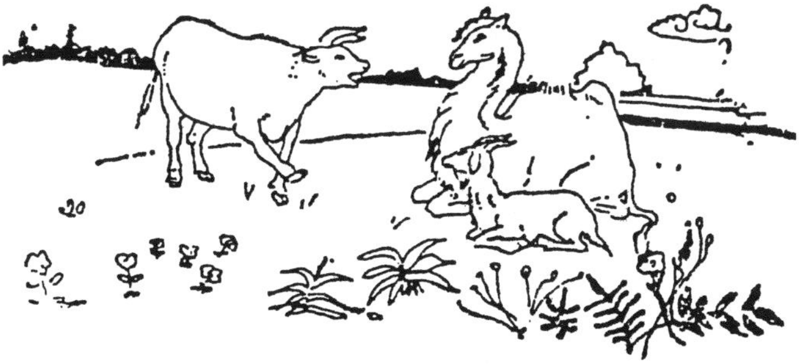

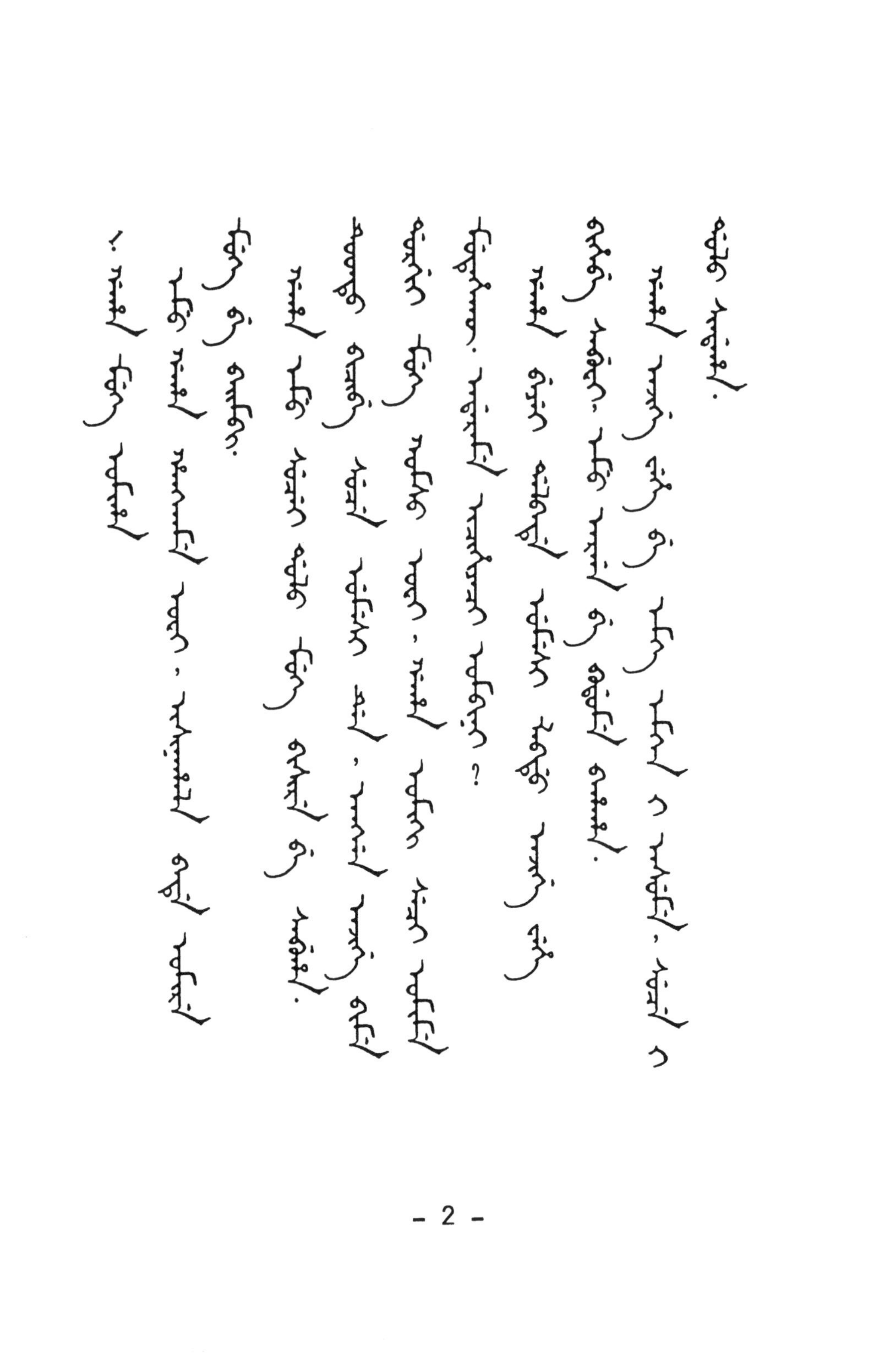

[illegible]

[illegible]
[illegible]

[illegible]
[illegible]
[illegible]
[illegible]

[illegible]
[illegible]

[illegible]
[illegible]

1. gaha muke omiha

emu gaha hangkame ofi , isinahala bade omire muke be baimbi.

gaha emu sucei dolo muke bisire be sabuha. tuttu bicibe suce umesi den , angga ajige bime dorgii muke komso ofi , gaha omiki seci omime mutehekū. adarame icihiyaci ombini ?

gaha beyei dalbade umesi labdu ajige wehe bihebe sabufi, emu arga be bodome bahaha.

gaha ajige wehe be emke emken i asume, suce i dolo sindaha.

1. 烏鴉喝水

有一隻烏鴉，因為口渴，到處找喝的水。

烏鴉雖然看見了一個瓶子裡面有水，但是因為瓶子很高，瓶口小，而且裡面的水少，烏鴉雖然想喝，可是喝不到。怎麼辦才好呢？

烏鴉看見身旁有許多小石子，於是想到了一個法子。烏鴉把小石子一個一個地含著，放進瓶子裡面。

ᡍᡇᡅᡅᠨ ᡅ ᡁᡇᠢ ᡇᠨᡄᡅᡍᡅᠨ ᡇᠨᡄᡅᡍᡅᠨ ᡍᡇᠷᡅᠯᡅ ᡍᡅ ᡍᡇᠯᡇᠭᡅ᠉

ᡍᡇᠨ ᡇᠰᡇᠨ ᡁᡇᠢ ᡅ ᡍᡇᠯᡇᡍᡅ.

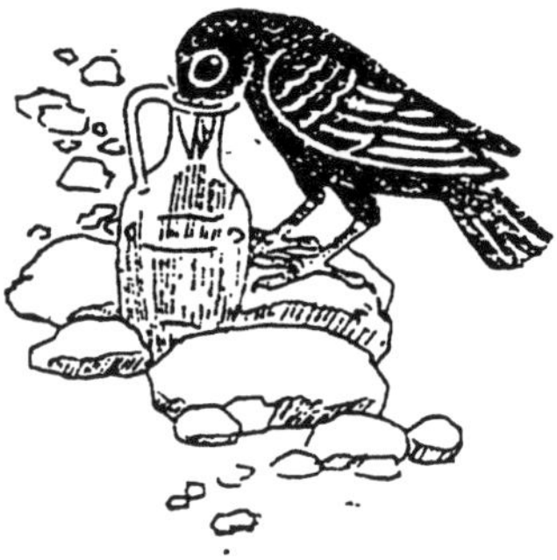

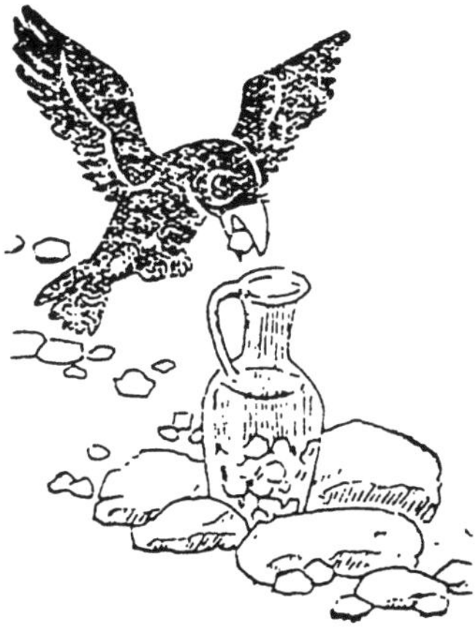

suce i muke ulhiyen ulhiyeni mukdeme jihe manggi, gaha uthai muke be omiha.

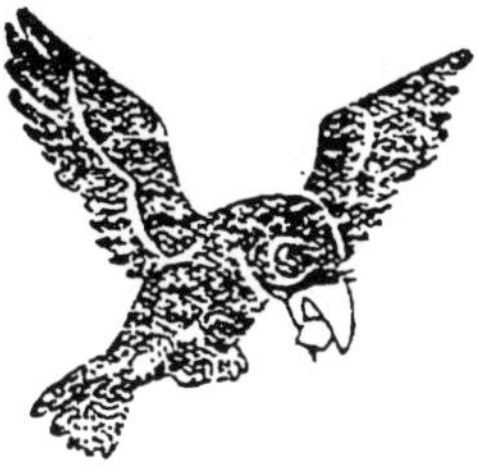

瓶子的水漸漸地昇起來後，烏鴉就喝到了水。

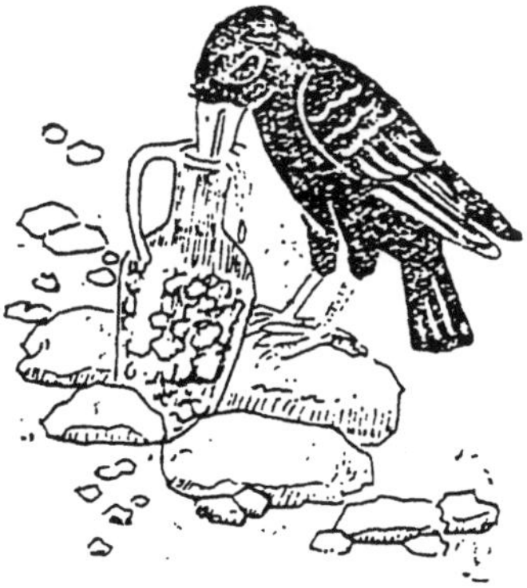

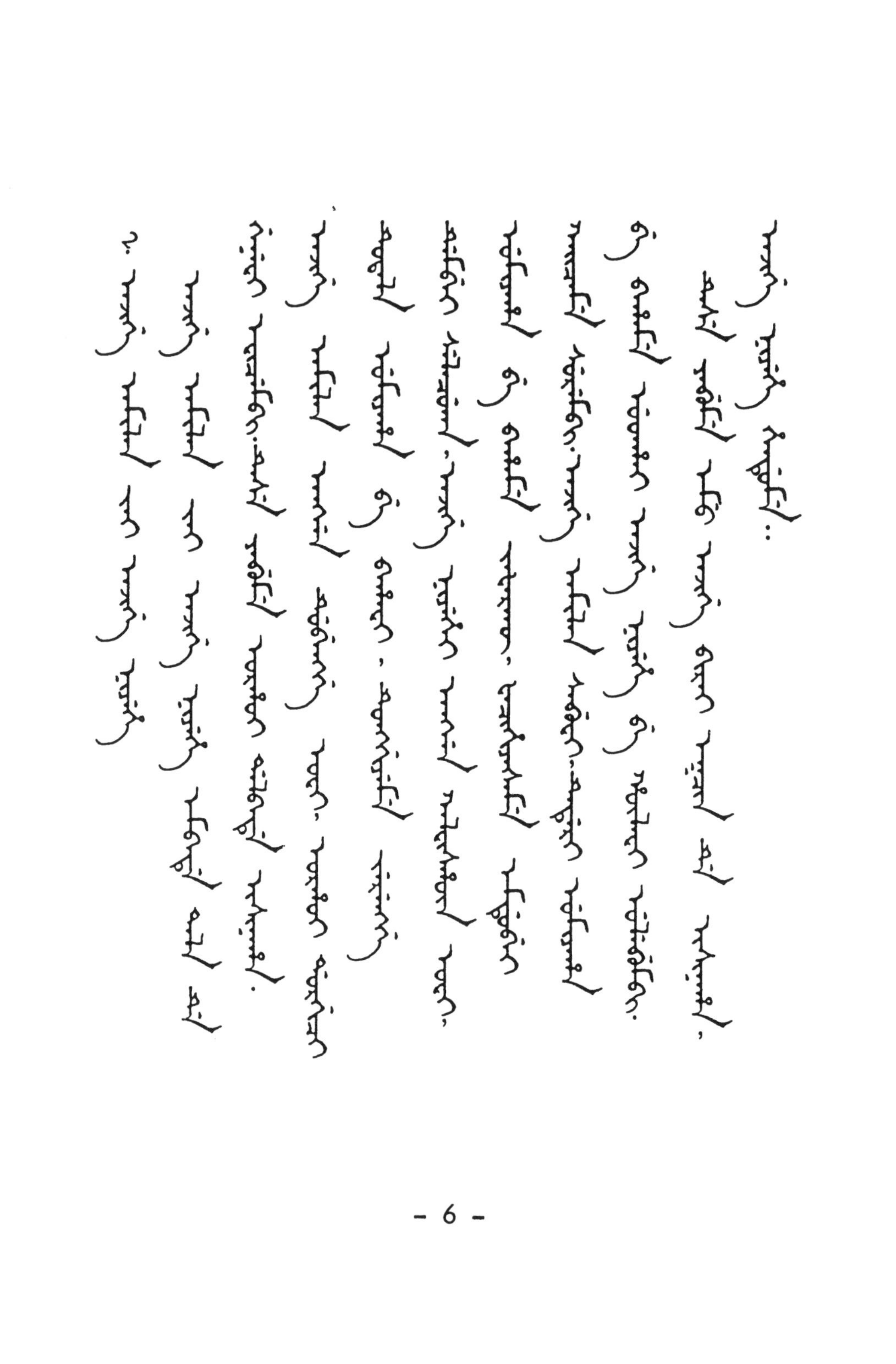

2. ajige amilan jai ajige niyehe

ajige amilan jai ajige niyehe embade tala de genefi eficembi.tese yabume orhoi dalbade isinaha. ajige amilan angga dubengge ofi, orhoi dorgici tutala umiyaha be bahafi , tunggiyeme jerengge dembei selacuka,ajige niyehei angga kalfishūn ofi, umiyaha be bahame jafarkū, facihiyašame emdubei kaicame surembi.ajige amilan sabufi,tederi umiyaha be bahame uthai ajige niyehe be hūlafi ulebumbi.

tese yabume emu ajige birai ekcin de isinaha, ajige niyehe hendume:

2. 小雞和小鴨

小雞和小鴨到一處曠野外去一起玩，他們走到草邊，小雞因為嘴尖，從草裡得到了許多蟲，很痛快地撿來吃。小鴨因為嘴扁，抓不到蟲，著急得直叫嚷。小雞見了，就把所得到的蟲叫小鴨來吃。

他們走到了一條小河的岸邊，小鴨說：

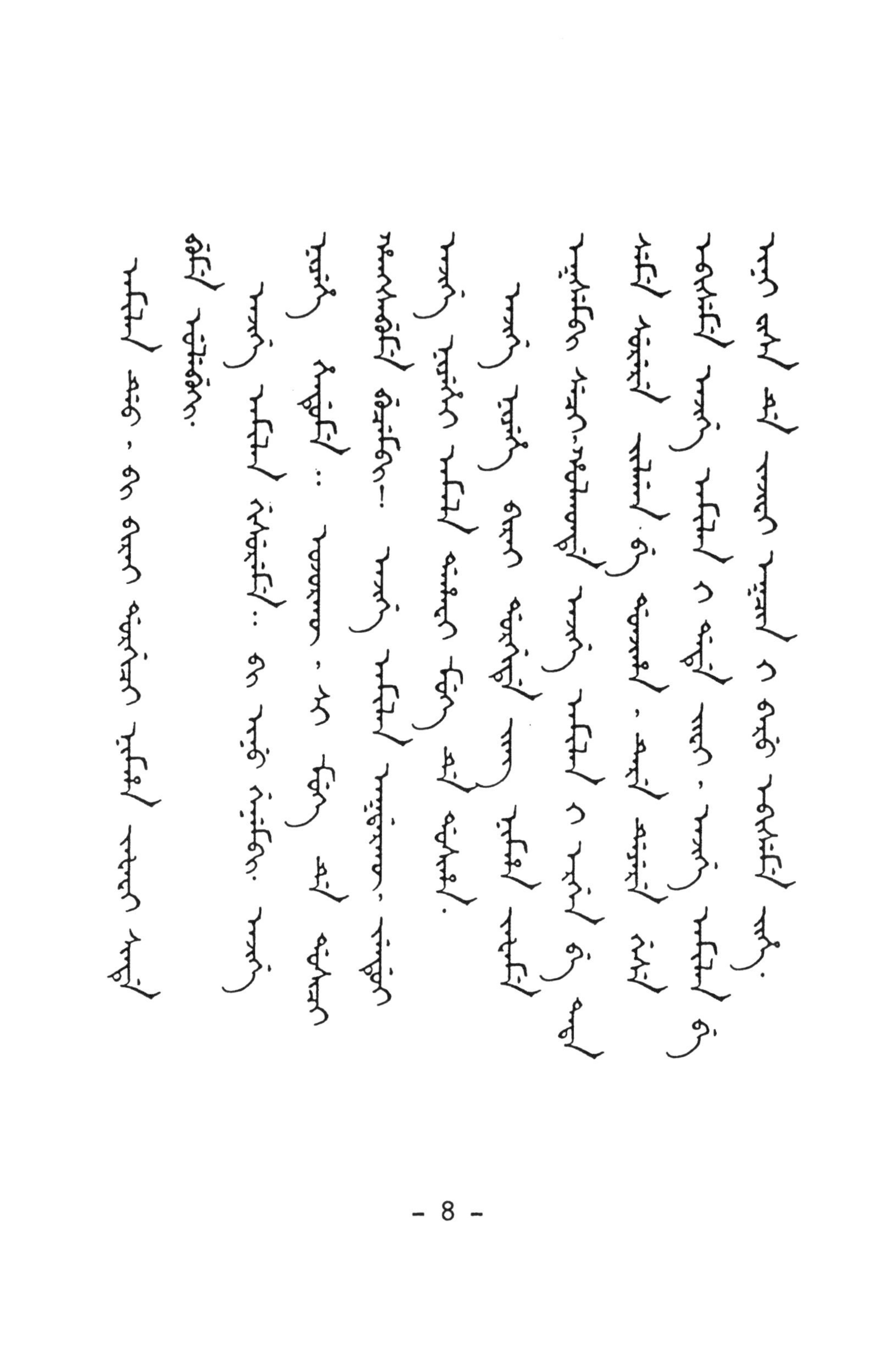

ᡳᠨᡳ [illegible] [illegible] [illegible] [illegible] ᡳ [illegible] [illegible] [illegible].
[illegible] [illegible] [illegible] ᡳ [illegible] [illegible], [illegible] [illegible] ᠪᡝ
[illegible] [illegible] [illegible] ᠪᡝ [illegible], [illegible] [illegible] [illegible]
[illegible] [illegible]·[illegible] [illegible] [illegible] ᡳ [illegible] ᠪᡝ [illegible]

[illegible] [illegible] [illegible] [illegible] [illegible] [illegible] [illegible]
[illegible] [illegible] [illegible] [illegible] [illegible] [illegible] [illegible].
[illegible] [illegible]! [illegible] [illegible] [illegible], [illegible]
[illegible] [illegible] : [illegible], [illegible] [illegible] [illegible] [illegible]

[illegible] [illegible] [illegible] : ᠪᡳ [illegible] [illegible]. [illegible]
[illegible] [illegible].

[illegible] [illegible], ᠪᡳ [illegible] [illegible] [illegible] [illegible] [illegible]

" amilan deo , bi birai dorgici nimha jafafi sinde bume ulebuki. "

ajige amilan gisureme:" bi inu genembi." ajige niyehe hendume : " ojorkū , si muke de dosici hangšabume bucembi! " ajige amilan akdarkū, jendui ajige niyehei amala dahafi muke de dosiha.

ajige niyehe birai dorgide jing nimha jafame ekšembi seci,holkonde ajige amilan i ergen be tata seme surere jilgan be donjiha , tere deyere gese ebišeme ajige amilan i dade jifi , ajige amilan be ini fisa de jajifi ekcin i baru ebišeme jihe.

「雞弟弟，我到河裡抓魚給你吃。」

小雞說:「我也要去。」小鴨說:「不行，你進到水裡會淹死。」小雞不相信，偷偷地跟在小鴨後面進入水裡。

小鴨在河裡正忙著抓魚，忽然聽到小雞喊救命的聲音。牠飛也似地游到小雞的跟前，牠把小雞背在背上游向岸邊來。

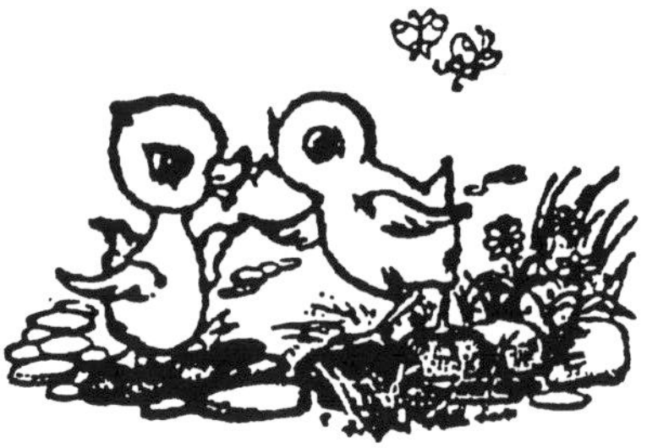

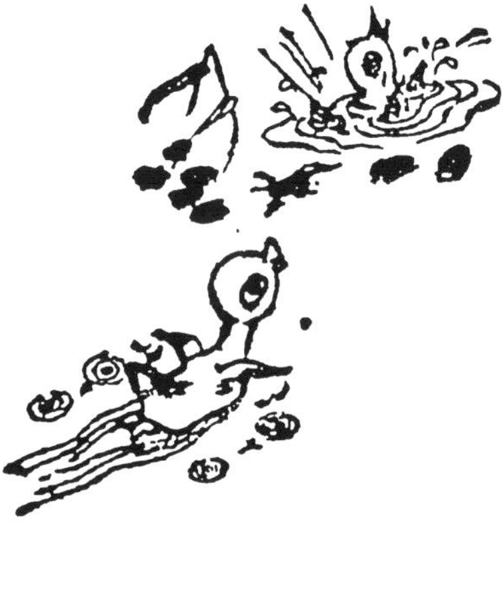

ajige amilan ekcin de tafaha manggi,injeme ajige niyehei baru hendume : " niyehe age, sinde baniha" sehe.

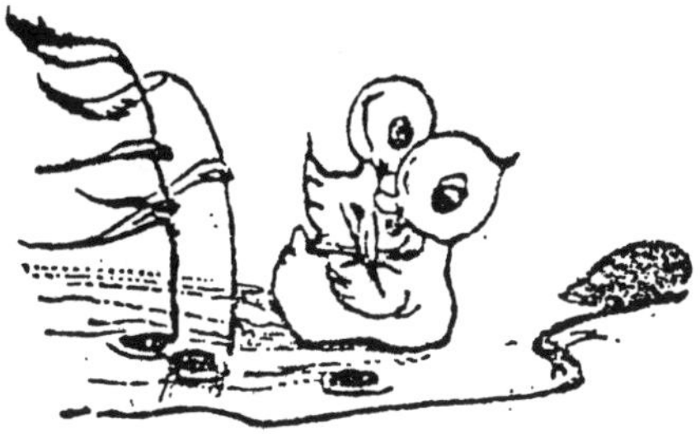

小雞上了岸後，笑著對小鴨說：「鴨哥哥，謝謝你。」

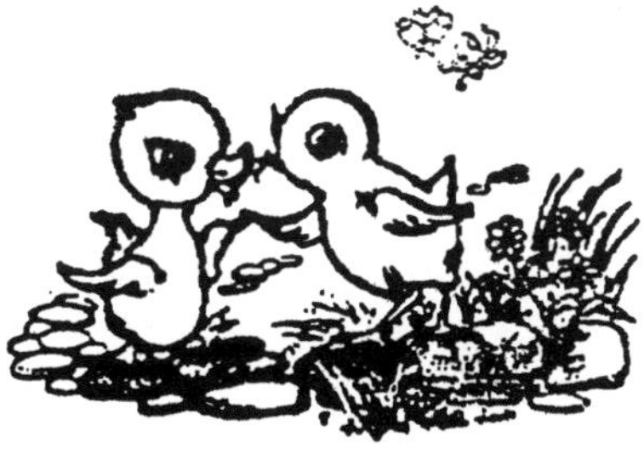

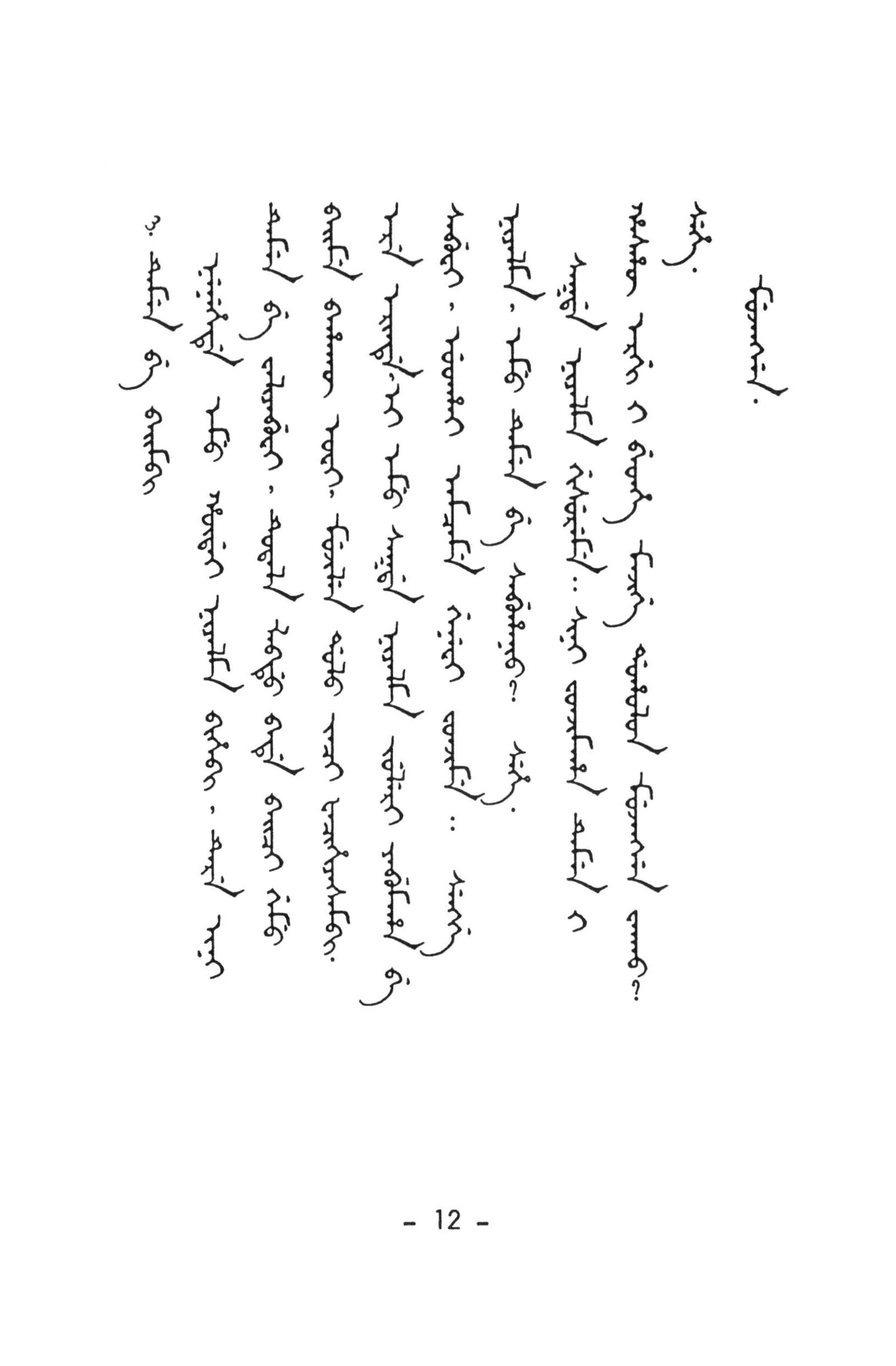

3. temen be baimbi

nenehede emu hūdai niyalma bihebi , tere ini temen be waliyabufi , tutala labdu bade baici gemu baime bahakū ofi, mujilen dolo jaci facihiyašambi. ere erinde, i emu sakda niyalma juleri yabumaha be sabufi , uthai amcame genefi fonjime : " sengge niyalma, emu temen be sabuhanio? " sehe.

sakda niyalma gisureme:"sini fonjimaha temen i hashū ergi i bethe majige doholon mujangga wakao?" sehe.

" mujangga. "

3. 尋找駱駝

從前有一個商人，他丟了他的駱駝，雖然找了好多地方，但是都沒找到，心中很著急。這時候，他看到有一個老人在前面走，就追上去問道：「老人家，看見一隻駱駝嗎？」

老人說：「你問的駱駝的左腿是不是有些跛？」

「是的。」

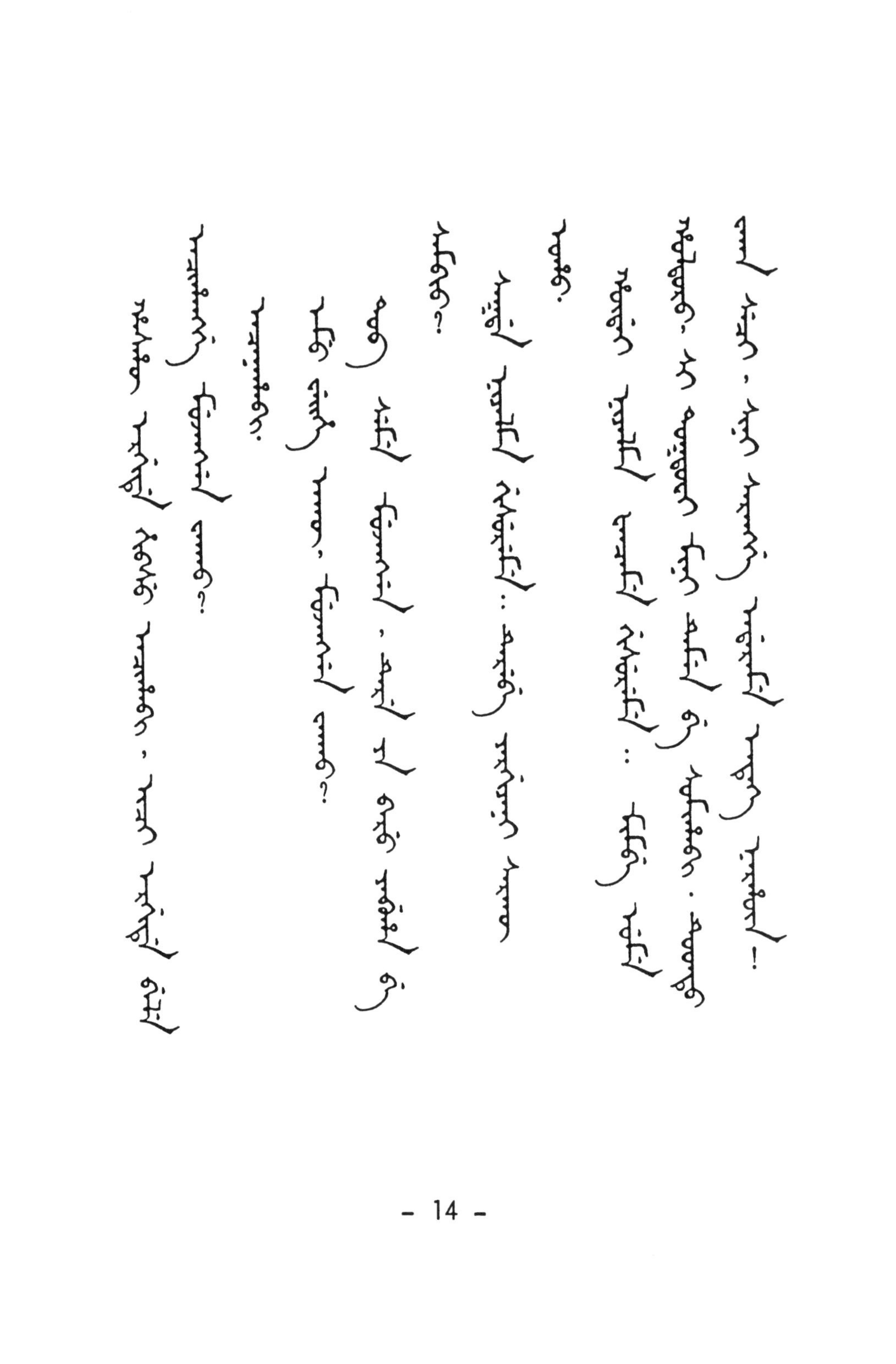

" hashū ergide hibsu acihabi , ici ergide bele acihangge mujangga wakao?"

" acanahabi. "

" emu weihe akū, mujangga wakao? "

" tob seme mujangga , tere ya baru yabuha be sambio? "

sakda niyalma gisureme:"terebe yargiyani sarkū oho."

hūdai niyalma fancame gisureme : " mimbe ume holtoro, si toktofi mini temen be somihabi . tuttu waka seci , sini sarangge adarame enteke narhūn! "

「是不是左邊馱蜂蜜，右邊馱米呢？」

「對。」

「一齒沒了，是嗎？」

「正是，知道牠往那個方向去了嗎？」

老人說：「實在不知道。」

商人生氣地說：「不要騙我，你一定把我的駱駝藏了起來，不然的話，你知道的怎麼這樣詳細呢！」

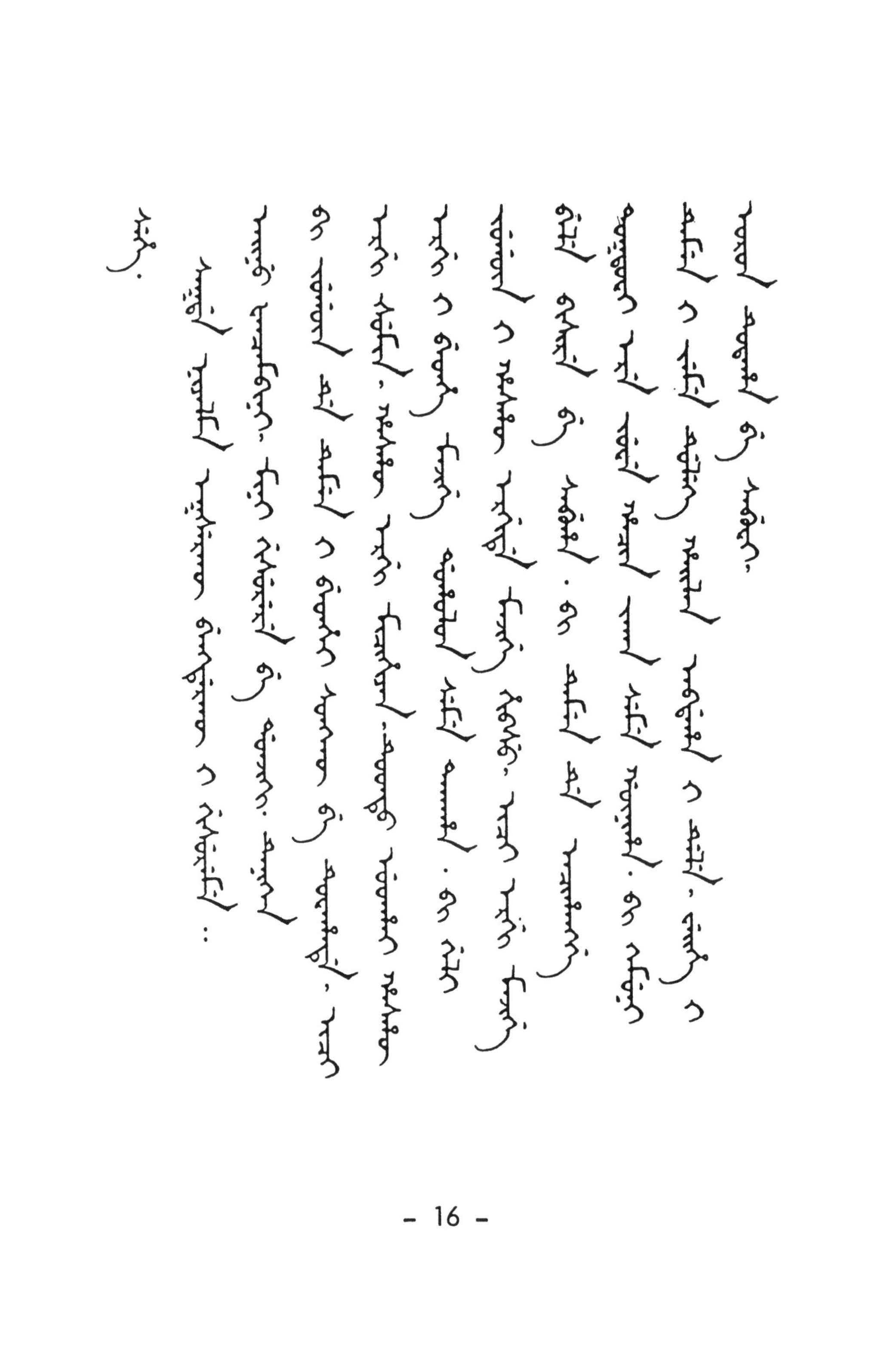

sehe.

sakda niyalma ekšerkū bengderkū i gisureme : " ainu fancambini, mini gisurere be donjiki. teniken bi jugūn de temen i bethei songkū be tuwahade, ici ergi šumin, hashū ergi micihiyan,tuttu uthai hashū ergi i bethe majige doholon seme takaha . bi geli jugūn i hashū ergide majige hibsu, ici ergi majige bele bisire be sabuha . bi temen de acihangge toktofi ere juwe hacin jaka seme gūniha. bi kemuni temen i jeme duleke hailan abdaha i dele, weihe i oron tutaha be sabufi,

老人不慌不忙的說：「為什麼生氣呢？聽我說吧！剛才我在路上看了駱駝的足跡，右邊深，左邊淺，所以就知左腳有些跛。我又看見路的左邊有些蜂蜜，右邊有些米。我想駱駝所馱的一定是這兩種東西。我還看見在駱駝吃過的樹葉上面留下了牙齒的痕跡，

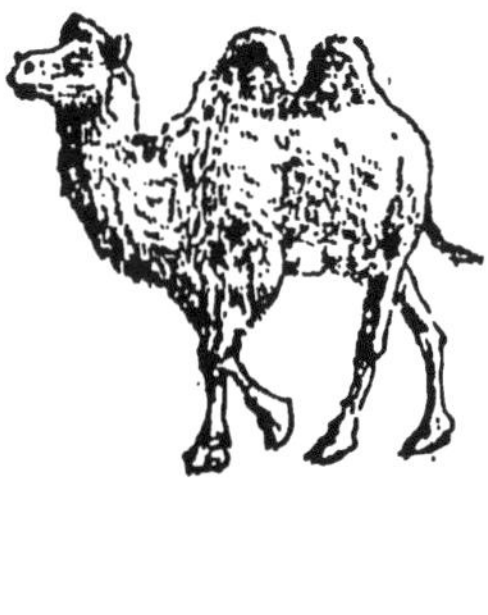

tuttu emu weihe akū serebe takaha. damu temen jiduji ya baru yabuha be, si giyani temen i bethei songko be dahafi baici acambi." sehe.

hūdai niyalma donjiha manggi , sakda niyalmai jorime buhe be dahame emu jugūn baime geneci, waliyabuha temen be yala baime bahaha.

所以知道一顆牙齒沒了。但是駱駝到底往那個方向走，你應該跟著駱駝的足跡去找。」

商人聽了後，按照老人的指示，一路找去，果然找到了丢掉的駱駝。

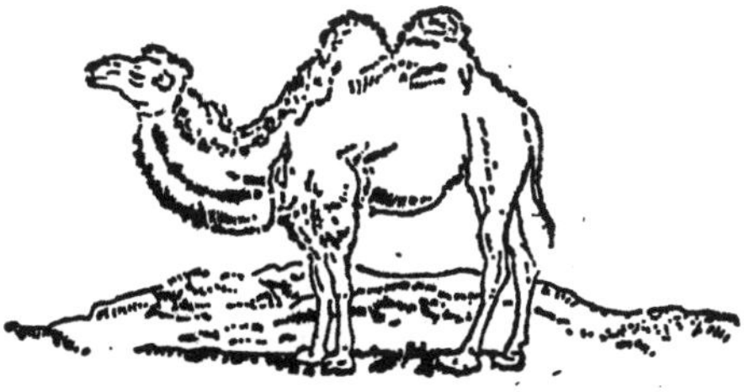

ᠮᠣᠩᠭᠣᠯ ᠬᠡᠯᠡ ᠮᠠᠨᠠᠢ ᠠᠩᠭᠢ ᠰᠤᠷᠤᠯᠴᠠᠭᠤᠳ ᠲᠠ ᠪᠣᠯ
ᠮᠣᠩᠭᠣᠯ᠃

ᠪᠠᠶᠠᠷᠯᠠᠯᠠᠢ ᠄ ᠡᠭᠡᠴᠢ ᠂ ᠬᠡᠭᠡᠳ ᠬᠡᠳᠦᠢ ᠶᠠᠭᠤ ᠶᠠᠭᠤᠯ ᠪᠣᠯᠤᠨ᠎ᠠ!

ᠮᠠᠨᠠᠢ ᠠᠩᠭᠢ ᠰᠤᠷᠤᠯᠴᠠᠭᠤᠳ ᠬᠣᠶᠠᠷ ᠶᠠᠭᠤᠨ ᠪᠠᠨ ᠰᠤᠷᠤᠯᠴᠠᠬᠤ᠂
ᠠᠮᠠᠭᠣᠯᠠᠩ ᠄ ᠡᠭᠡᠴᠡᠭ ᠪᠣᠯᠤᠯ᠎ᠠ! ᠮᠣᠩᠭᠣᠯ᠃

ᠮᠠᠨᠠᠢ ᠡᠭᠡᠴᠢ ᠰᠤᠷᠤᠯᠴᠠᠭᠤᠳ ᠬᠣᠶᠠᠷ ᠶᠠᠭᠤᠨ ᠪᠠᠨ ᠰᠤᠷᠤᠯᠴᠠ᠂
ᠰᠠᠶᠢᠬᠠᠨ ᠪᠣᠯᠣᠭ ᠪᠣᠯᠤᠨ᠃

ᠮᠣᠩᠭᠣᠯ ᠬᠡᠯᠡ ᠪᠣᠯᠤᠨ ᠪᠠᠶᠠᠷ ᠬᠣᠶᠠᠷ ᠶᠠᠭᠤᠨ(ᠪᠣᠯ ᠲᠡᠭᠦᠨ)ᠪᠠᠨ
ᠮᠣᠩᠭᠣᠯ ᠬᠡᠯᠡ ᠶ᠋ᠢ ᠪᠣᠯᠪᠠᠯ ᠰᠠᠢᠬᠠᠨ ᠪᠢᠴᠢᠭ᠃

ᠮᠠᠨᠠᠢ ᠠᠩᠭᠢ ᠰᠤᠷᠤᠯᠴᠠᠭᠤᠳ ᠪᠠ ᠮᠠᠨᠠᠢ ᠡᠭᠡᠴᠢ ᠰᠤᠷᠤᠯᠴᠠᠭᠤᠳ
᠅ ᠮᠠᠨᠠᠢ ᠠᠩᠭᠢ ᠰᠤᠷᠤᠯᠴᠠᠭᠤᠳ ᠪᠠ ᠮᠠᠨᠠᠢ ᠡᠭᠡᠴᠢ ᠰᠤᠷᠤᠯᠴᠠᠭᠤᠳ

4. ajige šanyan gūlmahūn jai ajige yacin gūlmahūn

ajige šanyan gūlmahūn jai ajige yacin gūlmahūn sakda niman i boode efime genehe.

sakda niman beyei tariha lafu sogi(bai ts'ai)be tesede doro buhe.

ajige yacin gūlmahūn lafu sogi be gaifi, hendume : " yeyede baniha! " sehe.

ajige šanyan gūlmahūn lafu sogi be gaihakū, bairengge :" yeye, minde majige sogi use bucina! " sehe.

sakda niman ajige šanyan gūlmahūn de emu

4. 小白兔和小黑兔

小白兔和小黑兔到老山羊家去玩。

老山羊把自己種的白菜送給他們。

小黑兔拿了白菜說：「謝謝爺爺！」

小白兔沒要白菜，請求說：「爺爺，給我一些菜籽吧！」

老山羊送給了小白兔一

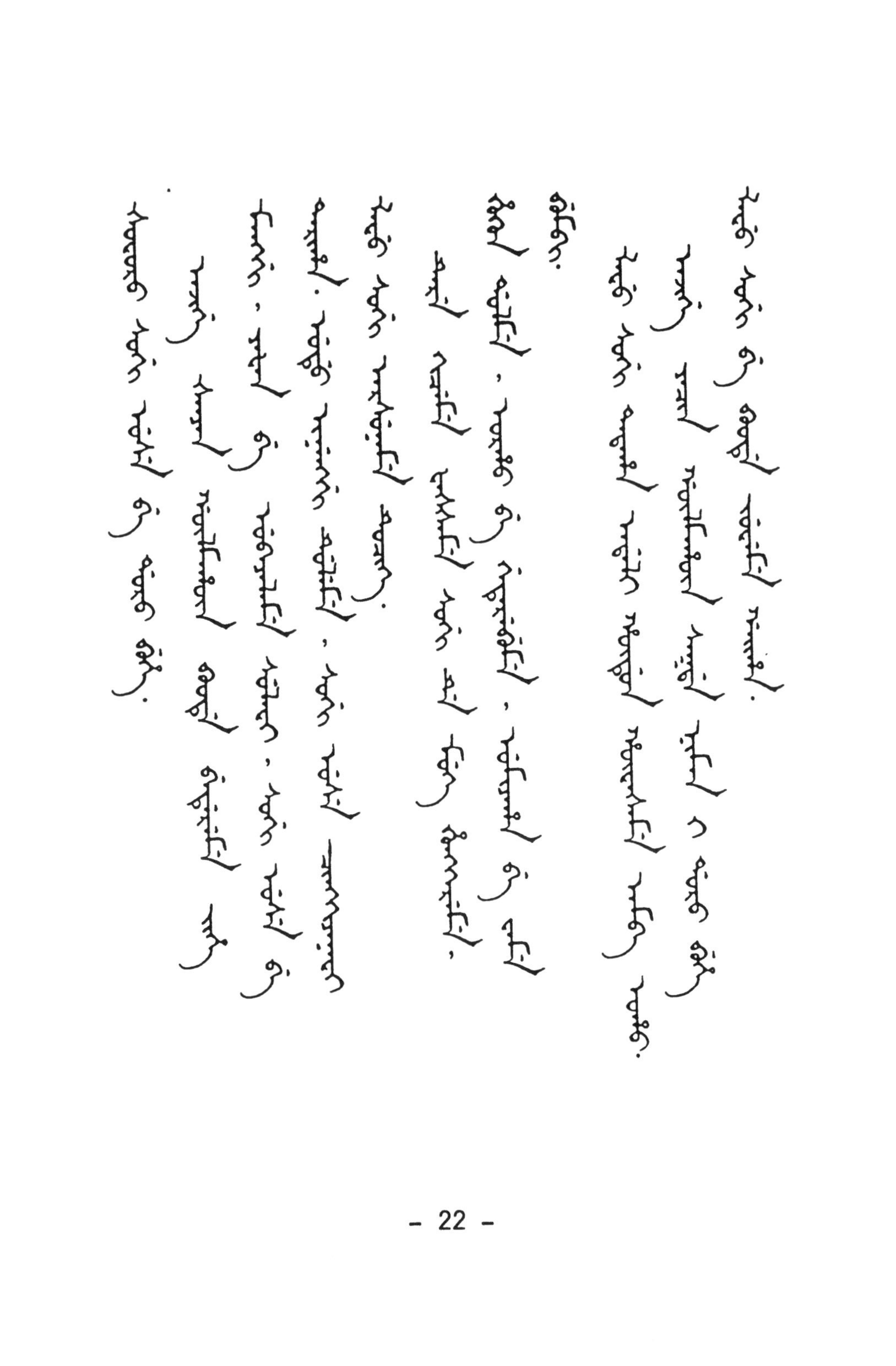

[illegible]

šoforo sogi use be doro buhe.

ajige šanyan gūlmahūn boode bedereme jihe manggi , yafan be ubayalame sulafi , sogi use be tariha. udu inenggi duleme , sogi use cingkiyanafi lafu sogi arsuname tucike.

tere kiceme faššame sogi de muke hungkereme, hukun dolme , orho be geterebume , umiyaha be wame bumbi.

lafu sogi tataha adali hūdun hūwašame amba oho.

ajige yacin gūlmahūn sakda niman i doro buhe lafu sogi be boode juweme gaiha.

撮菜籽。

小白兔回家後，翻鬆園地，種了菜籽。過了幾天，菜籽萌芽長出了白菜芽。

他勤勞地給菜澆水、施肥、除草、殺蟲。

白菜好像拔高了似地很快長大了。

小黑兔把老山羊送的白菜運回家。

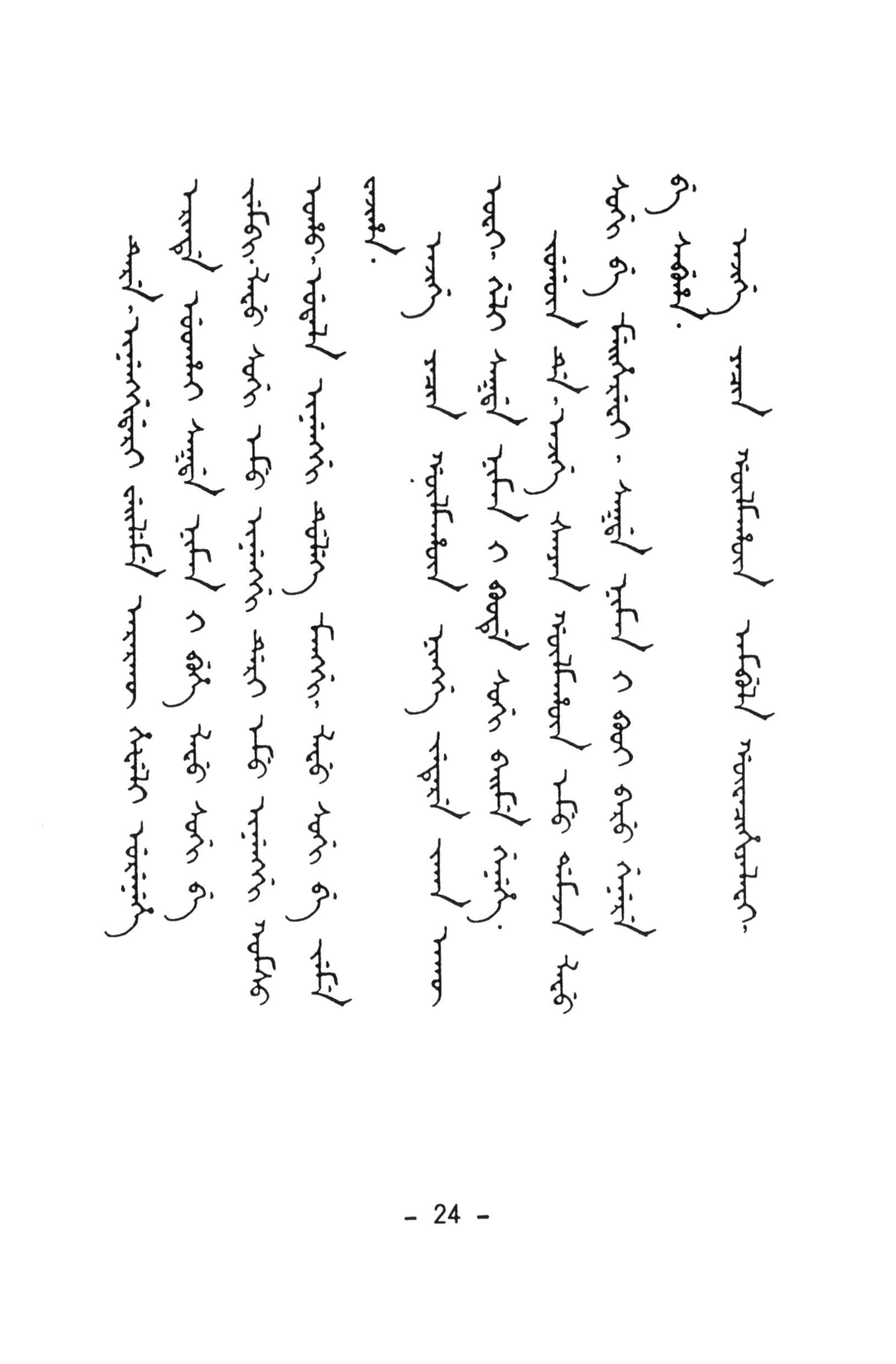

[illegible]

[illegible]

[illegible]

[illegible]

tere,inenggidari weileme ararkū hefeli urenehe erinde uthai sakda niman i buhe lafu sogi be jembi.lafu sogi emu inenggi deri emu inenggi komso oho,utala inenggi duleke manggi, lafu sogi be jeme wajiha.

ajige yacin gūlmahūn ningge jetere jaka akū ofi, geli sakda niman i boode sogi baime genehe.

jugūn de,ajige šanyan gūlmahūn emu damjan lafu sogi be meiherefi , sakda niman i booi baru genere be sabuha.

ajige yacin gūlmahūn ambula gūwacihiyalafi,

他每天不做事，肚子餓了的時候，就吃老山羊送的白菜。

白菜一天比一天的少了，過了一些日子後，白菜吃完了。

小黑兔因為沒有食物，又到老山羊家要菜。

在路上看見小白兔挑著一擔白菜往老山羊家去。

小黑兔感到很奇怪，

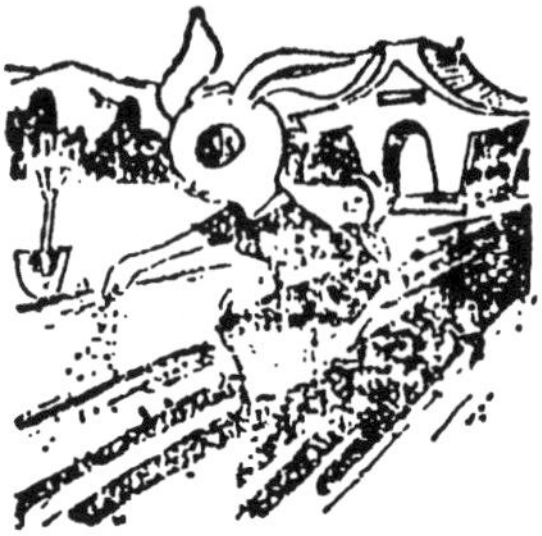

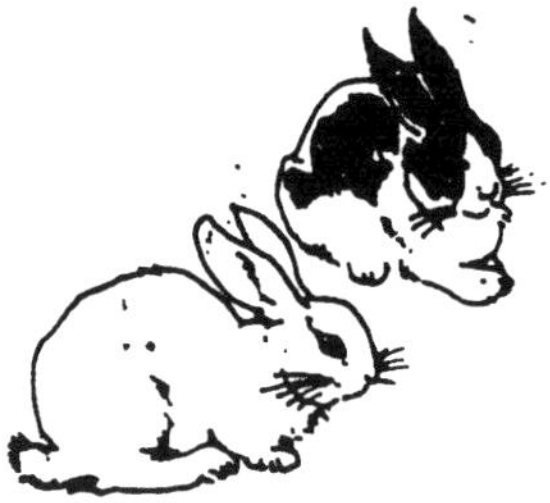

[illegible]

[illegible]

[illegible]

[illegible]

[illegible]

fonjime hendume: " ajige šanyan gūlmahūn, sini ere sogi be aibideri gaihangge? "

ajige šanyan gūlmahūn jabume : " mini beyei tarihangge , damu beye tarihade teni ele mila sogi bici ombi. " sehe.

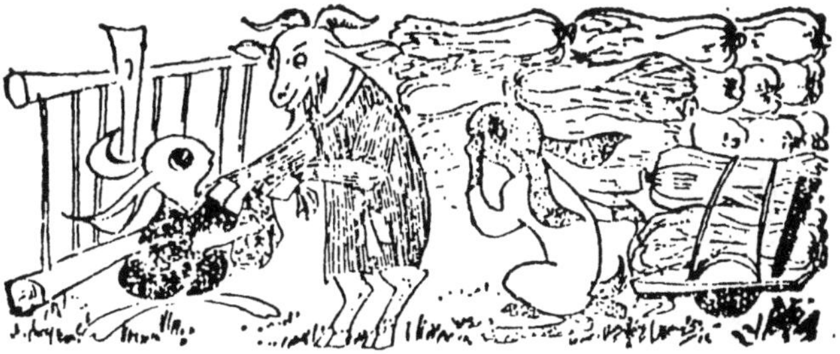

問道：「小白兔，你這蔬菜是從那裡要來的？」

小白兔回答說：「我自己種的。只有自己種才會有豐富的蔬菜。」

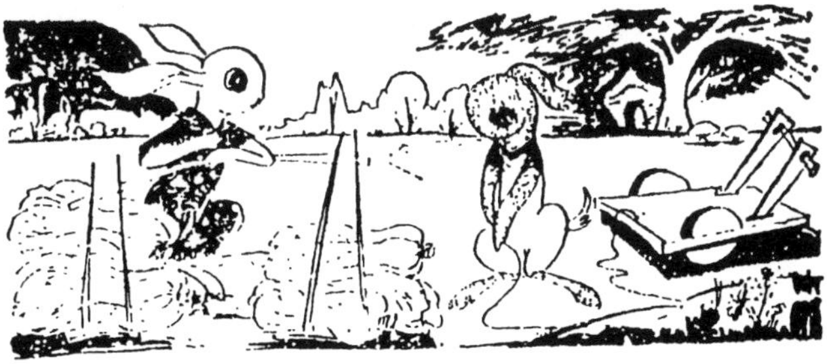

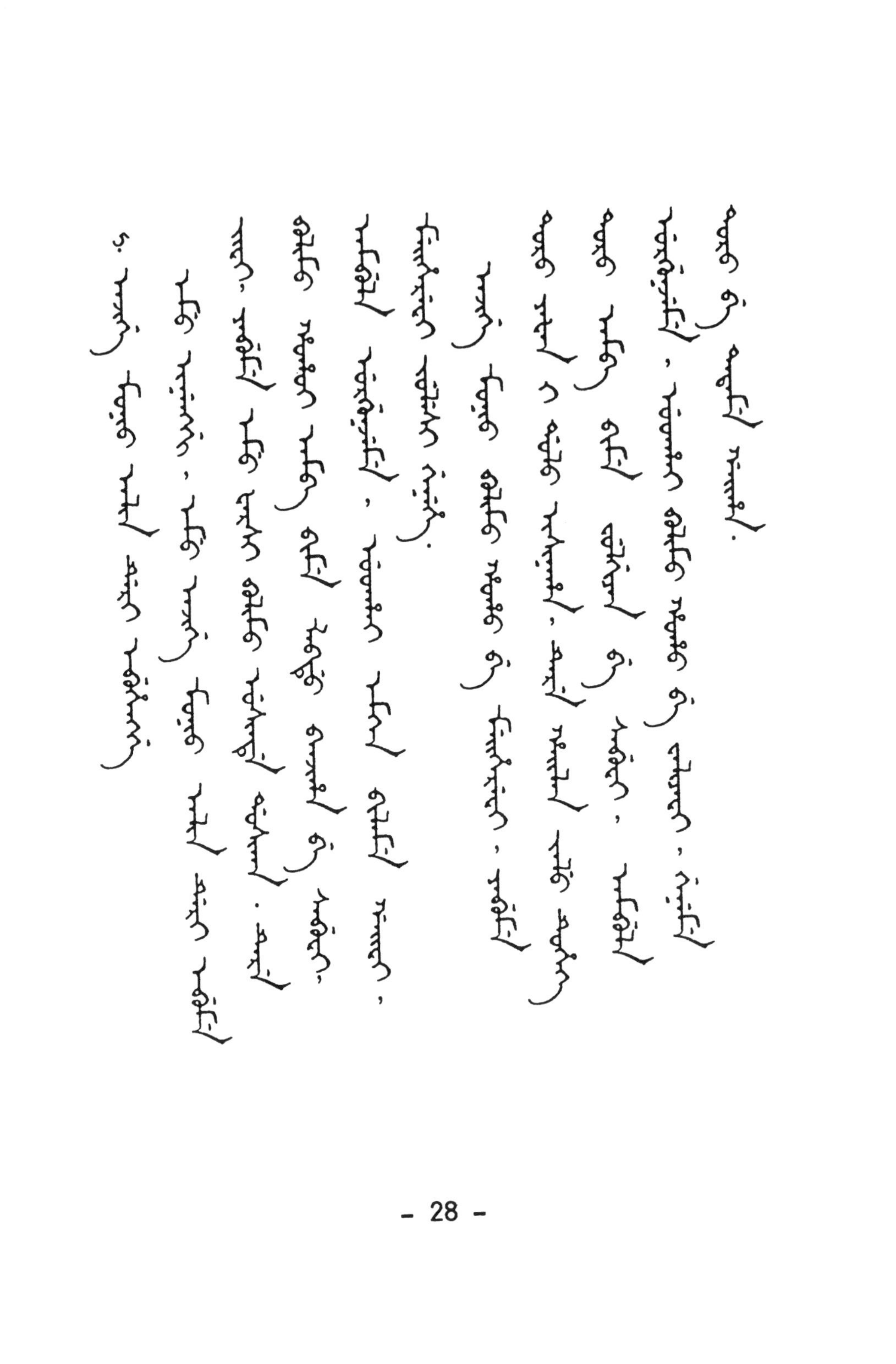

5.

5. ajige monio alin deri ebuhengge

emu inenggi , emu ajige monio alin deri ebume jifi, yabume emu farsi bolimo usinde dosika . tere bolimo hohoi amba bime labdu banjiha be sabufi, ambula urgunjeme , uthai emken bilame gaifi , meiherefi julesi genehe.

ajige monio bolimo hoho be meiherefi , yabume toro yafan i dolo isinaha, tere hailan jalu tuheke toro amba bime fulgiyan be sabufi , ambula urgunjeme , uthai bolimo hoho be waliyafi , geneme toro be tatame gaiha.

5. 小猴下山

有一天，一隻小猴子從山上下來，走進了一塊玉米地。牠看見玉米莢長得又大又多，很是高興，就折下來一個，扛著向前去了。

小猴子扛著玉米莢，走到了桃園裡面，牠看見樹上結滿了桃子，又大又紅，很是高興，就丟了玉米莢，去摘取桃子。

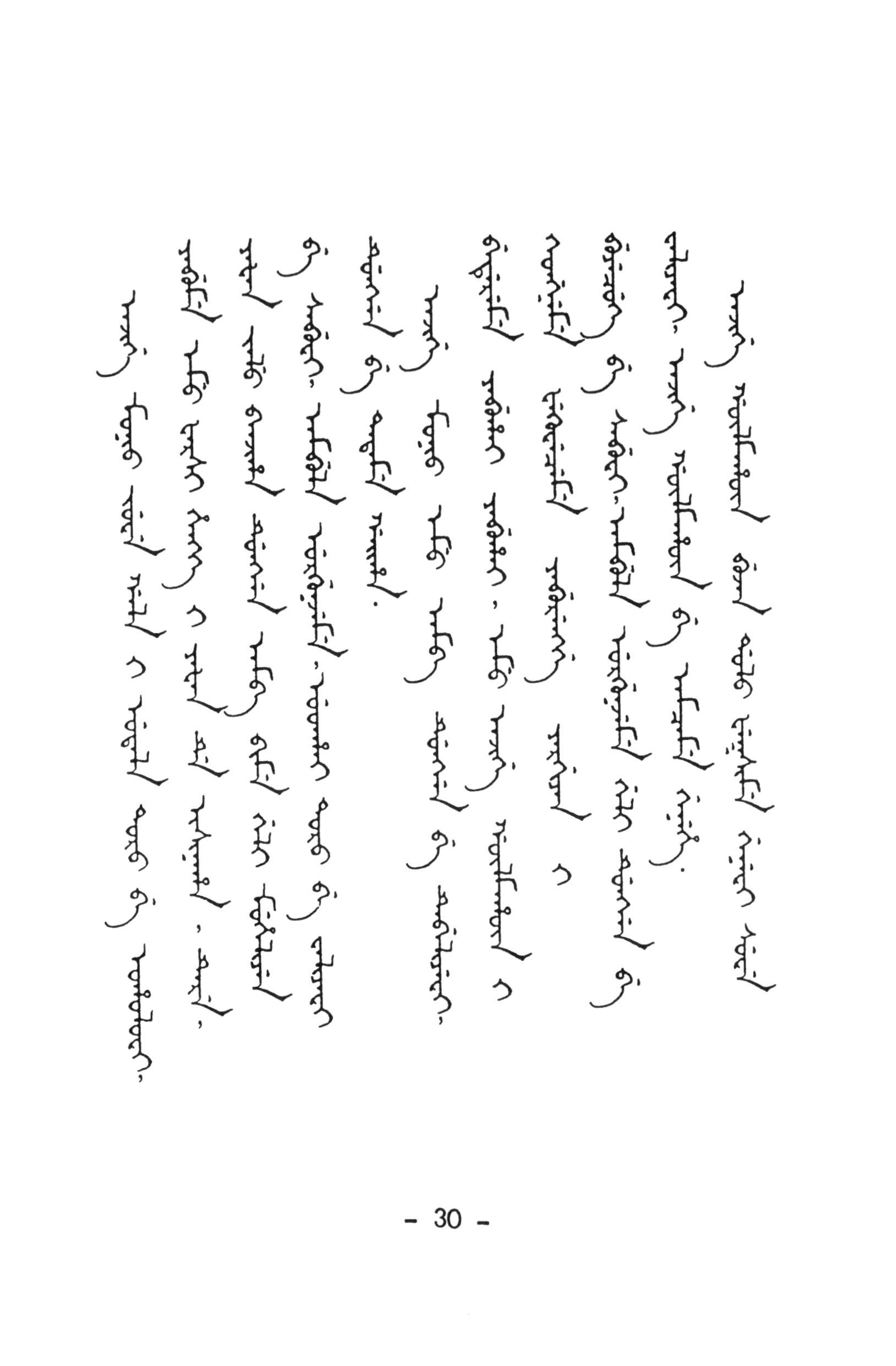

ajige monio juwe gala i utala toro be oholofi, yabume emu farsi hengke i yafan de isinaha , tere, yafan jalu banjiha dungga amba bime geli muheliyen be sabufi, ambula urgunjeme,uthai toro be waliyafi tungga be tatame gaiha.

ajige monio emu amba dungga be tebeliyefi, bedereme yabuhai yabuhai , emu ajige gūlmahūn i ketgeneme fekuweceme yaburengge yargiyan i buyecuke be sabufi,ambula urgunjeme geli dungga be waliyafi, ajige gūlmahūn be amcame genehe.

ajige gūlmahūn bujan dolo feksime genefi suwe

小猴子兩手捧著許多桃子，走到一塊瓜園，牠看見園裡長滿了西瓜，又大又圓，很是高興，就丢了桃子，去摘取西瓜。

小猴子抱了一個大西瓜，往回走著走著，看見一隻小兔子跳躍著，著實可愛，很是高興，又丢了西瓜，去追趕小兔子了。

小兔子跑進叢林裡就不見了。

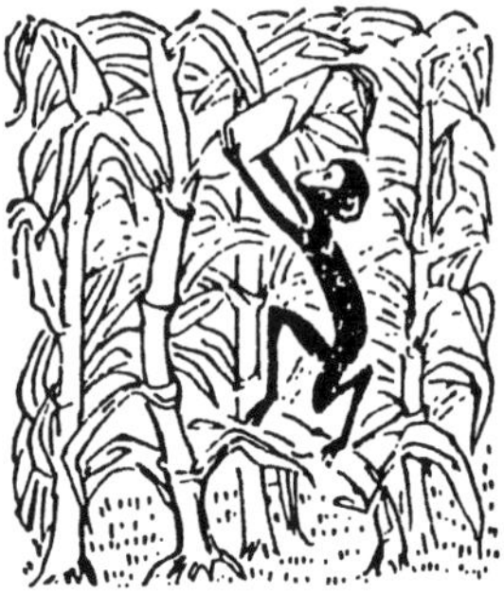

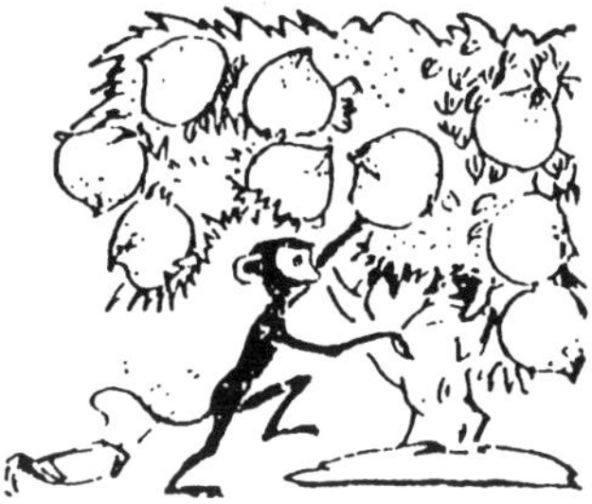

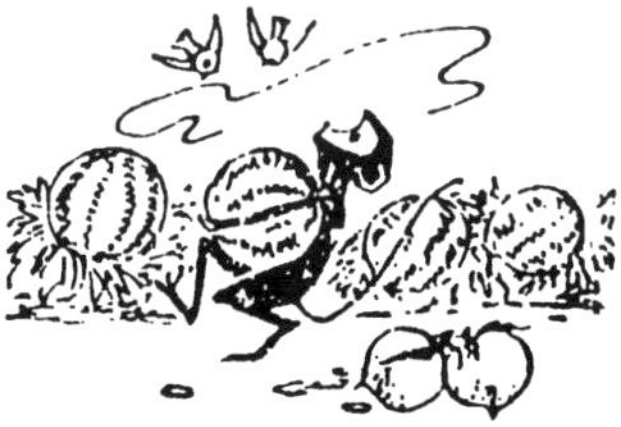

saburkū oho, ajige monio damu untuhun gala i booci bedereme genehe.

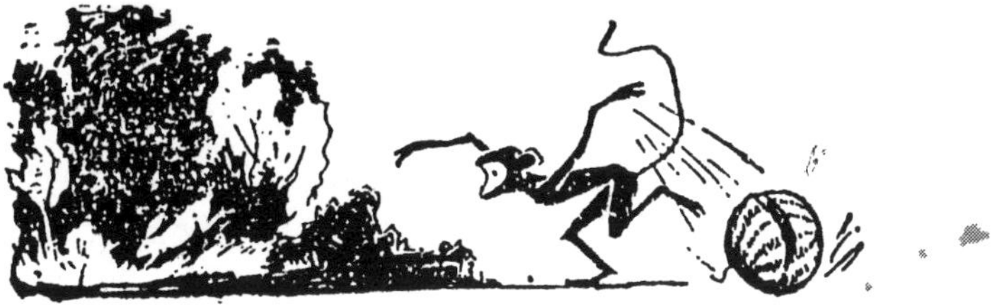

小猴子兩手空空回家去了。

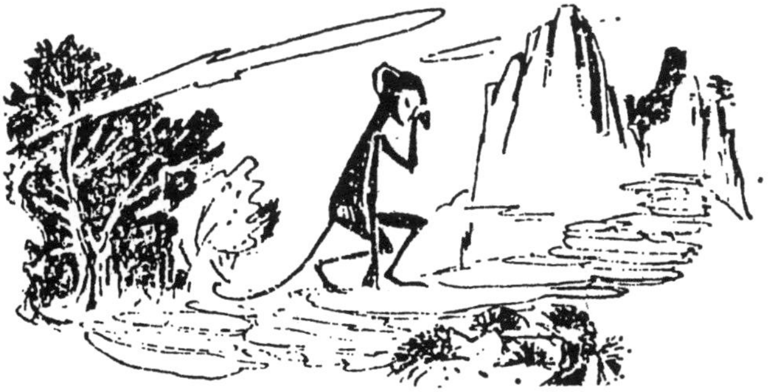

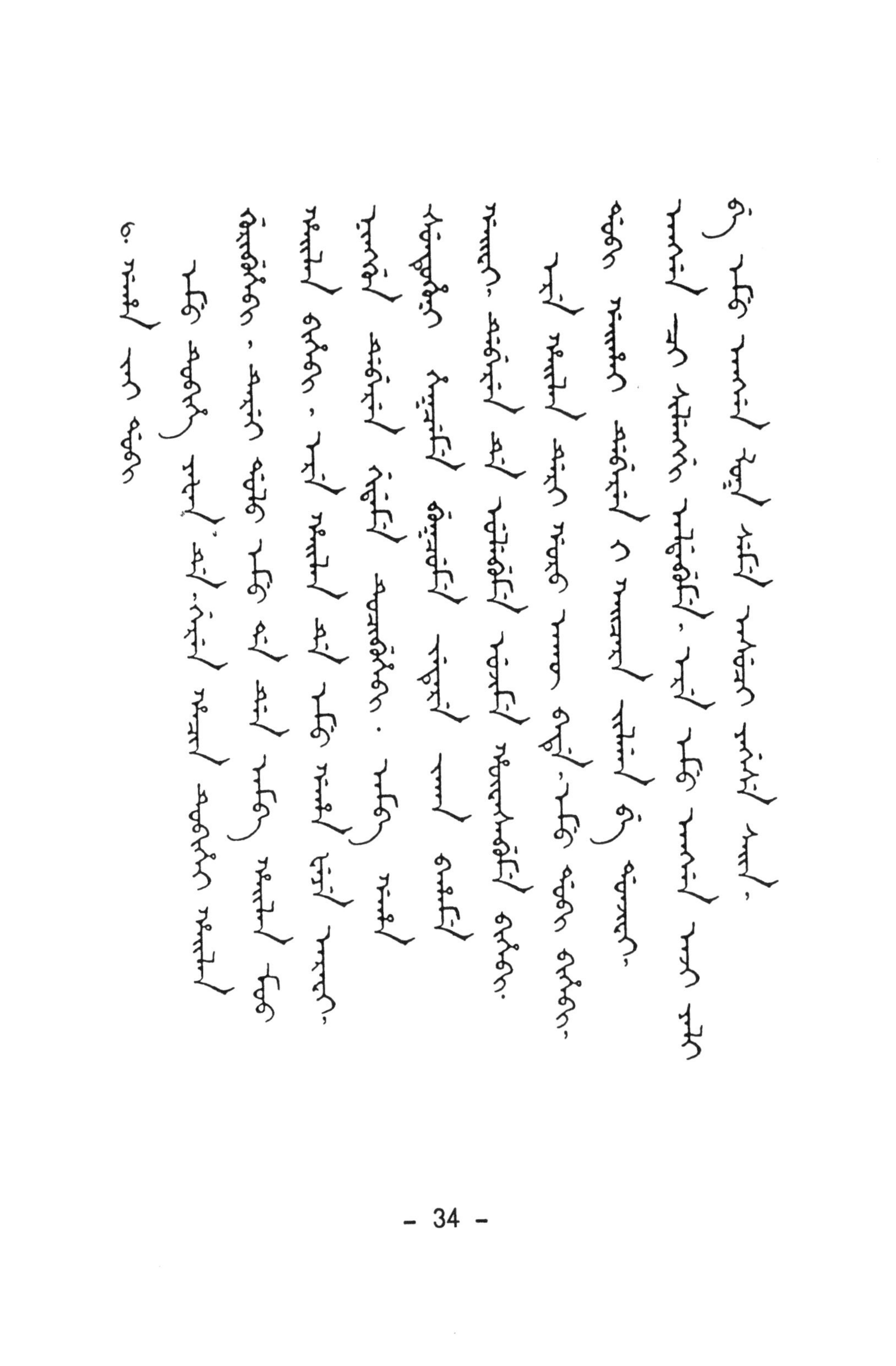

6. gaha jai dobi

emu tubihe yafan de,geren hacin tubihei hailan guribuhebi , terei dolo emu da den amba hailan moo hailan bihebi , ere hailan de emu gaha feye arafi, ninggun deberen gidame tucibuhebi . amba gaha šuntuhuni hekceme bukcume jetere jaka bahame gaifi, deberen de ulebume ujime hūwašabume bihebi.

ere hailan deri goro akū bade,emu dobi bihebi, dobi gaihai deberen i kaicara jilgan be donjifi, angga ci silenggi aldabume, ere emu angga aji yali be emu angga lok seme asuci yagese sain,

6. 烏鴉和狐狸

在一個果園裡，種植了各種的果樹，那裡面有一棵高大的樹木，一隻烏鴉在這棵樹上做了窩，孵出了六隻小烏鴉。大烏鴉整天辛辛苦苦地尋找食物餵養小烏鴉。

離這棵樹不遠的地方有一隻狐狸，狐狸聽到小烏鴉的喊叫聲，嘴裡流出口水，昂首瞭望著樹的頂端，想著把這一口嫩肉一口飽飽地吞下去的話多麼好，

[illegible]᠈ ᠪᡳ [illegible] [illegible] [illegible] ᠪᡝ [illegible] [illegible]᠈
[illegible] [illegible] [illegible] [illegible]᠈
[illegible] ᠨᡳᠶᠠᠯᠮᠠ [illegible] [illegible] ᠪᡝ [illegible]᠈ [illegible]᠉
[illegible]᠈ ᠨᡳᠶᠠᠯᠮᠠ ᠪᡝ [illegible] [illegible]᠈
[illegible] [illegible] ᡳ [illegible] [illegible] [illegible]᠈ [illegible]
[illegible]᠈ [illegible] [illegible] [illegible] [illegible] [illegible] ᠪᡝ [illegible]᠈
[illegible]᠈ [illegible] [illegible] [illegible] [illegible] [illegible] [illegible] [illegible] ᠪᡝ
[illegible]᠈ [illegible] ᠪᡝ [illegible] [illegible]᠈ [illegible] [illegible] ᠪᡝ [illegible]
[illegible]᠈ [illegible] [illegible] [illegible] [illegible] [illegible]᠈ [illegible] ᠪᡝ
ᠨᡳᠶᠠᠯᠮᠠ [illegible] [illegible] [illegible]᠈ [illegible] [illegible] ᠨᡳᠶᠠᠯᠮᠠ ᡳ [illegible]
[illegible] [illegible]᠈ [illegible] [illegible] ᠪᡝ [illegible] [illegible]

yagese selabumbi , seme uju be oncohon maktafi hailan foron ci karame , tuttu dobi hailan i dade jifi , torgime tafaki seci tafame muterkū , uju be wašame, oforo be tokome bodohoi,emu arga be bodome bahaha . dobi uju de emu orhoi ehe mahala be sindafi , gala de emu mohoroho faitakū be jafafi, beyebe niyalma i durun obume dasafi , erdeleme jifi, hailan be tuhebumbi sembi.

gaha hailan meitere asuki be donjifi, fonjime: " si ainaki sembi! " serede.

" baitakū, bi oci ere yafan be danara niyalma,

多麼痛快，於是狐狸來到樹下，繞著樹轉想攀登上去，但爬不上去。抓著頭，扎著鼻子一直在想，終於想出了一個法子。狐狸在頭上放了一頂壞草帽，手上拿了一把鈍鋸子，把自己打扮成人的樣子，一早來到，要鋸倒樹。

烏鴉聽到鋸樹聲音問道：「你要做什麼？」

「沒事，我是管理這個園子的人，

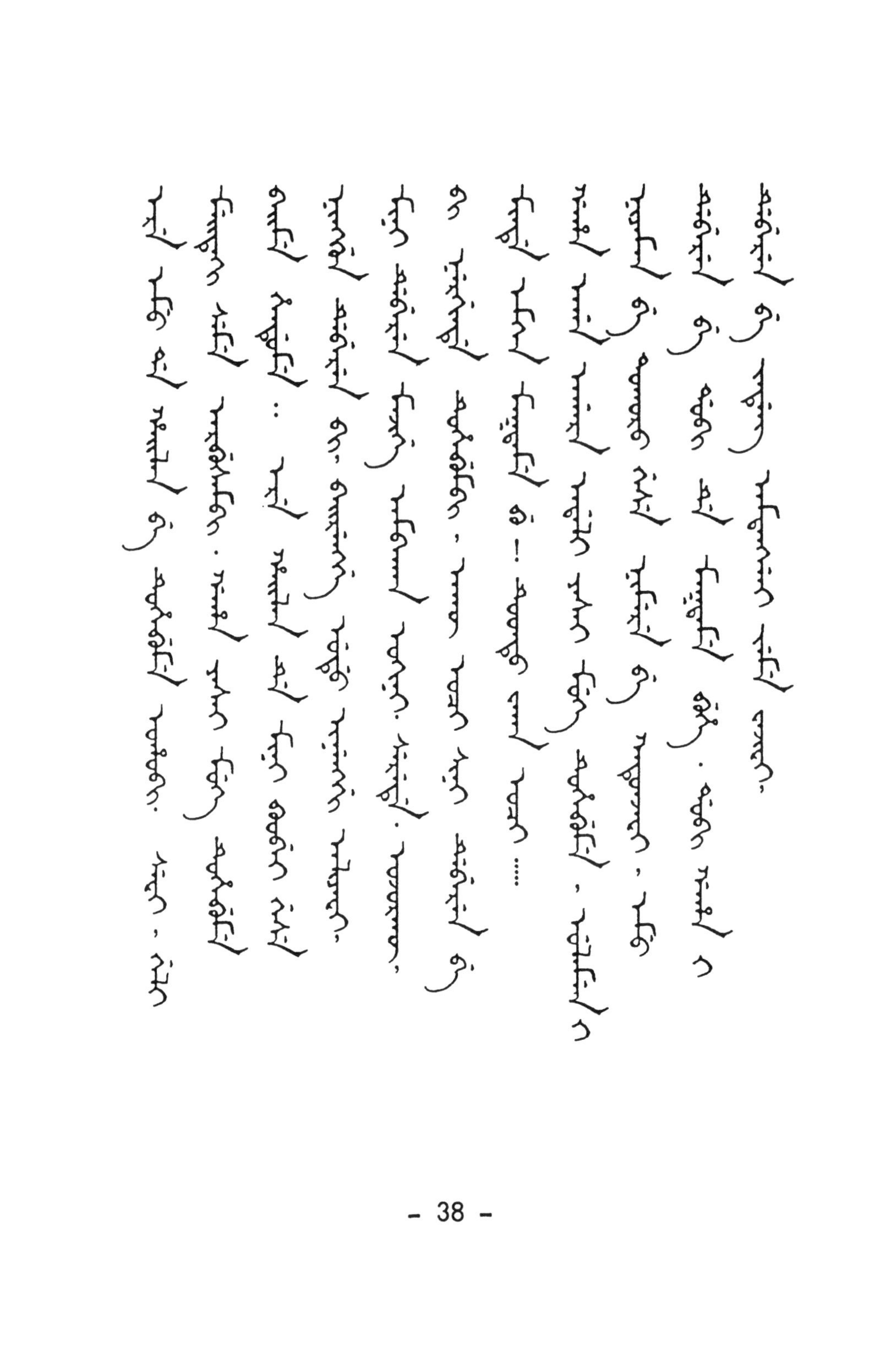

ere emu da hailan be tuhebume ohobi. " sefi , geli meiteki seme arbušambi . gaha yasai muke tuhebume baime hendume : " ere hailan de mini boobei gese ninggun deberen bi, bairengge udu inenggi aliyafi, mini deberen majige ambakan okini."serede."ojorkū, bi nerginde tuhebumbi , akū oci sini deberen be minde emken maktame bu ! tuttu waka oci ....."
gaha aga agara adali yasai muke tuhebume , ulamen i niyaman be tokoro gese nimere be katunjafi , emu deberen be dobi de maktame buhe . dobi gaha i deberen be jadeng amtanggai jeme wajifi,

要鋸倒這一棵樹。」又做出要鋸的動作。烏鴉掉下淚水懇求說：「這樹上有我像寶貝似的六隻小烏鴉，請等幾天，讓我的小烏鴉稍微長大些吧！」「不行，我要立即鋸倒它，要不把你的小烏鴉扔給我一隻！不然的話……」
烏鴉的淚水像下雨一樣的掉下來，忍著用針刺穿心般的疼痛，把一個小烏鴉丟給狐狸。狐狸把小烏鴉津津有味地吃完後，

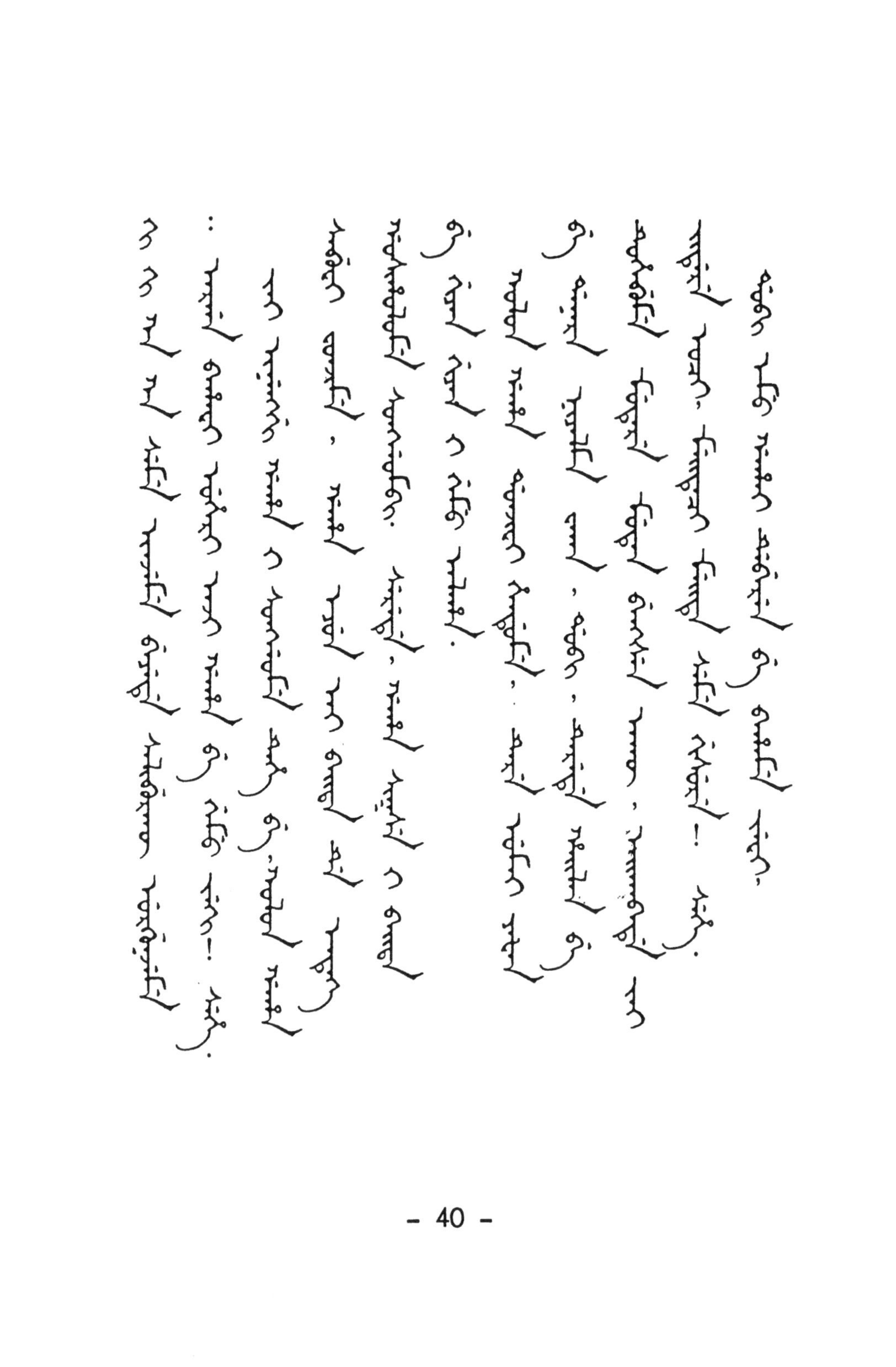

ki ki ka ka seme injeme beyede saliburkū urgunjeme : "arga bahafi uheri aji gaha be gemu jeki!" sehe.

jai inenggi gaha i songgome tehe be,kolon gaha sabufi fonjime , " gaha eyun ai baita de enteke gosiholome songgombi. " serede, gaha sikse i baita be giyan giyan i gemu alaha.

kolon gaha donjifi hendume, " tere umai yafan be danara niyalma waka , dobi , terede hailan be tuhebume mutere muten bengšen akū , aikabade jai jidere oci, meiteci meite seme gisure! " sehe.

dobi emu gahai deberen be bahame jefi,

忍不住嘁嘁喀喀地笑著喜不自勝地說：「得想法子把小烏鴉一起都吃了！」

第二天慈鴉看見烏鴉在哭，問道：「烏鴉姊姊什麼事這樣慟哭呢？」烏鴉把昨天的事清清楚楚的都告訴了。

慈鴉聽了說：「牠並非果園管理員，是狐狸，牠沒有鋸倒樹的本事，倘若再來的話，就說要鋸就鋸吧！」

狐狸吃了一個小烏鴉後，

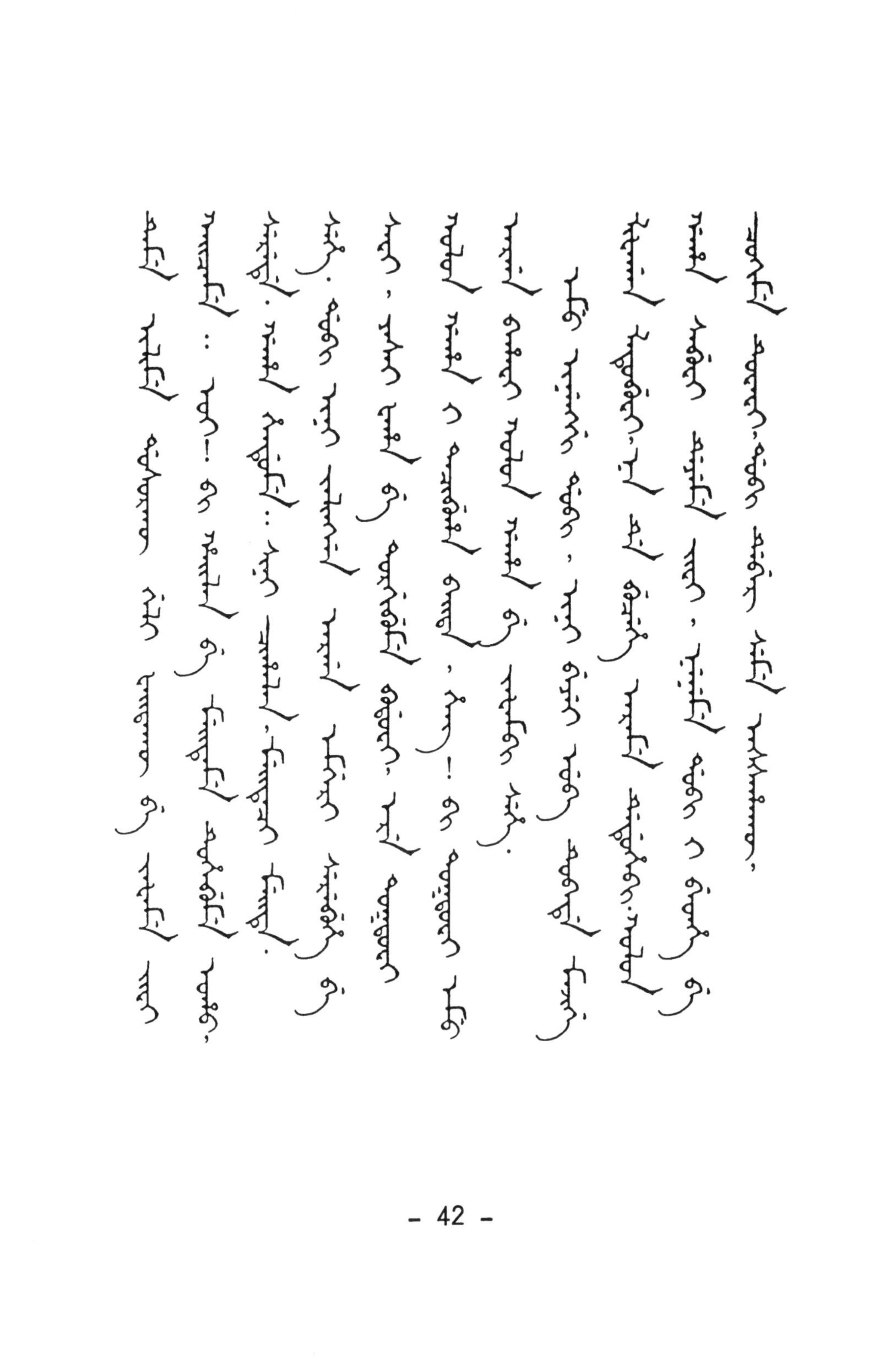

teme ilime dosorkū geli faitakū be jafame jifi kaicame :" oi! bi hailan be meiteme tuhebume oho," serede. gaha hendume:"sini cihalan,meiteci meite." sehe. dobi ini jalingga arga emgeri serebuhe be safi , yasai faha be torgibume bodofi, ere toktofi kolon gaha i tacibuha baita , heng! bi toktofi emu arga bahafi kolon gaha be jafambi sehe.

emu inenggi dobi , ini beyei uba tubade majige lifagan latubufi,na de bucehe arame deduhebi.kolon gaha sabufi deyeme jifi , neneme dobi i bethe be cokime tuwafi,dobi deber seme aššahakū,

坐立不安，又拿著鋸子來叫喊說：「喂！我要鋸倒樹了。」烏鴉說：「隨你便，鋸就鋸吧。」狐狸知道牠的奸計已被發覺，轉著眼珠想，這一定是慈鴉教的事，哼！我一定要想一個法子抓到慈鴉。

有一天，狐狸在牠身體各處塗了些泥，裝死躺在地上。慈鴉看見了，飛了下來，先啄狐狸的腿看看，狐狸絲毫也不動，

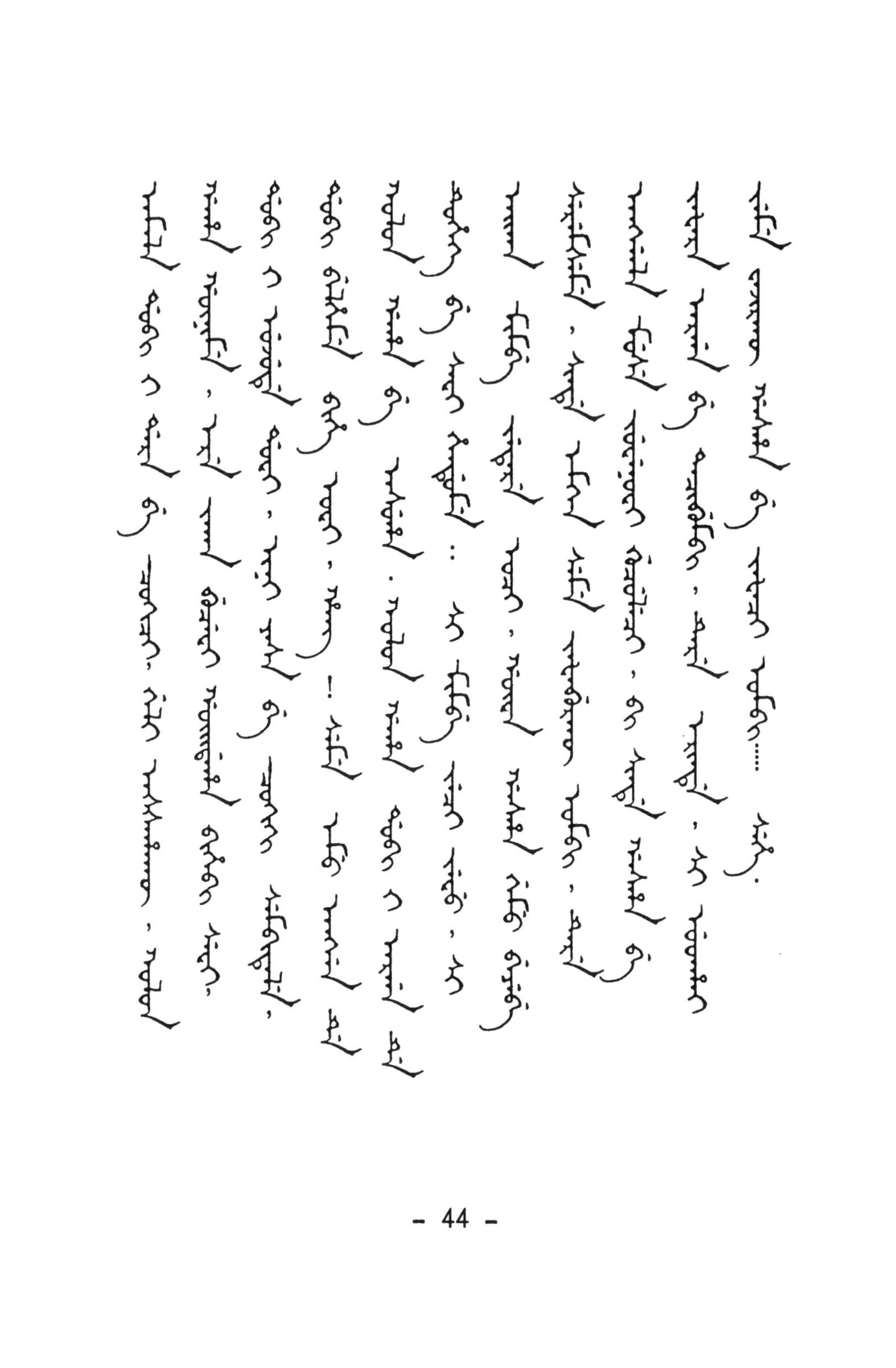

[illegible]

amala dobi i dara be cokici, geli aššahakū̃ , kolon gaha gũnime , ere jaka bucefi gũidaha bihebi sefi, dobi i ujude dofi , ini yasa be cokiki sembitele, dobi belheme bihe ofi , hang ! seme emu angga de kolon gaha be asuha . kolon gaha dobi i arga de tuheke be safi hendume : " si mimbe jeci jefu , si aika mimbe jetere oci , gũwa gasha gemu beyebe seremšeme , sinde emken seme jafaburkū̃ ombi , tere anggala muse juwenofi guculeci , bi sinde gasha be jafara arga be tacibumbi , tere erinde , si uthai jeme wajirkū̃ gasha be jafaci ombi..... " sehe.

後來又啄狐狸的腰，又不動。慈鴉心裡想，這個東西死去很久了，就停在狐狸的頭上，想要啄牠的眼睛；狐狸早有預備，吭！一口咬住了慈鴉，慈鴉知道中了狐狸的計，說道：「你要吃我就吃吧，你若是吃了我，別的鳥都保護自己，讓你一個也抓不到，況且我們兩個做朋友的話，我就教你抓鳥的法子，那時後，你就可以抓到吃不完的鳥了……。」

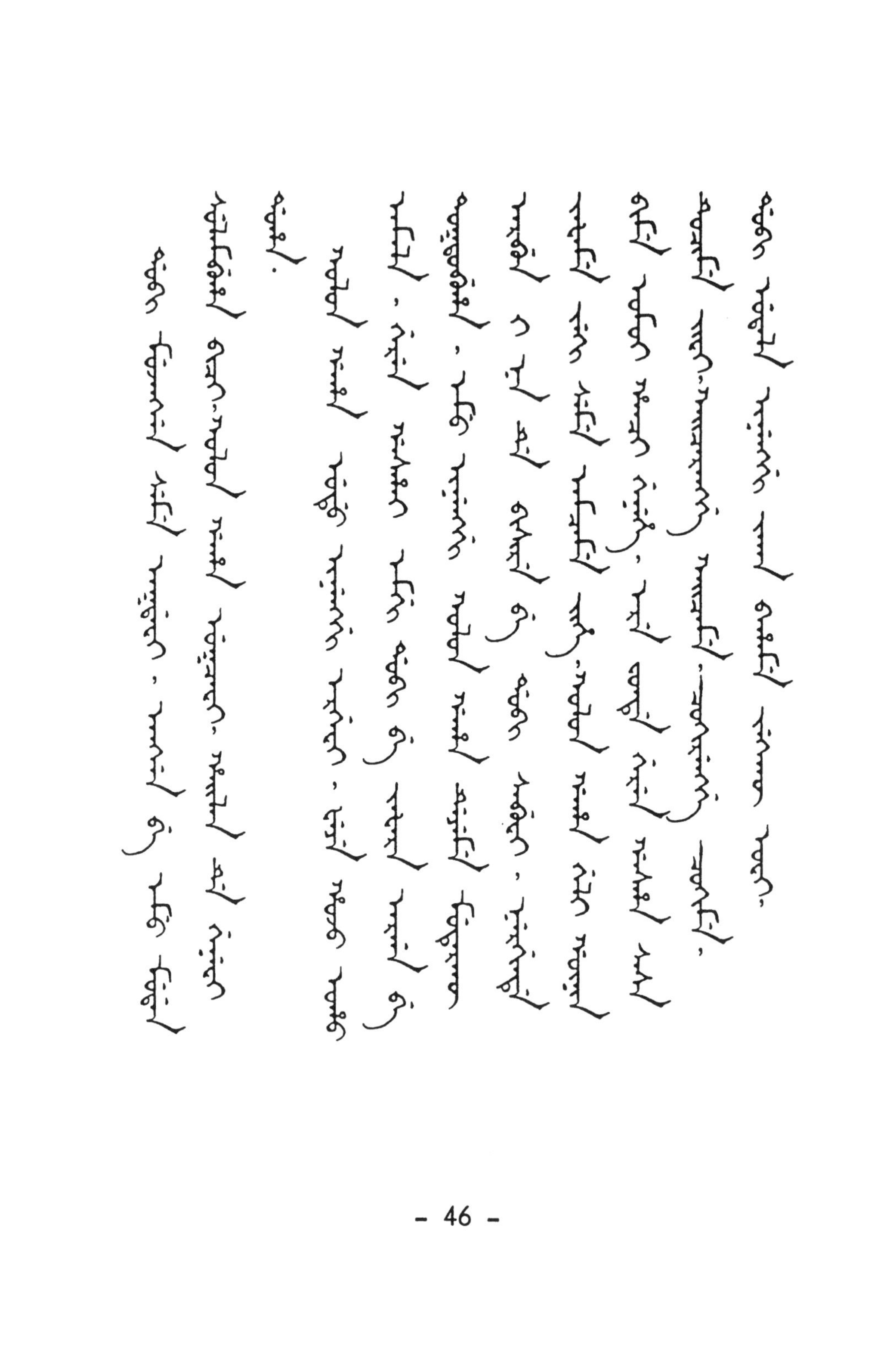

dobi mujangga seme akdafi , angga be emu mudan sulambuha bici,kolon gaha ukcafi, hailan de genefi doha.

kolon gaha udu inenggi ergefi , feye hojo oho amala , geren gashai emgi dobi be jafara arga be toktobuha , emu inenggi kolon gaha deyeme muterkû arbun i na de bisire be dobi sabufi , nerginde jafame jeki seme amcame jihe,kolon gaha geli gûnin bime omoi hanci genehe, ere fonde geren gasha sasa tucime jifi,kaicarangge kaicame,cokirengge cokime, dobi utala inenggi jaka bahame jekekû ofi,

狐狸信以為真，把嘴一鬆開，慈鴉就脫開停在樹上。

慈鴉休息了幾天，傷好了以後，同眾鳥決定了抓狐狸的法子。有一天，狐狸看見慈鴉不能飛的樣子停在地上，立即追來要抓來吃，慈鴉故意靠近湖邊去，這時候眾鳥一起飛出來，吶喊的吶喊，啄咬的啄咬，狐狸因為好些日子沒東西吃，

ᠠᠨᠠᠪᡠᡥᡳ ᠴᡳᠨᡳ ᠠᠨᠠᠪᡠ , ᠠᠯᡳᠪᡠᡥᡳᠨ , ᡶᠣᠨᡳ ᠪᡳ ᠵᡳᠯᡝ

ᠪᠣᠵᡳᡥᡳᠨ ᠠᠯᠠᠪᡠᡥᡳᠨ ᠪᡝᠶᡝᠨ.

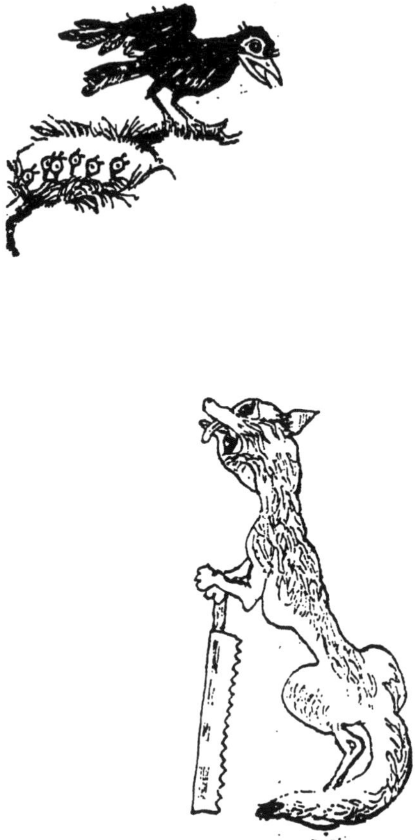

alkūre cinen akū , hafirabufi , muke de fekume dosifi hangsabume bucehe.

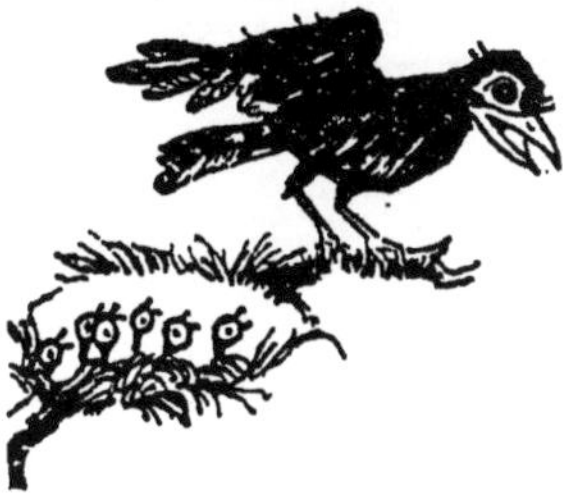

連邁步的力氣都沒有了，被迫跳進水裡淹死了。

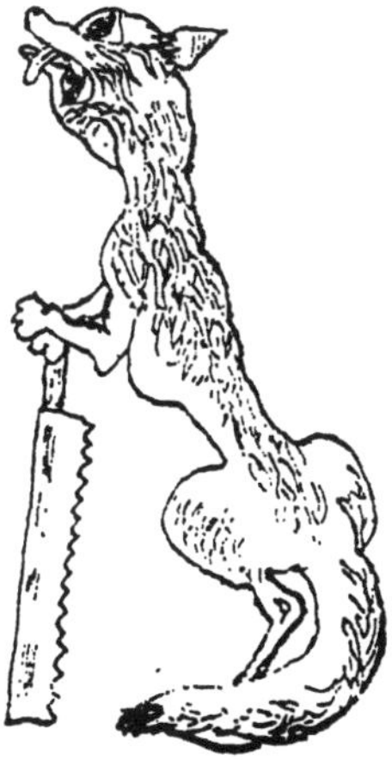

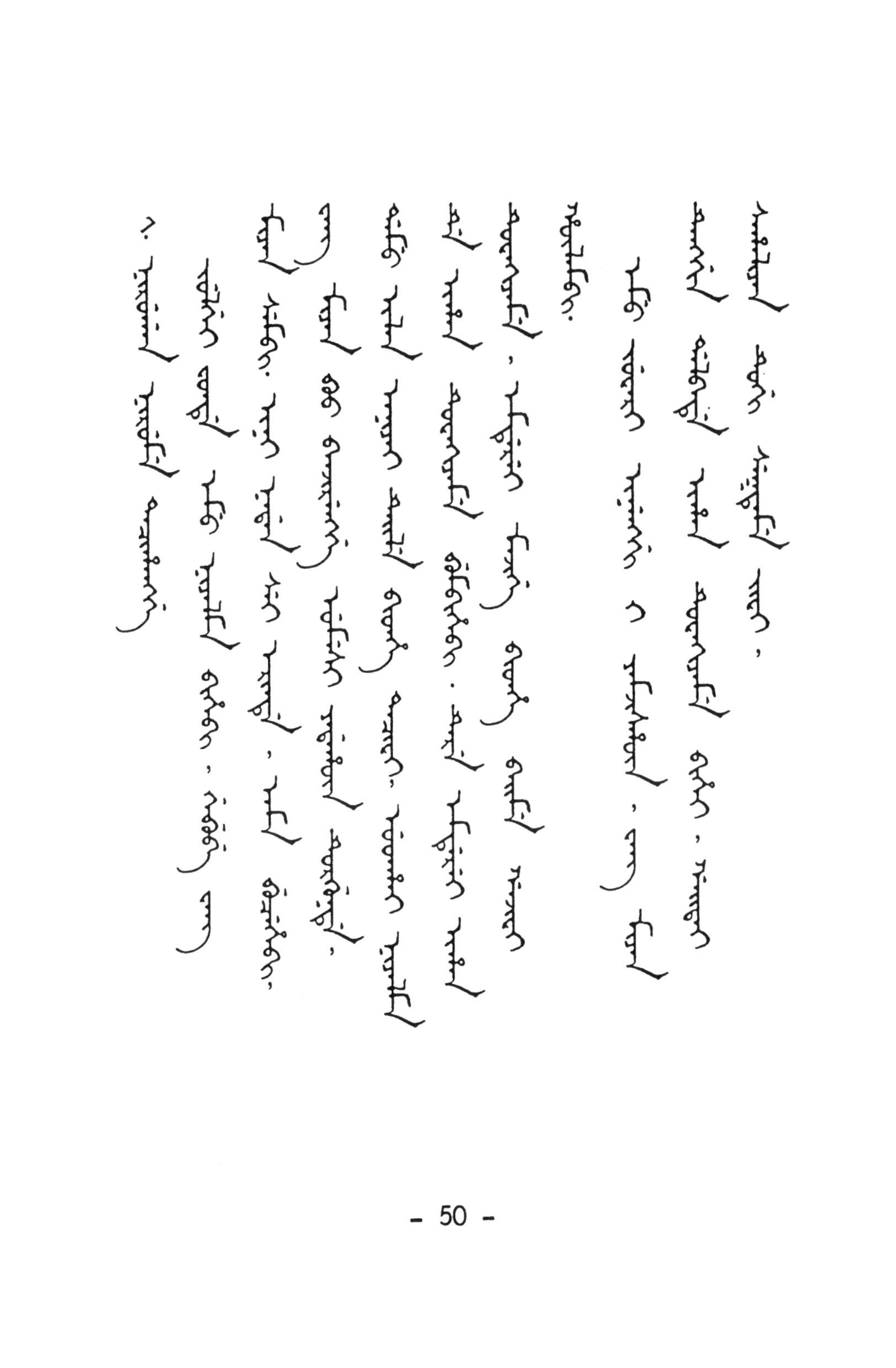

7. nirugan nirume tacihangge

julgei fonde emu niyalma bihebi , gebube wang miyan sembi. ini nadan sei erinde , ama bucehebi, wang miyan boo banjirengge umesi yadahūn turgunde, damu ilan aniyai teile bithe tacifi, uthai niyalma de ihan tuwakiyame bumbihebi . tere emderei ihan tuwakiyame , emderei majige bithe baime gajifi hūlambi.

emu juwari inenggi i yamjishūn , wang miyan tenggin dalbade ihan tuwakiyame bihei , gaitai sahaliyan tugi sekteme jifi ,

7. 學畫畫

古時候有一個人，名叫王冕，他七歲的時候，父親就去世了。王冕因家計很貧窮，只讀了三年的書，就給人家放牛。他一面放牛，一面找些書來唸。

在一個夏日的黃昏，王冕在湖邊放牛，忽然飄來了烏雲，

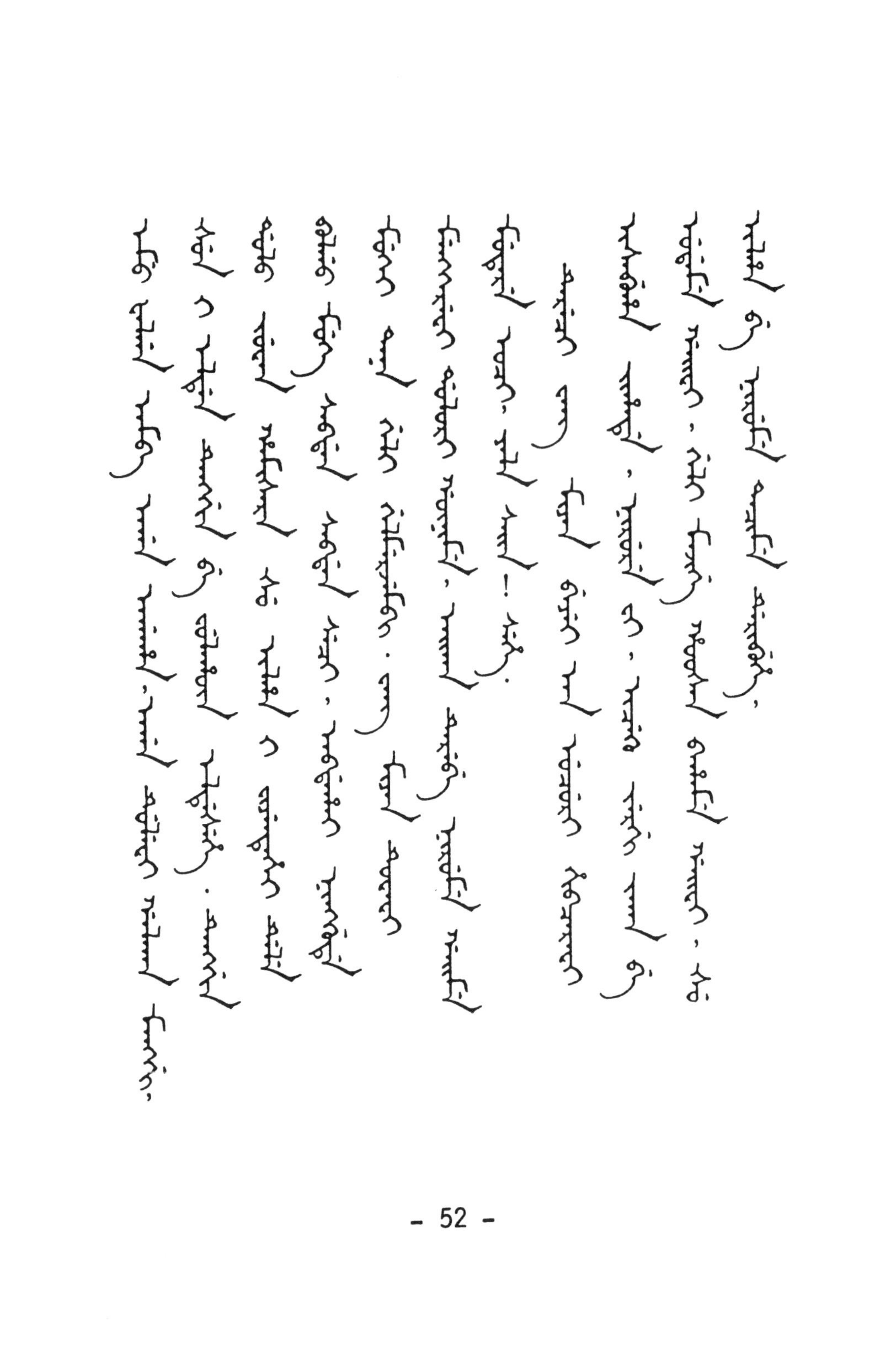

emu falga amba aga agaha,aga dulefi galaka manggi, šun i elden tenggin be fulahūn eldešehe . tenggin dolo juwan hamišara šu ilha i fiyentehei dele bolgo muke sabdan sabdan seci , abdahai ninggude mukei tana geli gelmerjembi . wang miyan tuwafi mengkerefi dolori gūnime, aika terebe nirume gaime mutere oci, yala sain! sehe.

tereci wang miyan beyei an ucuri hibcarafi isabuha jihade , nirure fi , iceku jergi jaka be udame gaifi , geli majige hoošan bahame gaifi , šu ilha be nirume tacime deribuhe,

下了一陣大雨，雨過天晴後，陽光照紅了湖面，湖裡將近十朵荷花的花瓣上面停著潔淨的點點水滴。葉子上面的水珠又光又亮。王冕看得出神，心中想，若是能把它畫下來，多好啊！

於是王冕用自己平時節省下來的錢，買來了畫筆、顏料等物，又找來一些紙張，開始學畫荷花。

[illegible]

[illegible]

[illegible]

[illegible]

[illegible]

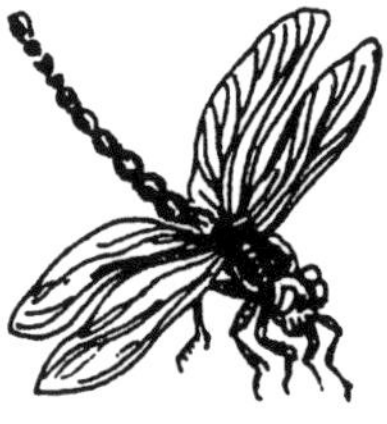

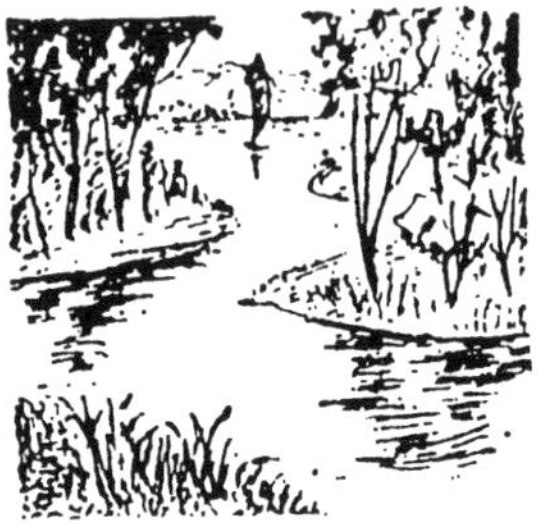

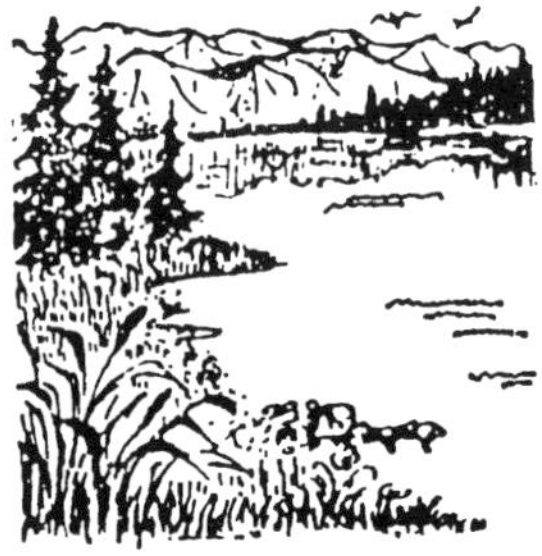

tuktan de tere sain i adališabume nirume bahanarkū , tuttu bicibe umai mujilen bijarkū, inenggidari nirume , udu biya niruha bici , hoošan de niruha šu ilha aimaka teniken tenggin dorgici gurume gaiha ilhai emu adali oho.

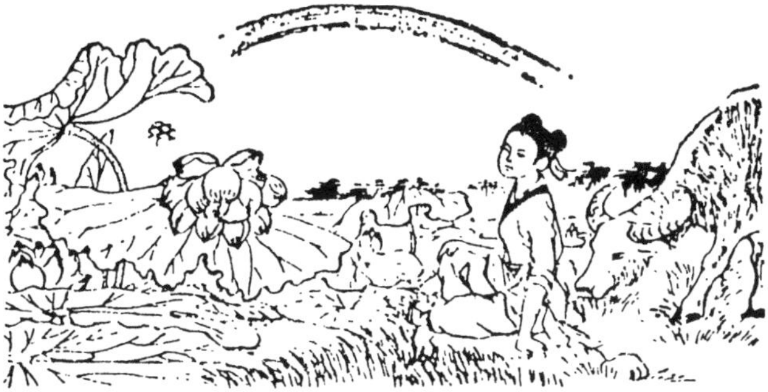

起初雖然畫得不是很像，但並不灰心，每天畫畫，畫了幾個月，紙上所畫的荷花好像剛從湖裡摘下來的花一樣。

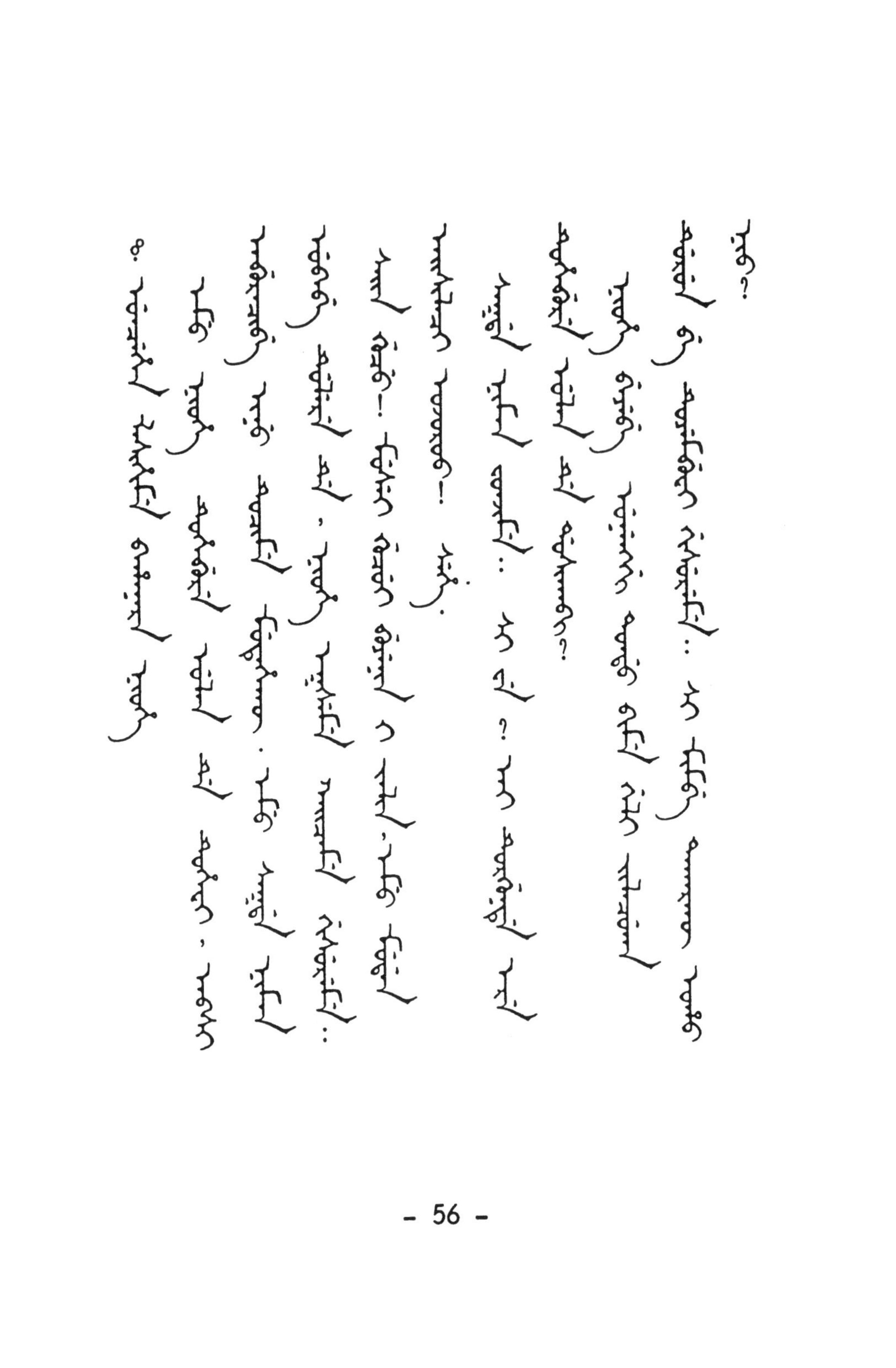

8. uncehen lasihime bahanara niohe

emu niohe tuhebure ulan de tuhefi , absi aburacibe inu tucime mutehekū . emu sakda niman ubabe dulere de , niohe ekšeme kaicame gisureme: " sain gucu! musei gucui buyenin i jalin,emu mudan aisilaci ojoroo! " sehe.

sakda niman fonjime: " si we ? ai turgunde ere tuhebure ulan de dosikabi? "

niohe beyebe unenggi tondo bime geli jilacuka durun be tuyembufi gisureme:" si mimbe takarkū oho nio?

8. 會搖尾巴的狼

一隻狼掉到陷阱裡，無論怎麼掙扎也出不去，一隻老山羊經過這裡，狼急忙喊叫說：「好朋友！為了我們的友誼，可以幫我一次嗎？」

老山羊問道：「你是誰？為什麼進入這陷阱裡？」

狼裝出誠直而且又可憐的樣子說：「你不認識我了嗎？

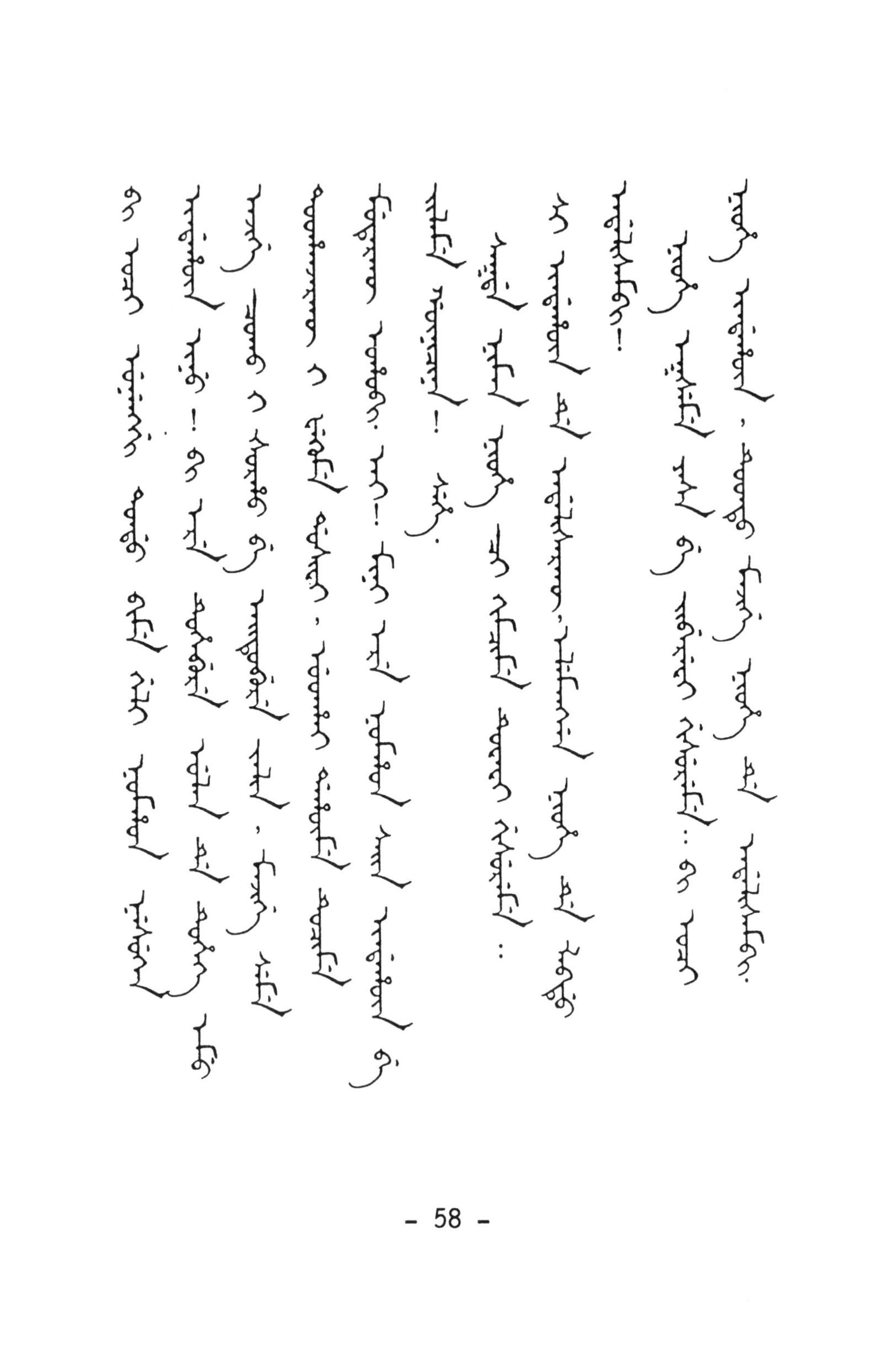

bi oci unenggi tondo bime geli nomhon nesuken indahûn inu ! bi ere tuhebure ulan de tuheke emu ajige coko i šorho be aitubure jalin , majige seme toohanjarkû i fekume dosifi , uthai dahûme tucime muterkû ohobi. ai! mini ere nomhon sain indahûn be jilame gûnicina! " sehe.

sakda niman niohe ci kimcime tuwafi gisureme : "si indahûn de adališarkû,elemangga niohe de labdu adališambi! "

niohe ekšeme yasa be jiberefi gisureme:"bi oci niohe indahûn , tuttu majige niohe de adališambi.

我是誠直而且又溫和的狗啊！我為了救掉到這陷阱裡的一隻小雞，毫不遲疑地跳進來，就再也出不去了。噯！可憐我這隻馴良的狗吧！」

老山羊詳細看了狼後說道：「你不像狗，反倒很像狼！」

狼急忙瞇著眼睛說：「我是狼狗，所以有點兒像狼。

ᠰᡠᠸᠠᠪᠣ ᡝᠯᡤᡝᠪᡝ ᠠᠨ ᡨᡝᡵᡝᠪᡝ ᠮᡠᠰᡝᡥᡝ ᠈ ᠪᠠ ᠮᠠᠩᡤᠠ ᠮᡝᠨᡝᡵᡝ ᡳ
ᠮᡠᠵᡳᠯᡝᠨ ᡥᡝᠪᡝ ᠉ ᡨᡝᡵᡝ ᠪᡝᠶᡝ ᡝᡵᡩᡝ ᠮᡠᠩᡤᠠ ᠰᡳᡵᡤᡝᠯᡝ ᠈ ᠪᠠ
ᠠᡩᠠᠨ ᡥᠣᡵᡤᠣᠯᡝ ᠪᡝ ᡨᠠᠰᡠᡵᡝ ᠪᡠᠯᡝᡥᡝᠨ ᠈ ᡥᡡᠸᠠᡩᠠᠨ ᡥᠣᠩᡤᠣ
ᠠᠨ ᠰᠣᡩᠣ ᠈ ᡨᡝᡵᡝ ᡥᠣᡵᡤᠣᠯᡝ ᠪᡝ ᡨᠠᡴᠠᡵᠠᠩᡤᡝ ᡥᠣᠯᠠᠨ ᠮᡠᡩᡝ ᠉
ᠪᡳᡥᡝ ᠉

ᡥᠣᡩᡝ ᡥᡠᠨ ᡳᡵᡤᡝ ᠪᡝ ᠠᠯᡳᠪᡠᡥᠠᠩᡤᡝ ᡨᡝᡵᡝ ᠈ ᡥᠣᡩᠣᠨ ᠪᡳᠶᡝ
ᠰᡳᠨᡝ ᡥᠣᡵᡤᠣᠯᡝ ᠪᡝ ᡥᠣᡩᠣᠨ ᡥᠣᡩᠣᠪᡝ ᡳᠨᡝ ᠰᠠᡵᡤᠠᡳ ᠪᠠᠨ ᠈ ᠪᠠᡳ
ᠪᠠᡳ ᠪᠠᡳ ᠰᡳᠨᡝ ᠈ ᠪᠣᡥᠣᠪᡝᡩᡝ ᡥᠣᡩᠣᠯᡝ ᠪᠣᡥᠣᠰᡳᠨ ᠪᠠᡳᠰᠣᠯᡝ ᠪᡝ ᡥᡝᡵᡤᡝ
ᠪᠣᡩᠣ ᠪᠠᡳᠨ ᡝᠰᡳᡵᡝᡥᡝᠪᡝ ᠉

ᠮᡠᠰᡝᡥᡝ ᡥᠣᡵᡳᠯᡝ ᡥᠣᡩᠣᠪᡝ ᡳ ᠪᠣᡩᡝ ᠰᡳᠨᡝ ᡥᠣᡩᠣᠯᡝ ᠴᡳ
ᡠᠮᡝᠰᡳᠯᡝᠨ ᠪᠣᡩᠣᠨ ᠈ ᡥᠠᡵᡤᠠᠰᠠᠮᡝ ᡥᠣᡩᠣᠪᡝ ᠪᡝ ᠪᠠᠮᠠᡵᡝ ᠪᠣᡩᠣᡥᠣᠪᡝ

tuttu secibe si mimbe akda , bi jingkin yargiyan i indahūn inu . mini banin feten jaci nemgiyen , bi kemuni uncehen be lasihime bahanambi , akdarkū oci si tuwa , mini uncehen be lasihirengge absi sain." sehe.

niohe ini gisun be temgetulere jalin,uthai tok sere uncehen be ušafi udu geri lasihiha bici , pas pas pas seme, tuhebure ulan dorgii boihon be erime toso buraki dekdebuhe.

sakda niman niohe i tok sere uncehen ci hadahai tuwafi,ehelinggū niohe be takame tucibuhe.

但是你要相信我，我確實是狗。我的性情溫和，我還會搖尾巴呢！不信的話，你看，我的尾巴搖擺得多麼好！」

狼為了證明牠的話，就拖著硬梆梆的尾巴搖了幾下，啪斯啪斯啪斯地把陷阱裡的泥土掃得塵埃飛揚。

老山羊注視著硬梆梆的狼尾巴，認出是兇惡的狼。

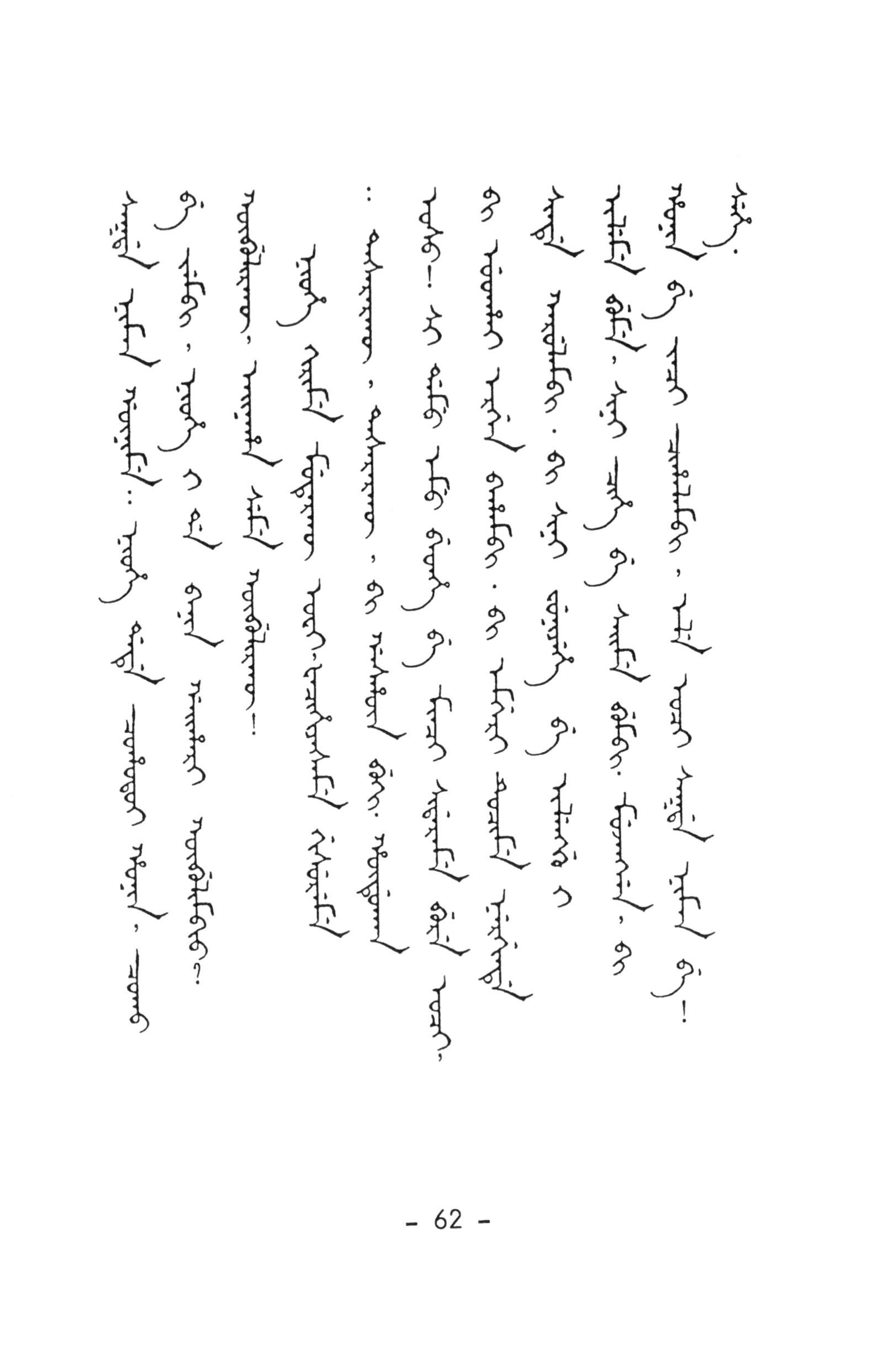

sakda niman gūnime: niohe dade cohotoi honin, coko be jembi , niohe i da banin gaihari kūbulimbio? kūbulirkū, ainaha seme kūbulirkū!

niohe kirime muterkū ofi,facihiyašame gisureme :" tašararkū , tašararkū , bi gashūn buki. hūdukan oso! si damu emu bethe be minci sidarame bure oci, bi uthai ergen bahambi . bi emgeri tucime nerginde sinde karulambi . bi sini funiyehe be ilenggu i ileme bume, sini cihe be saime bumbi. mujangga, bi honin be jaci cihalambi , ele oci sakda niman be!" sehe.

老山羊想道：狼原本是專吃羊、雞的，狼的本性會突然改變嗎！不會改變，絕對不會改變！

狼因為忍受不了，著急地說道：「不錯，不錯，我發誓，趕快吧！你只要伸一隻腿給我，我就可以活命了。我一出去就報答你，我用舌頭舔你的毛，咬你的虱子。真的，我很愛羊，尤其是老羊！」

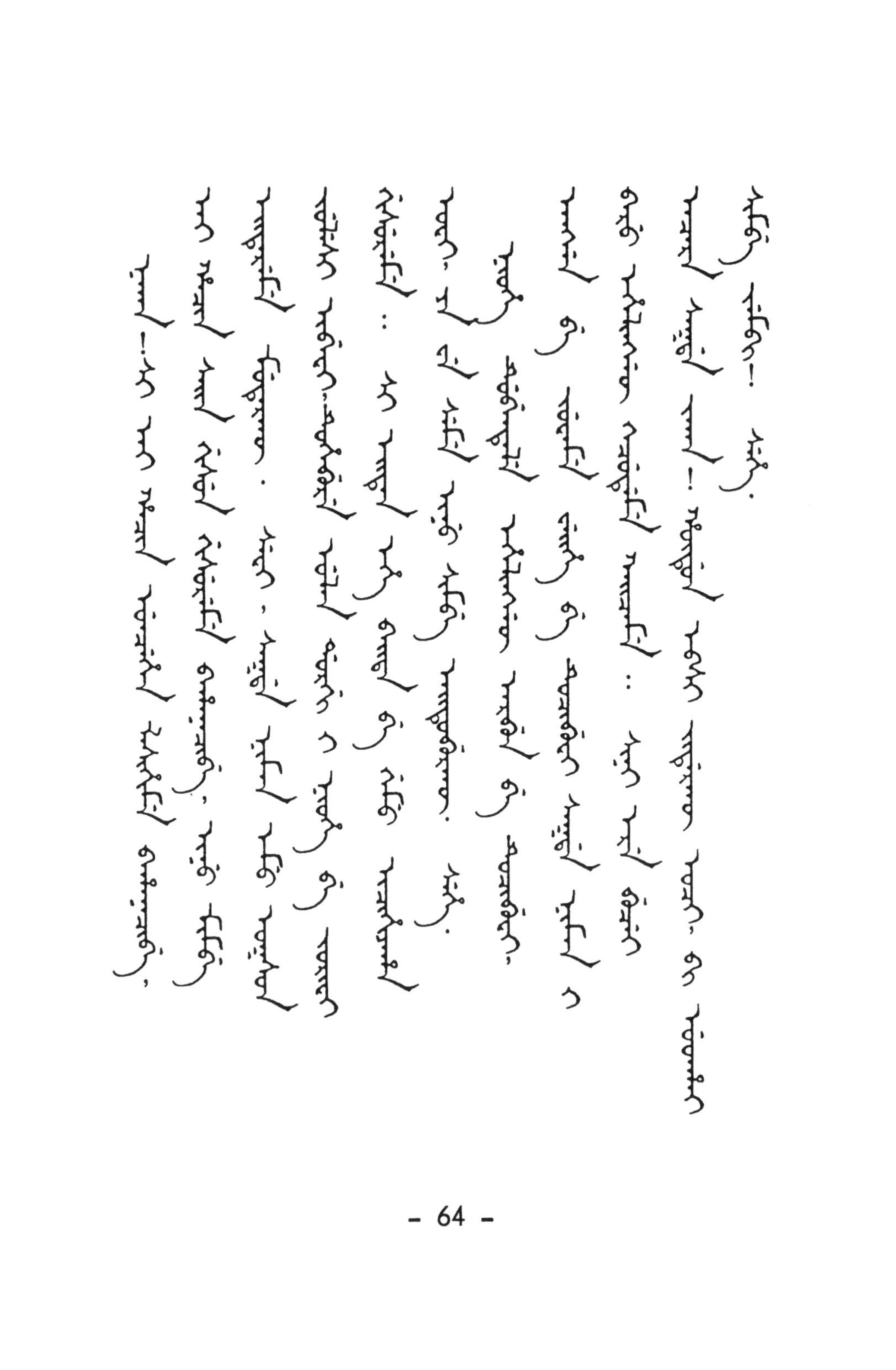

[illegible]

"naka!si ai hacin uncehen lasihime bahanacibe, ai hacin sain gisun gisureme bahanacibe, inu mimbe eitereme muterkū . " sefi , sakda niman emu okson julesi ibefi,tuhebure ulan dorgi i niohe be jorifi gisureme : " si eiten ehe baita be gemu icihiyaha ofi, ya we seme inu simbe aituburkū. " sehe.

niohe dubentele ehelinggū arbun be tucibufi, angga be juwame weihe be tucibufi sakda niman i baru ehelinggū kecudeme kaicame : " sini ere bucei acara sakda jaka! hūdun ebsi jiderkū oci, bi uthai simbe jembi! " sehe.

「算了！不管你怎麼會搖尾巴，會說好話也騙不了我。」老山羊進前一步，指著陷阱裡的狼說：「因為你做了種種的壞事，誰也不會救你。」

狼終於露出了兇惡的原形，張口露牙，對著老山羊兇狠地叫著：「你這該死的老東西！不趕快過來的話，我就吃掉你！」

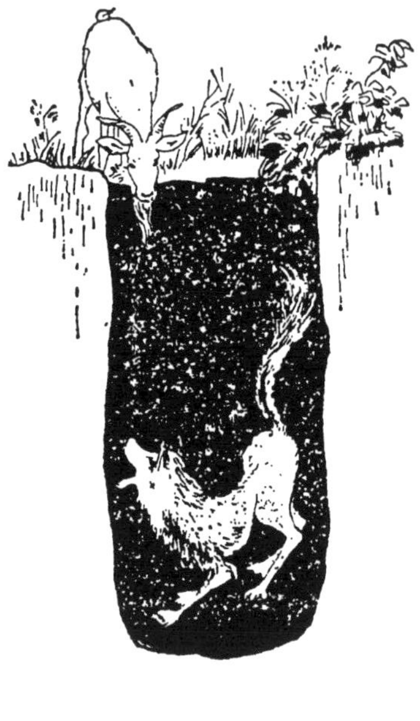

sakda niman fusihūsara yasa i niohe be tuwafi gisureme:" sini ergen heni goidarkū ohobi. abalasi ini cisui jifi simbe isebumbi. " seme gisureme wajifi uthai yooha.

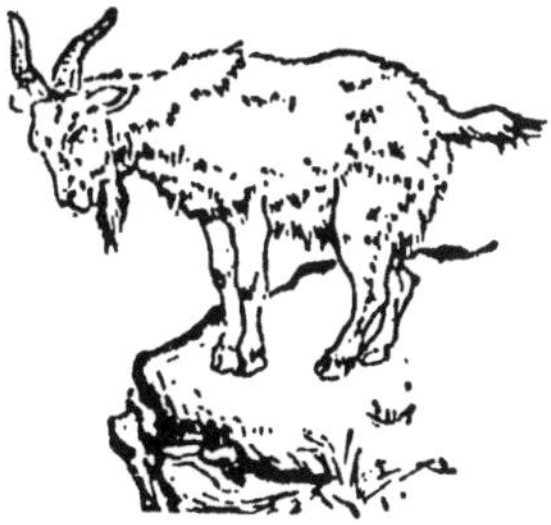

老山羊以輕視的眼光看了狼說：「你的命不會太久了，獵人自然會來懲罰你。」說完就走了。

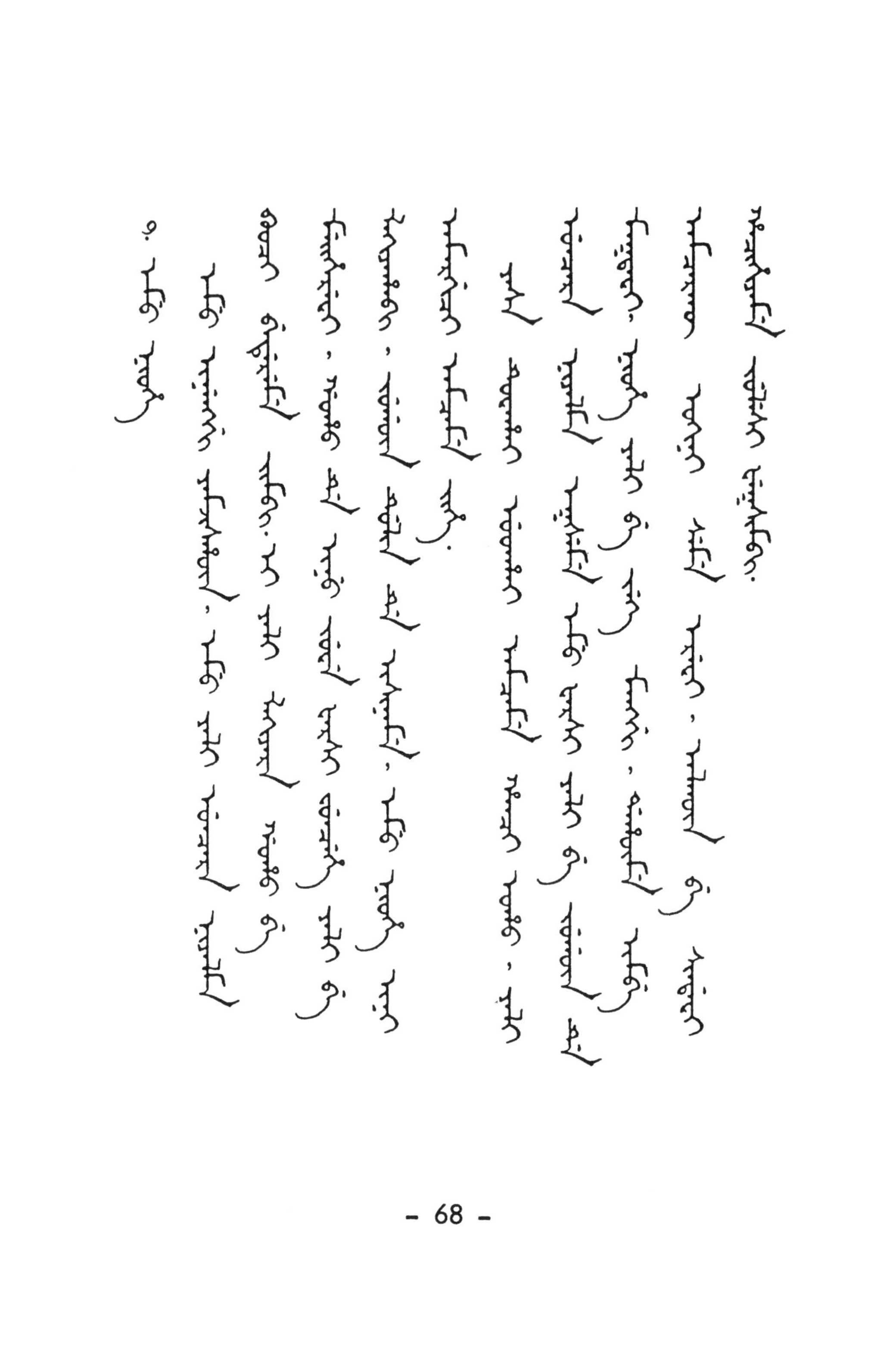

9. emu niohe

emu inenggi yamjishūn, emu yali uncara niyalma booci bedereme jimbi . i yali lakiyara goho be meiherefi , goho de inu juwe farsi funcehe yali be lakiyahabi , jugūn dulin de isiname, emu niohe ini amargici amcame jihe.

yasa tuwahai uthai amcame hanci oho , yali uncara niyalma ekšeme emu farsi yali be jugūn de maktafi, niohe yali be jeke manggi , dahūme imbe amcarkū okini seme erefi , alkūn be sindafi hacihiyame julesi feksimbi.

9. 一隻狼

有一天傍晚，一個賣肉的人回家來，他扛著掛肉的鉤子。鉤子上掛有兩塊剩下的肉。到了半路，有一隻狼從後面追來。

眼看就要逼近了，賣肉的人急忙把一塊肉拋在路上，希望狼吃了肉後，不再追他，放開腳步趕緊向前跑。

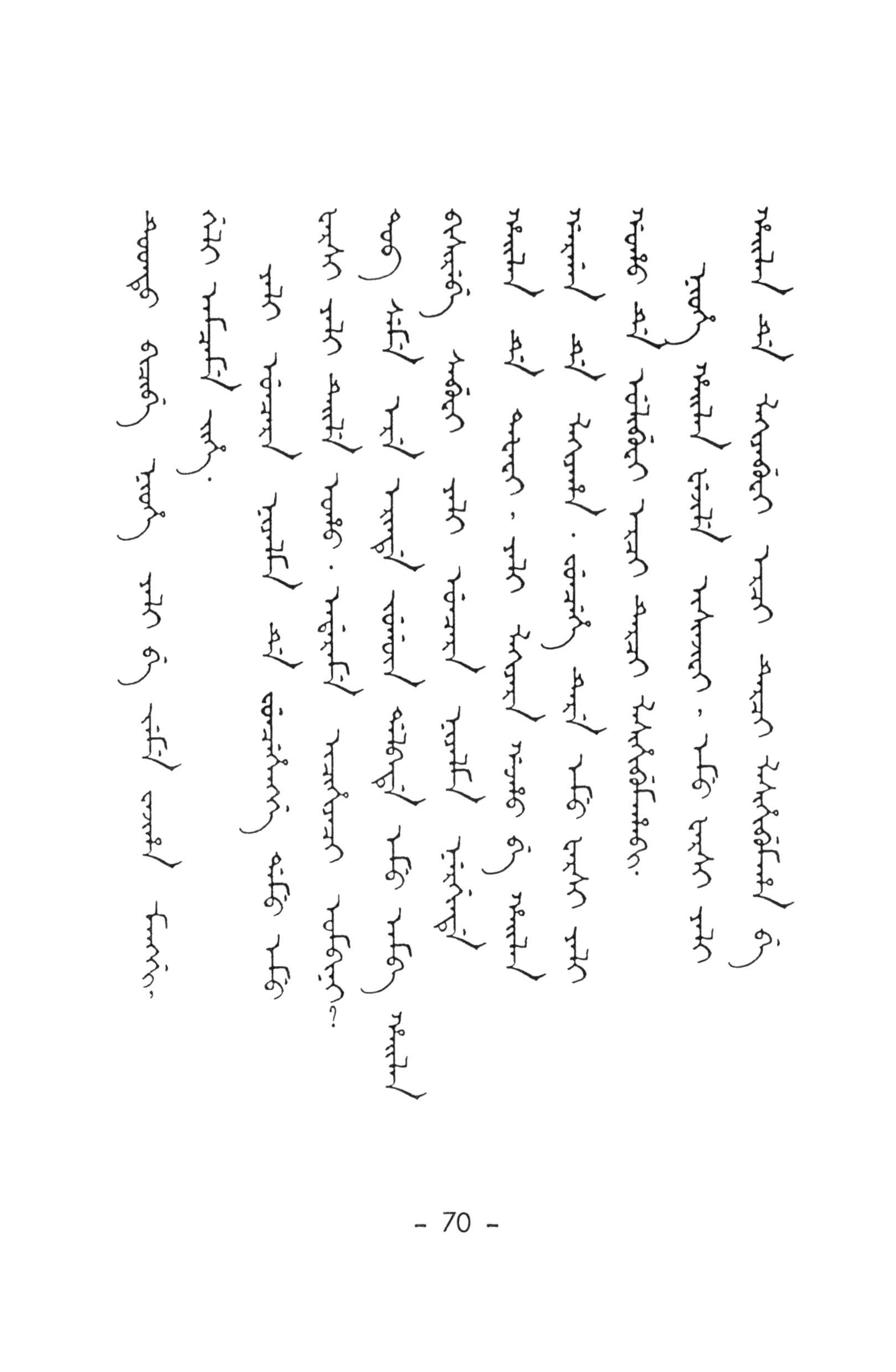

[illegible]

tuttu bicibe niohe yali be jeme wajiha manggi, geli amcame jihe.

yali uncara niyalma de funcehengge damu emu farsi yali teile oho . adarame icihiyaci ombini? tob seme ere erinde jugūn dalbade emu amba hailan bisirebe sabufi yali uncara niyalma nerginde hailan de tafafi , yali lakiyara goho be hailan gargan de lakiyaha . funcehe tere emu farsi yali goho de ulibufi erci terci lasihibumahabi.

niohe hailan fejile isinjifi , emu farsi yali hailan de lakiyabufi erci terci lasihibumaha be

但是狼吃完了肉後，又追了上來。

賣肉的人只剩下一塊肉了。怎麼辦才好？正在這個時候,看到路旁有一棵大樹,賣肉的人立刻爬上樹，把掛肉的鉤子掛在樹枝上，剩下的那一塊肉掛在鉤子上搖來擺去。

狼來到樹下，看到一塊肉掛在樹上搖來擺去。

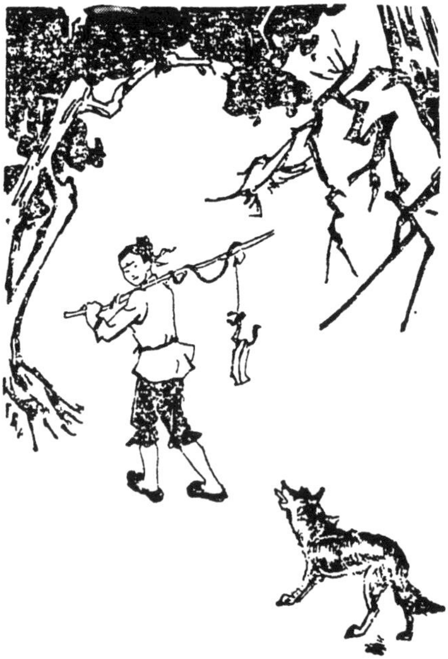

sabuha . tere uthai angga be amba juwafi , wesihun hūsunggei emgeri fekufi,goho i yali be asuha. tere aimaka goho de taha nimhai adali, emdan de goho de goholobufi, hailan gargan de lakiyabuha.

牠就張大嘴巴，用力一跳，咬住了鉤子上的肉，牠好像上了鉤的魚一樣，一下被鉤子鉤住，掛在樹枝上了。

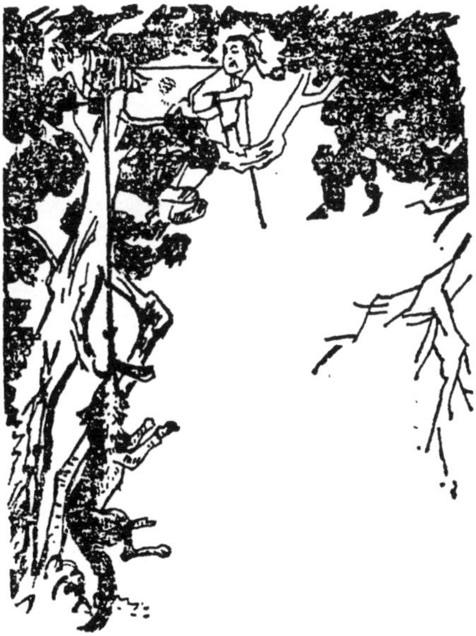

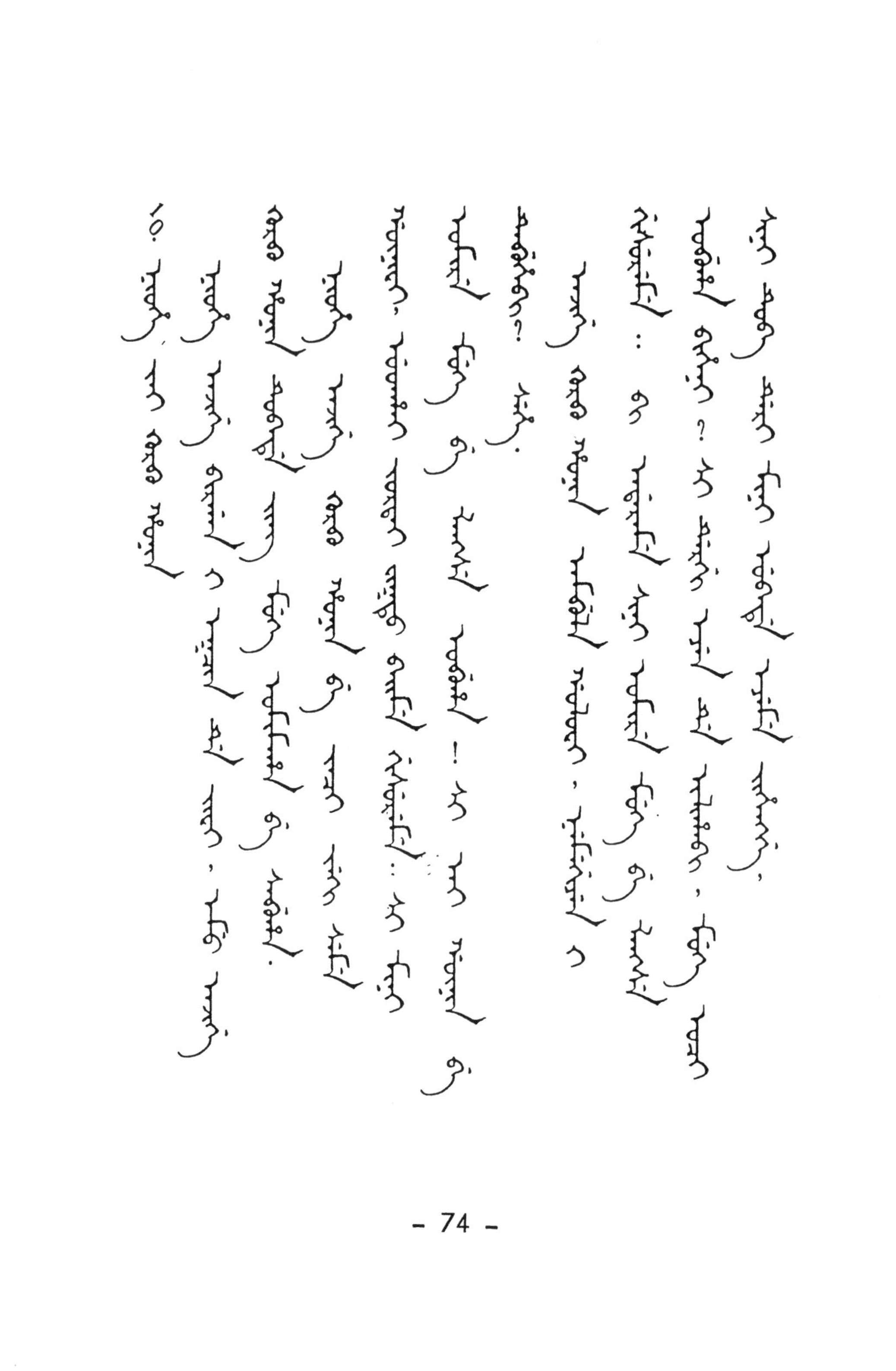

10. niohe jai kurbo honin

niohe ajige birgan i ekcin de jifi , emu ajige kurbo honin tubade jing muke omimaha be sabuha.

niohe ajige kurbo honin be jaci jeki seme gūnifi, uthai jortai fiktu baime gisureme:"si mini omire muke be langse obuha ! si ai gūnin be tebuhebi? " sehe.

ajige kurbo honin ambula golofi , nemegiyen i gisureme : " bi adarame sini omire muke be langse obuha biheni ? si dergi eyen de ilihabi , muke oci sini tuba deri mini ubade eyeme jihengge,

10. 狼和小綿羊

狼來到了小河岸，看到一隻小綿羊正在那裡喝水。

狼很想吃小綿羊，就故意找藉口說：「你弄髒了我喝的水，你是什麼居心呢？」

小綿羊很害怕，溫和的說：「我怎麼弄髒了你喝的水呢？你站在上游，水是從你那裡流到我這裡來的，

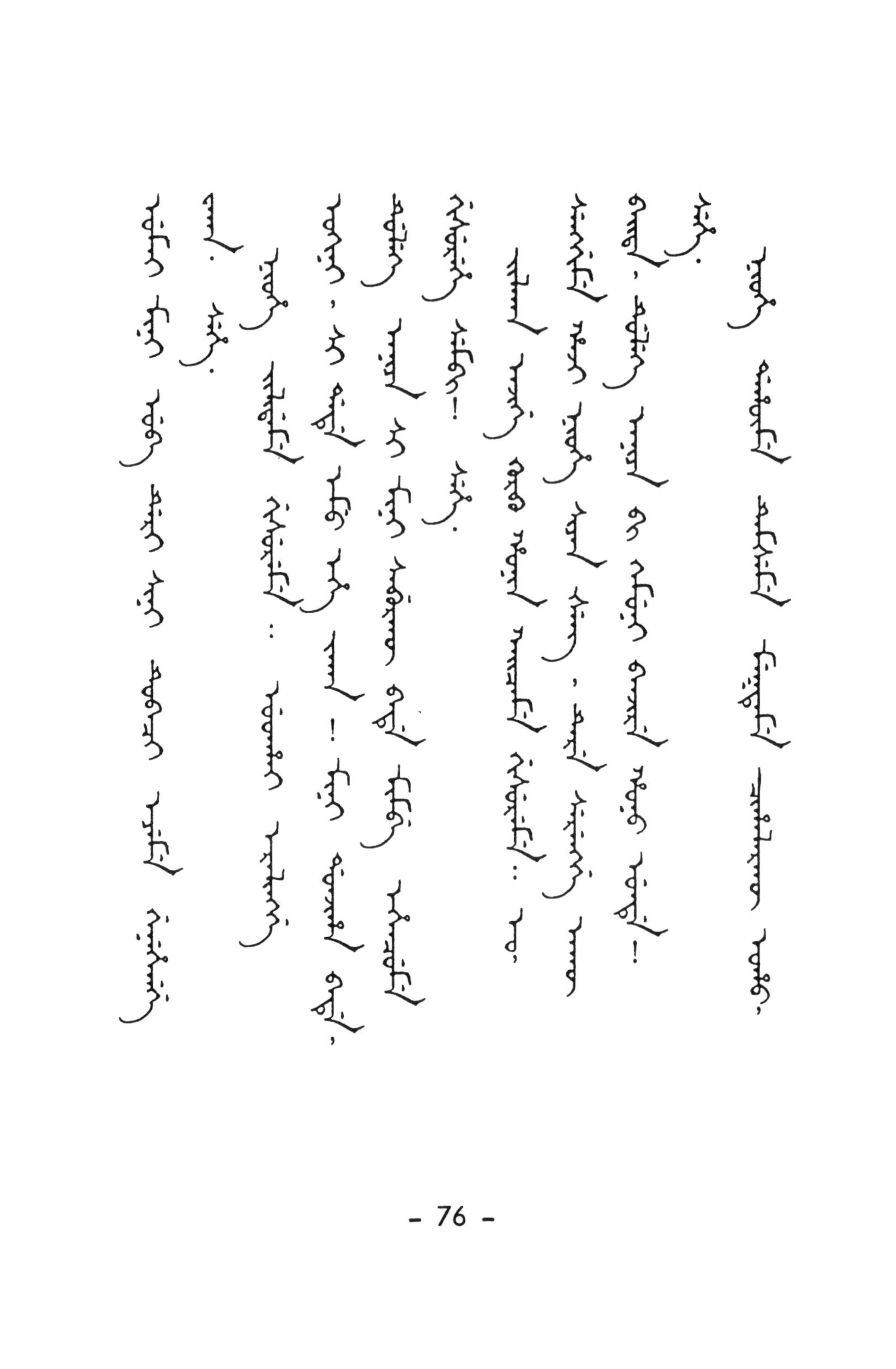

umai mini uba deri sini tubaci eyeme genehegge waka. " sehe.

niohe jilidame gisureme : " uthai eralingge okini , si dade emu ehe jaka ! mini donjiha bade, duleke aniya si mini saburkū bade mimbe ehencume gisurehe sembi! " sehe.

jilaka ajige kurbo honin kaicame gisureme:" o, senggime haji niohe siyan šeng , tere serengge akū baita, duleke aniya bi kemuni banjire hono unde! " sehe.

niohe dahūme temšeme mekteme cihalarkū oho,

並不是從我這裡流到你那裡去的。」

狼生氣地說：「就是這樣，你本是一個壞東西！我聽說，去年你在我背後譭謗我！」

可憐的小綿羊喊著說：「哦，親愛的狼先生，那是沒有的事，去年我還沒出生呀！」

狼不願再爭執了，

[illegible]

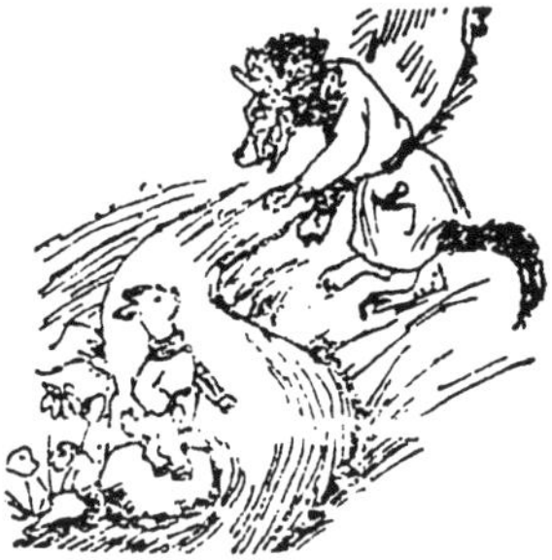

weihe be tucibufi , ajige kurbo honin ci hafirame latunjifi , amba jilagan i asukiyeme : " sini ere ajige ehe jaka ! mimbe ehencume gisurehengge , si waka oci uthai sini ama kai , absi okini gemu emu adali " seme gisurehei uthai ajige kurbo honin ci aburame genehe.

露著牙，逼近小綿羊，大聲地恐嚇說：「你這小壞東西！譭謗我的不是你，就是你的父親啊，無論如何都一樣。」說著就撲向小綿羊。

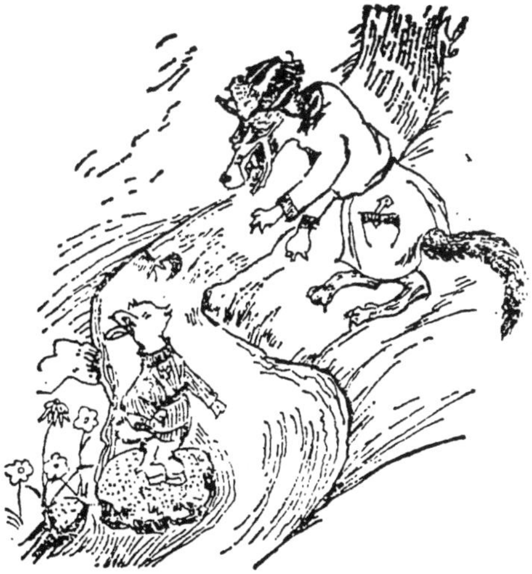

᠑᠑. ᠶᠠᠮᠠᠷ ᠬᠦᠮᠦᠨ ᠭᠡᠵᠦ ᠲᠡᠷᠡ ᠪᠣᠯᠤᠨ᠎ᠠ

ᠪᠣᠯᠤᠨ᠎ᠠ ᠶᠠᠮᠠᠷ ᠬᠦᠮᠦᠨ ᠭᠡᠵᠦ ᠲᠡᠷᠡ ᠪᠣᠯᠤᠨ᠎ᠠ᠂ ᠪᠠᠷ

ᠪᠣᠯᠤᠭᠰᠠᠨ ᠲᠠᠯ᠎ᠠ ᠮᠣᠩᠭᠣᠯ ᠶᠢᠨ ᠦ ᠲᠦᠷᠦ ᠶᠢᠨ ᠪᠣᠰᠣᠭ᠎ᠠ ᠡᠴᠡ ᠬᠤᠪᠢ

ᠪᠣᠯᠭᠠᠬᠤ᠃ ᠬᠠᠷᠢᠨ ᠲᠦᠷᠦ ᠶᠢᠨ ᠪᠠᠶᠢᠳᠠᠯ ᠢ ᠬᠤᠪᠢᠷᠠᠭᠤᠯᠵᠤ ᠪᠠᠶᠢᠭ᠎ᠠ

ᠪᠣᠯᠤᠨ᠎ᠠ ᠪᠢᠰᠢ ᠪᠣᠯᠤᠨ᠎ᠠ ᠪᠣᠰᠣᠭ᠎ᠠ ᠡᠴᠡ ᠬᠤᠪᠢ ᠪᠠᠶᠢᠭ᠎ᠠ ᠬᠣᠶᠠᠷ

ᠬᠣᠶᠠᠷ ᠪᠢᠰᠢ᠃ ᠲᠡᠭᠦᠨ ᠦ ᠬᠣᠶᠠᠷ ᠮᠠᠰᠢ ᠬᠦᠮᠦᠨ ᠪᠣᠯᠤᠨ᠎ᠠ

ᠪᠣᠯᠤᠨ ᠪᠢᠰᠢ ᠲᠠᠯ᠎ᠠ᠂ ᠮᠠᠰᠢ ᠶᠢᠨ ᠪᠣᠯᠤᠨ᠎ᠠ ᠬᠣᠯᠪᠣᠭᠳᠠᠬᠤ ᠪᠠᠷ ᠮᠣᠩᠭᠣᠯ

ᠪᠣᠯᠤᠮᠵᠢᠲᠠᠢ ᠤ ᠪᠣᠯᠤᠭᠰᠠᠨ ᠪᠣᠯᠤᠨ᠎ᠠ᠂ ᠮᠠᠰᠢ ᠲᠡᠭᠦᠨ ᠦ ᠪᠣᠯᠤᠨ᠎ᠠ ᠬᠦᠮᠦᠨ ᠪᠣᠯᠤᠨ᠎ᠠ ᠪᠣᠯ

ᠪᠣᠯᠤᠨ᠎ᠠ᠂ ᠪᠣᠯᠤᠭᠰᠠᠨ ᠪᠠᠶᠢᠭ᠎ᠠ ᠬᠦᠮᠦᠨ ᠪᠣᠯᠤᠨ᠎ᠠ ᠮᠣᠩᠭᠣᠯ ᠦᠨᠳᠦᠰᠦᠲᠡᠨ ᠪᠠᠶᠢᠭ᠎ᠠ

ᠪᠣᠯᠤᠨ᠎ᠠ᠂ ᠪᠣᠯᠤᠮᠵᠢᠲᠠᠢ ᠪᠠᠶᠢᠭ᠎ᠠ ᠪᠣᠯᠤᠨ ᠦ ᠪᠣᠯᠤᠨ᠎ᠠ ᠪᠣᠯᠤᠨ᠎ᠠ᠂ ᠪᠠᠷ

ᠭᠠᠷᠤᠨ ᠤ ᠪᠣᠯᠤᠮᠵᠢᠲᠠᠢ ᠮᠡᠳᠡᠭᠳᠡᠬᠦ ᠪᠠ ᠪᠤ ᠠᠷᠭ᠎ᠠ ᠮᠡᠳᠡᠭᠳᠡᠬᠦ᠃

11. garu, ukuri nimha jai sampa

emu inenggi, garu, ukuri nimha jai sampa , emu hūdai jaka tebuhe sejen be amba jugūn deri ušame gaimbi . tese futa dasin be baitalame sejen be hūwaitafi gese sasa hūsun baitalame ušacibe, sejen deber seme aššahakū . sejen de tebuhe hūdai jaka umai ujen waka , damu garu hūsun ebsihei abkai untuhun i baru ušambi,sampa inu mutere teile amasi terembi , ukuri nimha ergen be šeleme omoi baru ušambi , jiduji ya emken i ušahangge acanara, ya emken i ušahangge acanarkū be bi same muterkū.

11. 天鵝、梭魚和蝦

有一天，天鵝、梭魚和蝦要從大路上拉來一輛載有商品的車子，他們用繩索拴住車子，雖然一齊用力拉，但是車子絲毫也不動。車上載的商品並不重，只是天鵝盡力往天空拉，蝦也盡其所能向後拖，梭魚捨命往湖裡拉，到底那一個拉的對？那一個拉的不對？我不能知道，

ᠪᡝ ᡨᡠᠸᠠᠮᡝ ᠨᡳᠶᡝᠨᡳᠶᡝᠨ ᡩᡝ ᠰᡝᠨ ᡳ ᠪᠣᠣᠯᡝ ᡩᡝ ᠪᡳᡵᠠ ᠨᡳᠮᠠᡥᠠ ᡝᠪᡳᡧᡝᠮᠪᡳ

ᠨᡳᠣᠩᠨᡳᠶᠠᡥᠠ ᡩᡝᠨ ᡩᡝᠶᡝᠮᠪᡳ᠉

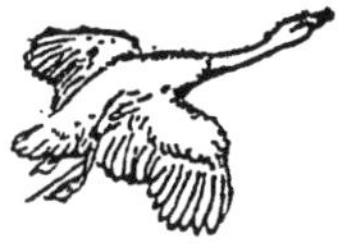

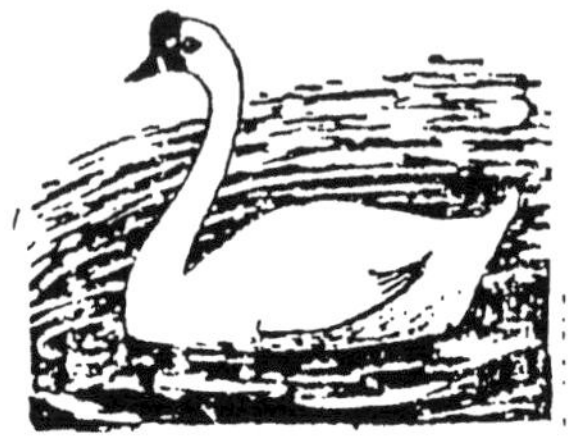

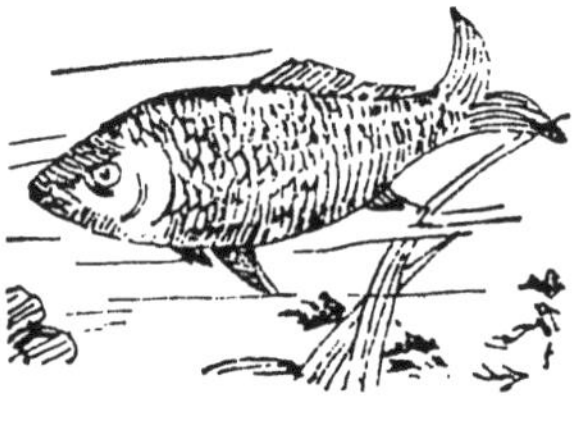

bi damu sejen da an i oron de bifi deber seme aššahakū be samoi.

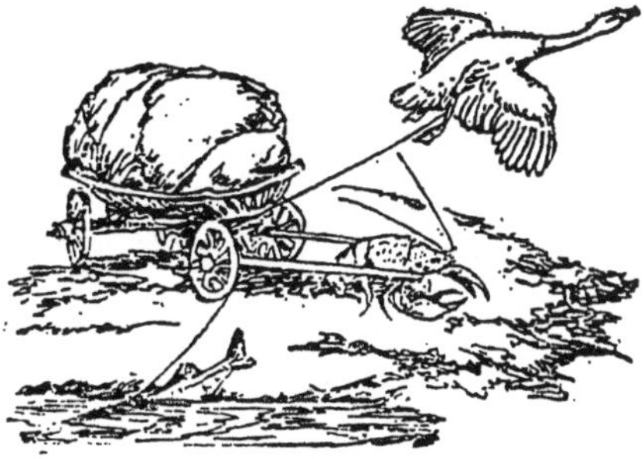

我只知道車子仍舊在原地絲毫沒動。

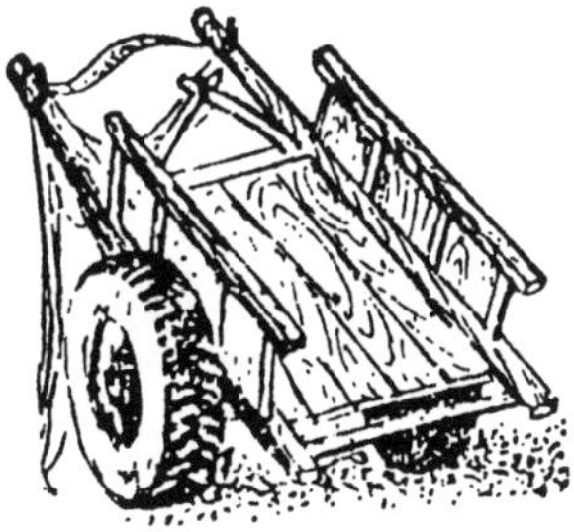

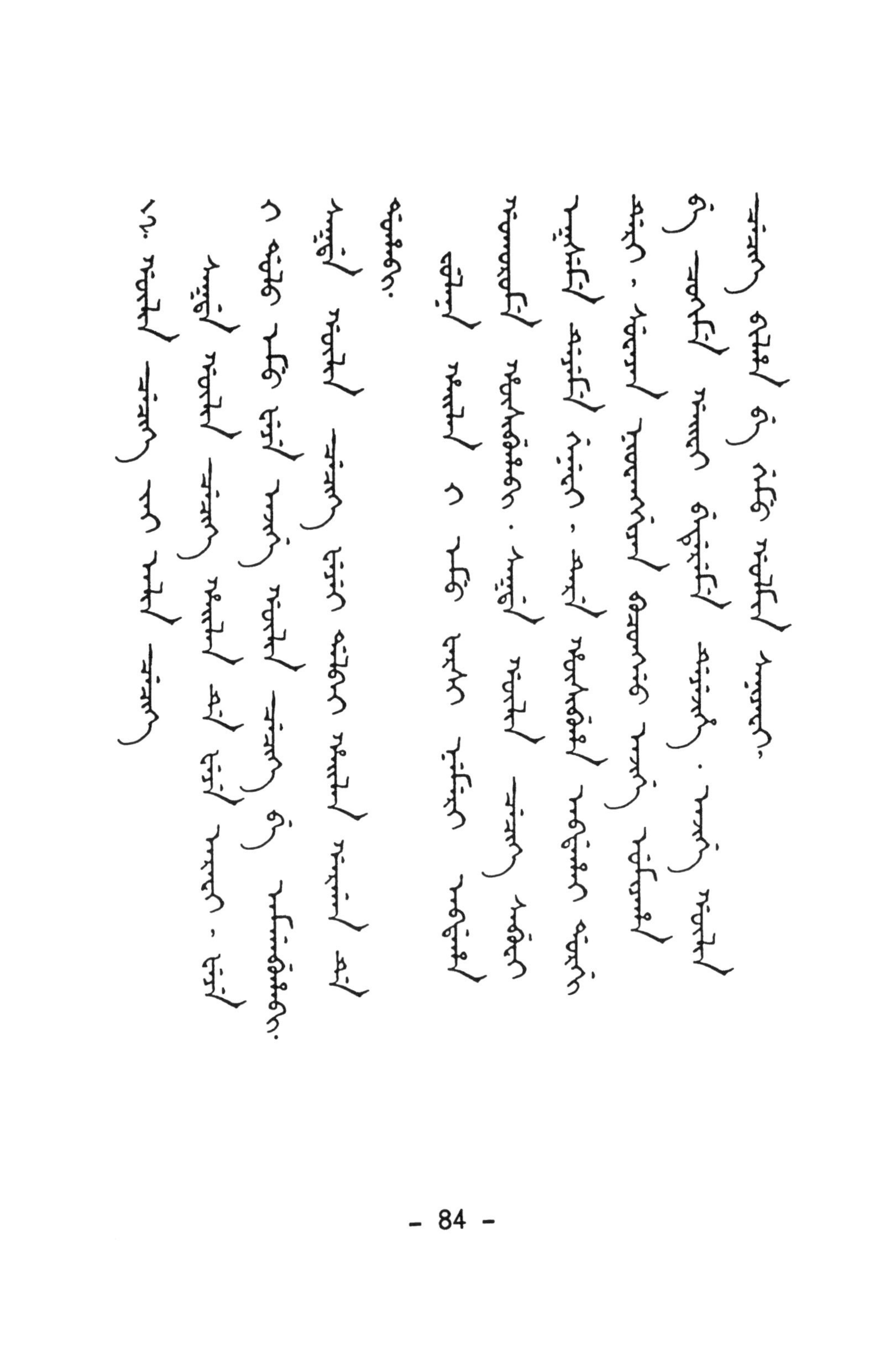

[illegible]

[illegible]

[illegible]

12. gūlin cecike jai alin cecike

sakda gūlin cecike hailan de feye arafi , feye i dolo emu feye ajige gūlin cecike be amgabuhabi. sakda gūlin cecike feyei dalbai hailan gargan de dohabi.

fulana hailan i emu farsi nemeri abdaha gokorome hūsibuhabi . sakda gūlin cecike sabufi ekšeme deyeme genefi , tere hūsibuha abdahai dorgi deri , suwayan niowanggiyan boconggo ajige umiyaha be cokime gaifi bedereme deyejihe . ajige gūlin cecike bilha be gemu golmin saniyafi,

12. 黃鶯和山雀

老黃鶯在樹上築巢，巢裡一窩小黃鶯在睡覺。老黃鶯在巢旁樹枝上棲息。

一片李樹的嫩葉縮裹著。老黃鶯看見了，急忙飛過去，從那捲著的葉子裡啄取了黃綠色的小蟲飛回來。小黃鶯都伸長了脖子，

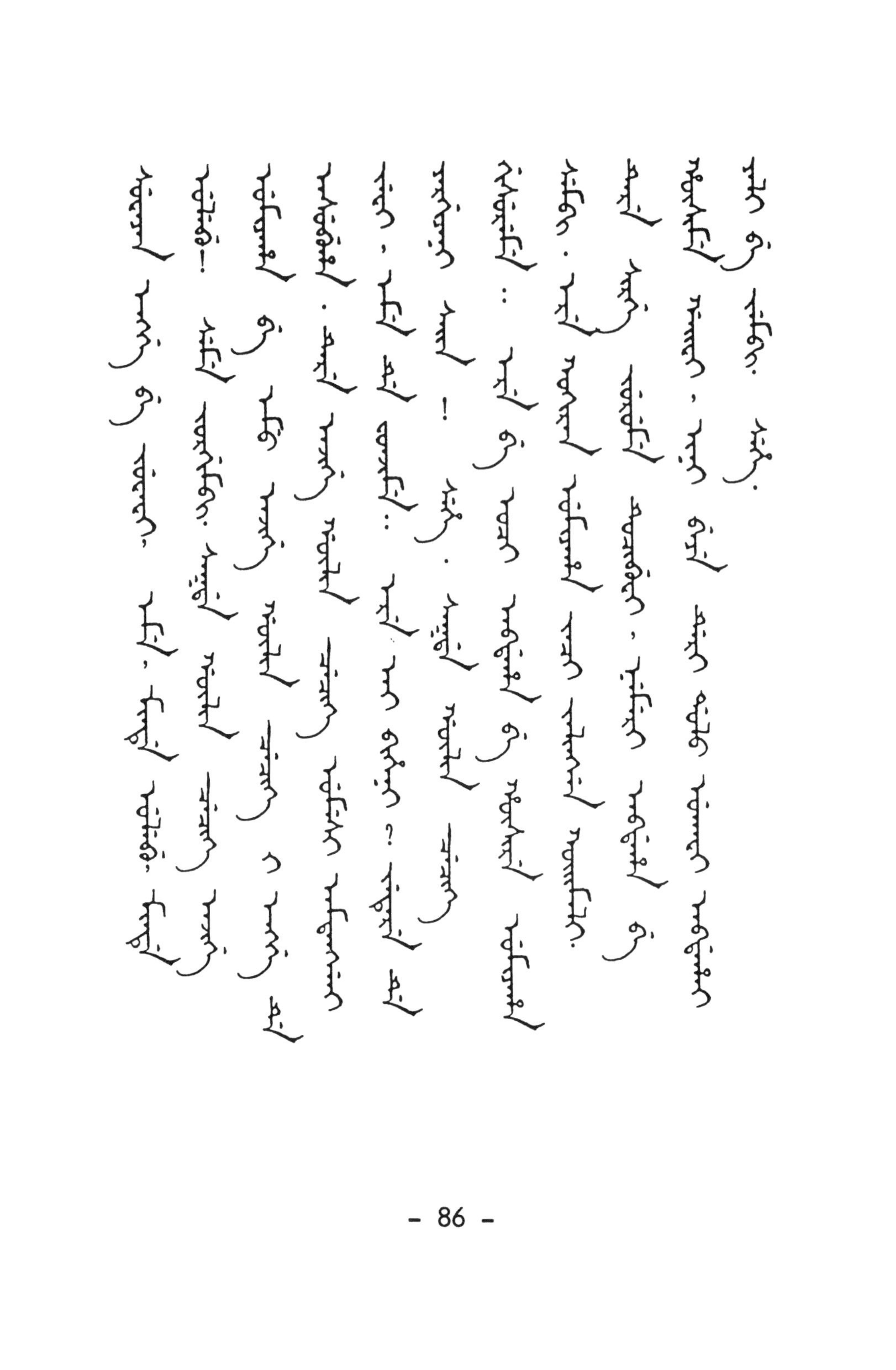

suwayan engge be juwafi, " eme, minde ulebu, minde ulebu! " seme jorgimbi. sakda gùlin cecike ajige umiyaha be emu ajige gùlin cecike i engge de asubuha . tere ajige gùlin cecike umesi amtanggai jefi , eme de fonjime: " ere ai biheni ? jetere de yargiyani sain ! " sehe . sakda gùlin cecike gisureme :" ere be oci abdaha be hùsire umiyaha sembi . ere kokiran umiyaha jaci jalingga kùimali. tere sirge jurume tucibufi , nemeri abdaha be hùsime gaifi , ini beye deri dolo ukafi abdahai yali be jembi. " sehe.

張開黃嘴嚷著：「媽媽，給我吃，給我吃！」老黃鶯把小蟲放進一隻小黃鶯的嘴裡。那隻小黃鶯吃得很香，問媽媽說：「這是什麼呢？真好吃！」老黃鶯說：「這是捲葉蟲,很狡詐,牠吐出絲捲起嫩葉，牠自己躲在裡面吃葉肉。」

ᠠᠷᠪᠠ ᠠᠮᠠᠷ ᠠᠯᠠᠭ᠎ᠠ ᠴᠢᠨᠢ ᠪᠠᠢᠭᠠᠳ ᠴᠢᠬᠢᠨ ᠂ ᠮᠣᠩᠭᠣᠯ ᠠᠷᠪᠠ
ᠪᠠᠷᠤᠭᠤᠨ ᠠᠯᠠᠭ᠎ᠠ ᠣᠷᠣ ᠂ ᠬᠣᠶᠠᠷ ᠠᠷᠪᠠ ᠣᠩᠭᠣᠴᠠ ᠤᠯᠠᠭᠠᠨ ᠂ ᠮᠣᠩᠭᠣᠯ ᠤ
ᠠᠮᠢᠳᠤ ᠠᠯᠠᠭ᠎ᠠ ᠤᠨ ᠨᠣᠮᠤᠨ ᠴᠢᠨᠢ ᠂ ᠨᠠᠢᠮᠠᠨ ᠴᠢᠨᠢ
ᠣᠶᠤᠳᠠᠭᠠᠨ ᠴᠢᠨᠢ ᠪᠠᠶᠢᠨ᠎ᠠ ᠴᠢᠮᠠᠢ ᠬᠣᠶᠠᠷ ᠂ ᠪᠢ
ᠠᠮᠠᠷ ᠣᠷᠣᠨ ᠤ ᠭᠡᠷ ᠠᠯᠠᠭ᠎ᠠ ᠠᠷᠪᠠ ᠤᠤ? ᠪᠢ᠃
ᠡᠨᠡ ᠠᠮᠠᠷ ᠳᠤ᠂ ᠠᠮᠠᠷ ᠃ ᠠᠨᠤ ᠤᠯᠠᠭᠠᠨ ᠠᠮᠠᠷ ᠂ ᠤᠯᠠᠭᠠᠨ
ᠪᠢ ᠴᠢᠮᠠᠢ ᠪᠠᠶᠢᠨ᠎ᠠ ᠠᠮᠢᠨ ᠣᠷᠣᠨ ᠤᠯᠠᠭᠠᠨ ᠠᠨᠤ ᠃ ᠬᠣᠷᠢᠨ ᠬᠣᠪᠣᠭᠣᠷ
ᠬᠣᠪᠣᠷᠢᠨ ᠠᠮᠠᠷ ᠤ ᠣᠷᠣᠨ ᠳᠤᠭᠠᠷ ᠠᠮᠠᠷ ᠂ ᠬᠣᠷ ᠢ ᠠᠷᠪᠠᠨᠳᠤᠭᠠᠷ
ᠪᠢᠨ᠎ᠠ ! ᠠᠮᠠᠷ ᠴᠢᠮᠠᠢ ᠣᠷᠣᠯᠳᠤ ᠠᠮᠠᠷᠲᠠᠢ ᠴᠢᠳᠠᠪᠠ᠂ ᠠᠨᠠᠨ ᠠᠷᠪᠠ
ᠪᠢ ᠴᠢᠮᠠᠢ ᠪᠠᠶᠢᠨ᠎ᠠ ᠤᠨ ᠠᠮᠠᠷ ᠂ ᠠᠨᠤᠨ ᠴᠢᠮᠠᠭ᠎ᠠ ᠴᠢᠮᠠᠷ
ᠠᠷᠪᠠᠨᠳᠤᠭᠠᠷ ᠴᠢᠮᠠᠷ᠃

emu sakda alin cecike deyeme jifi , dalbai emu pingguri hailan de dofi , emu farsi hailan sukū i adali jaka be asufi nunggehe . ajige gūlin cecike gūwacihiyalafi jorgime : " alin cecike deheme , si ainu hailan sukū be jembi? " sehe.

" jui, suwe sarkū. ere hailan sukū waka, uthai li cun siyang sere umiyaha inu . tese cohotoi tubihei šugi be hūlhame jembi , ten i ehelinggū jaka! " alin cecike uttu gisureme wajifi, geli emu li cun siyang umiyaha be asufi , ini jusesa de ulebume yabuha.

一隻老山雀飛過來，落在旁邊的一棵蘋果樹上，叼著一塊像樹皮似的東西吞下去。小黃鶯吃驚地叫著說：「山雀阿姨，你為什麼吃樹皮呢？」

「孩子，你們不知道。這不是樹皮，是叫做李春香的蟲。牠們專門偷吃水果的汁液，是非常壞的東西！」山雀這樣說完後，又銜一隻李春香蟲，去餵牠的孩子們了。

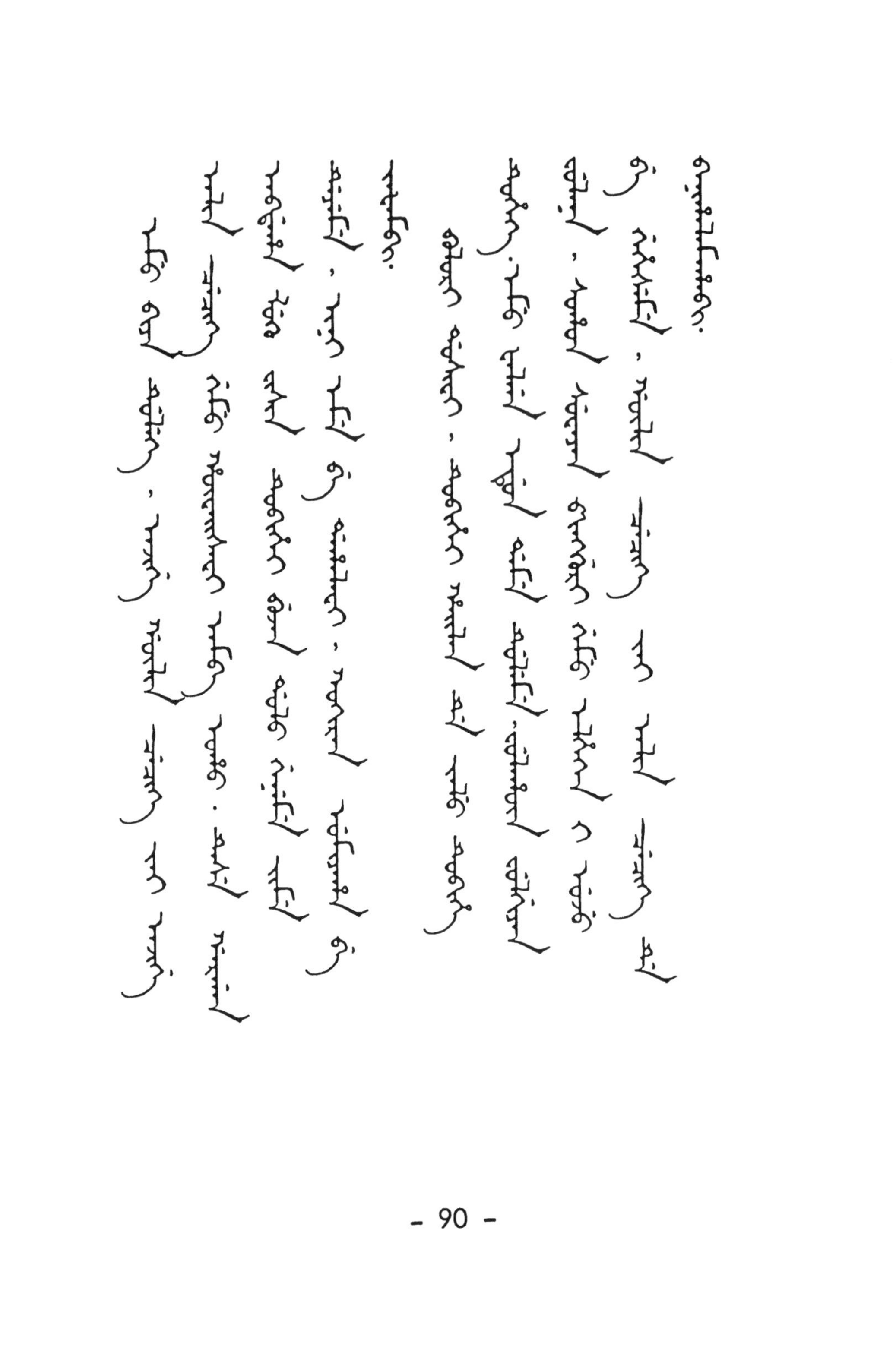

emu biya duleke , ajige gŭlin cecike jai ajige alin cecike gemu hŭwaišafi amba oho . tese gargan abdaha luku fisin tubihei bujan dolo geneme jime deyeme , ini eme be dahalafi , kokiran umiyaha be jafambi.

bolori dosifi , tubihei hailan de jalu tubihe tuheke.emu falga edun dame duleme,fulahŭn fulgiyan fulana , sohon suwayan pingguri gemu elheken i uju be gehešeme , gŭlin cecike jai alin cecike de banihalamahabi.

過了一個月，小黃鶯和小山雀都長大了。牠們飛到枝葉茂密的果樹林裡去跟著牠們的媽媽捕捉害蟲。

到了秋天，果樹結滿了水果，一陣風刮過，鮮紅的李子,黃燦燦的蘋果,都緩緩的點著頭，向黃鶯和山雀道謝。

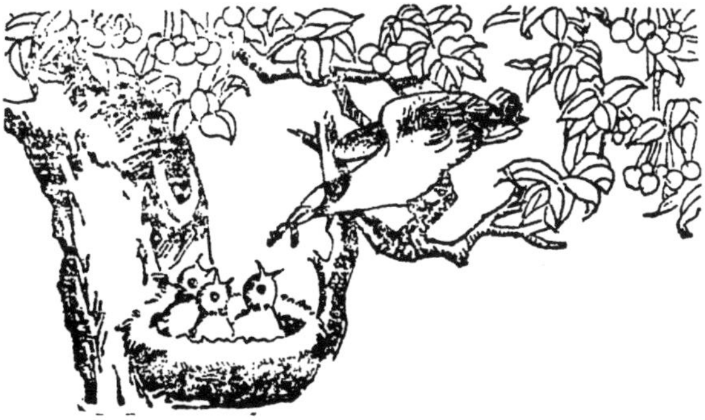

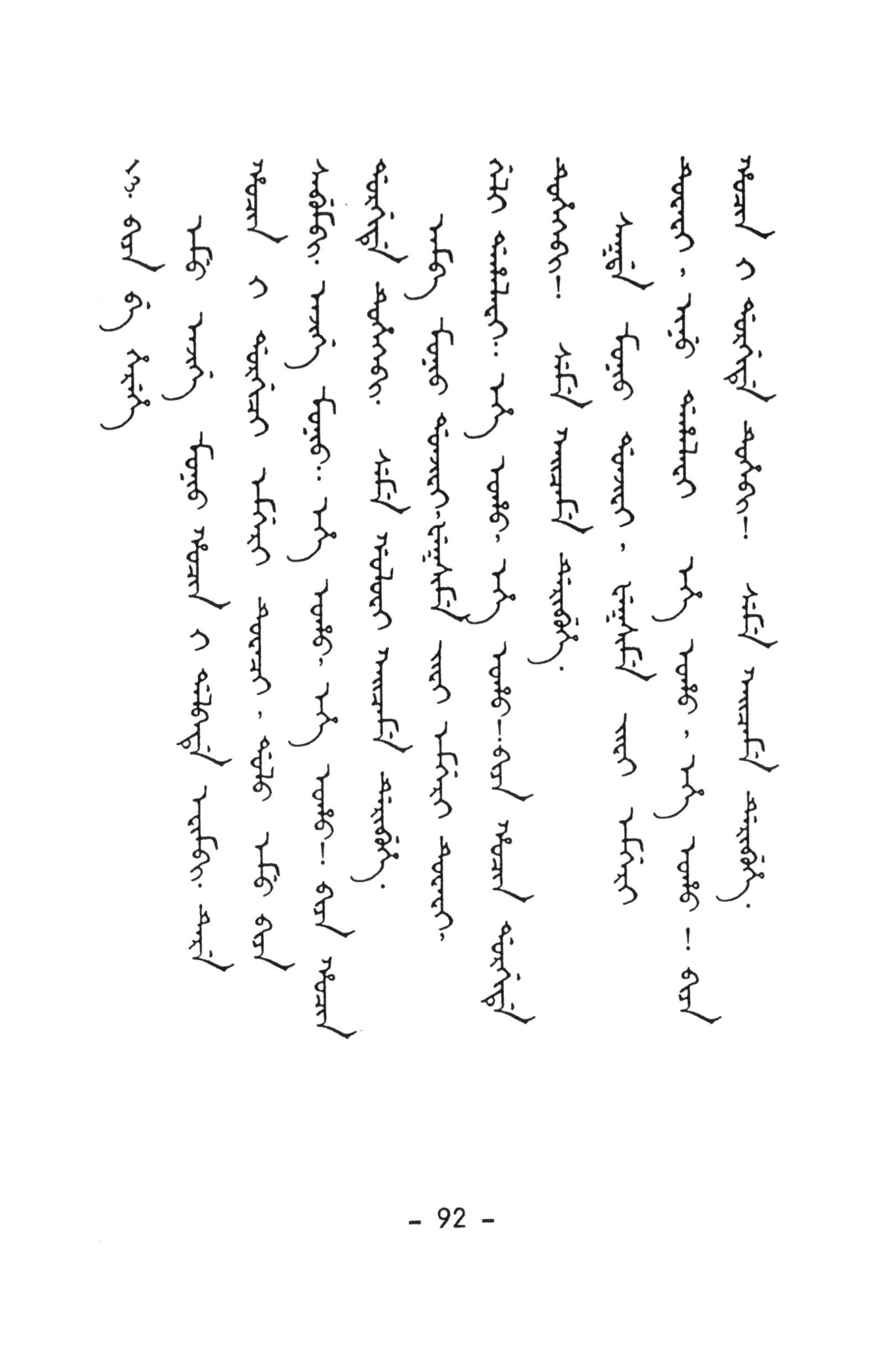

13. biya be herehe

emu ajige monio hocin i dalbade efimbi. tere hocin i dorgici emgeri tuwaci , dolo emu biya sabumbi. ajige monio:"ehe oho, ehe oho! biya hocin dorgide tuhekebi. " seme golofi kaicame deribuhe.

amba monio donjifi,feksime jifi emgeri tuwafi, geli dahalafi:"ehe oho, ehe oho!biya hocin dorgide tuhekebi! " seme kaicame deribuhe.

sakda monio donjifi , feksime jifi emgeri tuwafi , inu dahalafi : " ehe oho , ehe oho ! biya hocin i dorgide tuhebi! " seme kaicame deribuhe.

13. 撈月

一隻小猴子在井邊玩耍，牠向井裡一看，看到裡面有一個月亮。小猴子驚叫起來說：「不好了！不好了！月亮掉到井裡去了。」

大猴子聽了，跑過來一看，又跟著叫起來說：「不好了！不好了！月亮掉到井裡去了！」

老猴子聽了，跑過來一看，也跟著叫起來說：「不好了！不好了！月亮掉到井裡去了！」

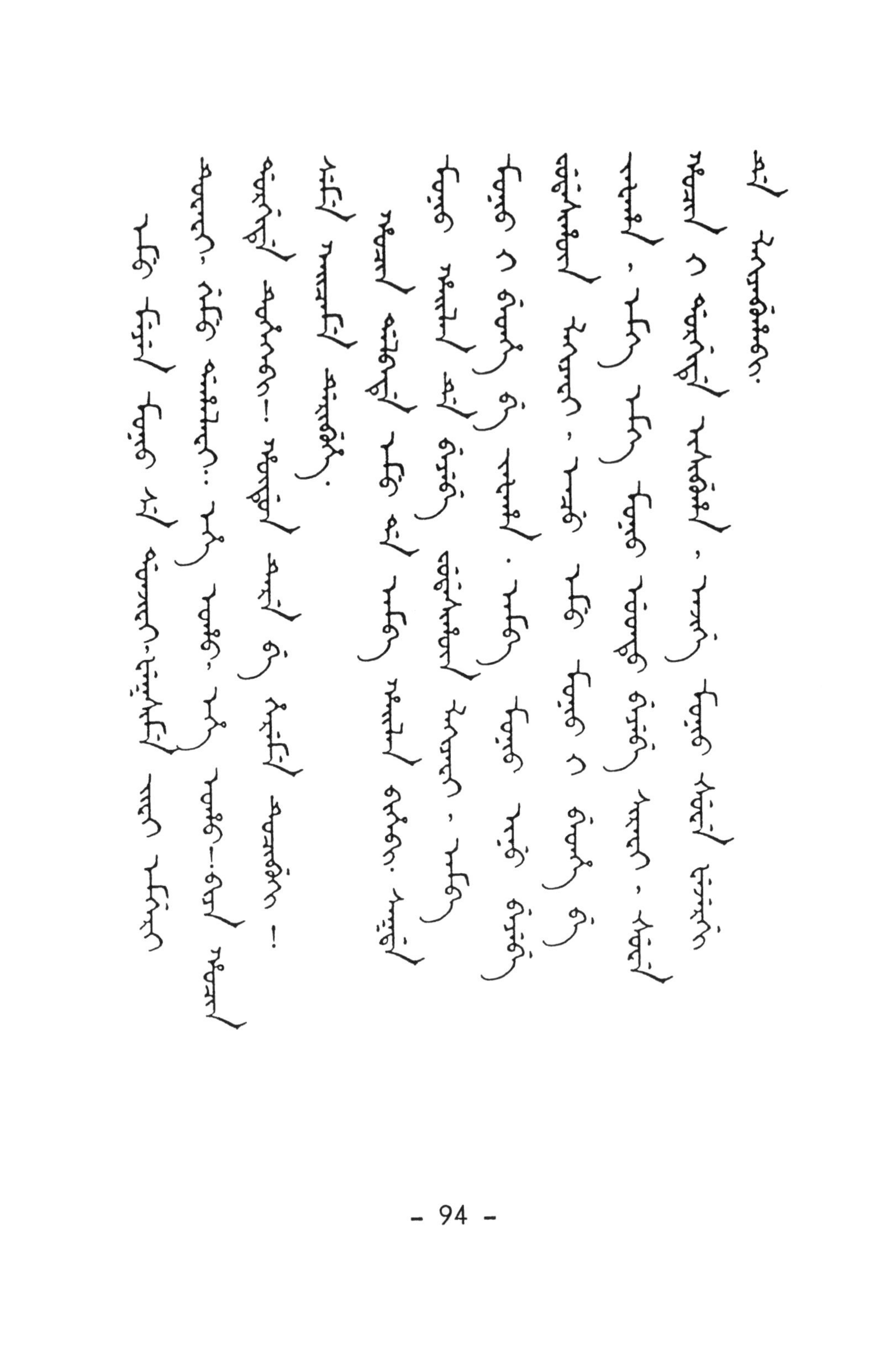

emu meyen monio se donjifi,feksime jifi emgeri tuwafi, gemu dahalafi:"ehe oho, ehe oho!biya hocin dorgide tuhekebi! hūdun tere be hereme tucibuki !" seme kaicame deribuhe.

hocin dalbade emu da amba hailan bihebi. sakda monio hailan de beyebe fudasihūn lakiyafi , amba monio i bethe be jafaha . amba monio inu beyebe fudasihūn lakiyafi , encu emu monio i bethe be jafaha , emke emke monio uttu beyebe sirafi , šuwe hocin i dorgide isibuha , ajige monio šuwe fejergi de lakiyabuhabi.

一群猴子聽了跑過來一看，都跟著叫起來說：「不好了！不好了！月亮掉到井裡去了！快把牠撈出來吧！」

井邊有一棵大樹，老猴子把身體倒掛在樹上，抓住大猴子的腿，大猴子也把身體倒掛，抓住另一隻猴子的腿，一隻一隻的猴子就這樣把身體連接起來，直到井裡，小猴子被掛在最下面。

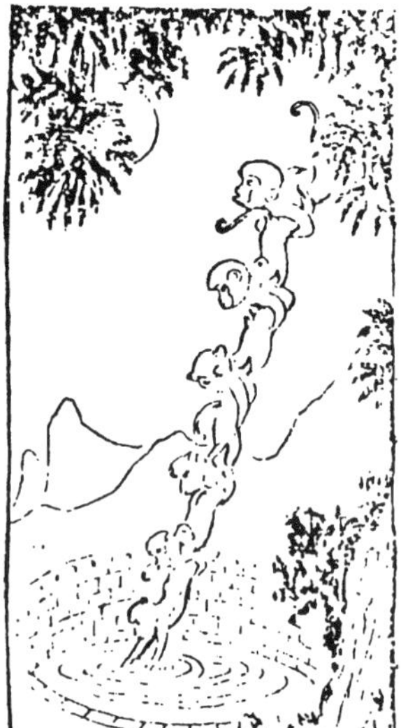

ajige monio gala be sarifi biya be herembi. gala teni muke de isiname , biya be uthai saburkū oho.

sakda monio ujube emgeri tukiyeme , biya hono abkai ninggude bisire be sabuha.sakda monio sukdun hejeme hendume : " ume herere oho , biya da an i abkai ninggude bi ! " sehe.

小猴子張開手要撈月亮,手才碰到水,月亮就不見了。

老猴子一抬頭，看見月亮還在天上。老猴子喘著氣說：「不要撈了，月亮依舊在天上！」

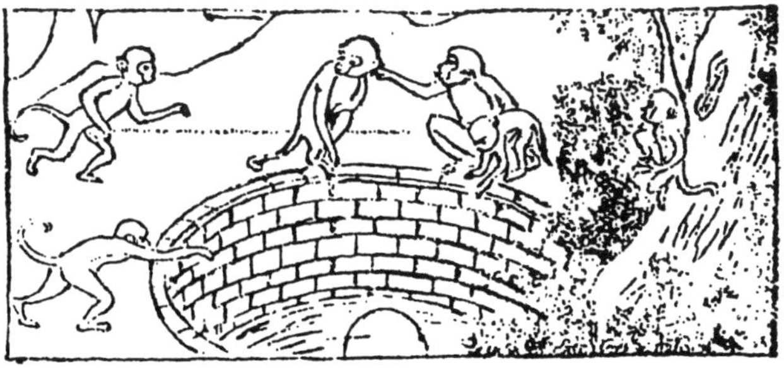

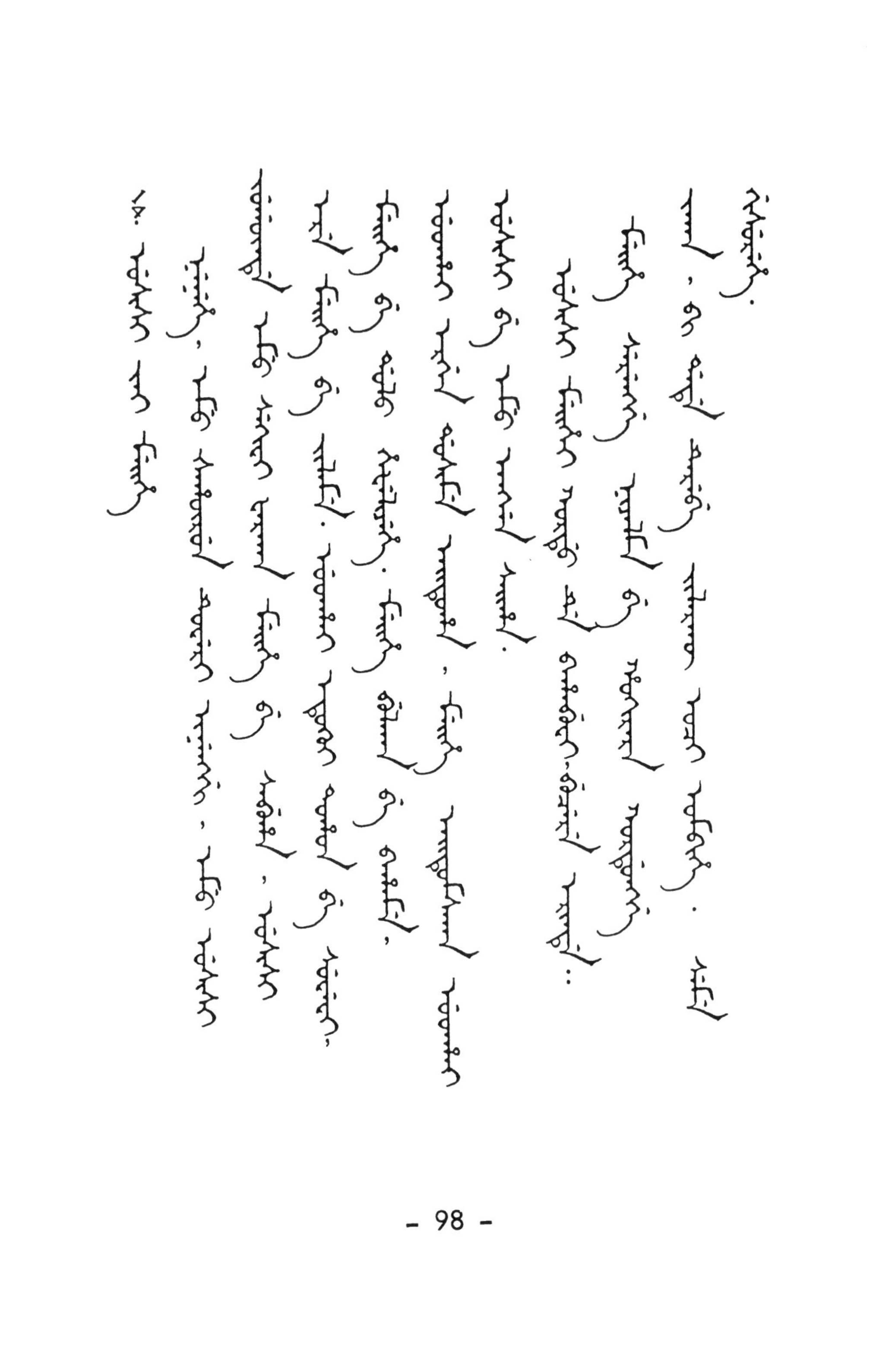

14. usisi jai meihe

nenehe, emu šahūrun tuweri inenggi , emu usisi jugūnde emu sekifi faraka meihe be sabuha , usisi ere meihe be jilame. uthai etukui tohon be suwefi, meihe be dolo hefeliyehe. meihe bulkan be bahame, uthai ergen dosime aituha , meihe aitumsaka uthai usisi be emu angga saiha.

usisi meihei kordu de bahabufi,bucere erinde: " meihe serengge niyalma be hokirara kordungge jaka , bi dade terebe jilarkū oci ombihe . " seme gisurehe.

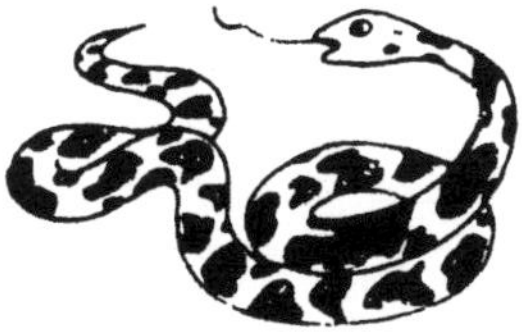

14. 農夫和蛇

從前，一個寒冷的冬天，一位農夫在路上看見了一條凍僵了的蛇，農夫可憐這條蛇，就解開衣服的鈕扣，把蛇放在懷裡。蛇得到了溫暖，就活過來了，蛇一甦醒過來就把農夫咬了一口。

農夫被蛇毒所害，快要死的時候說：「蛇是傷害人的東西，我原本就不該可憐牠的。」

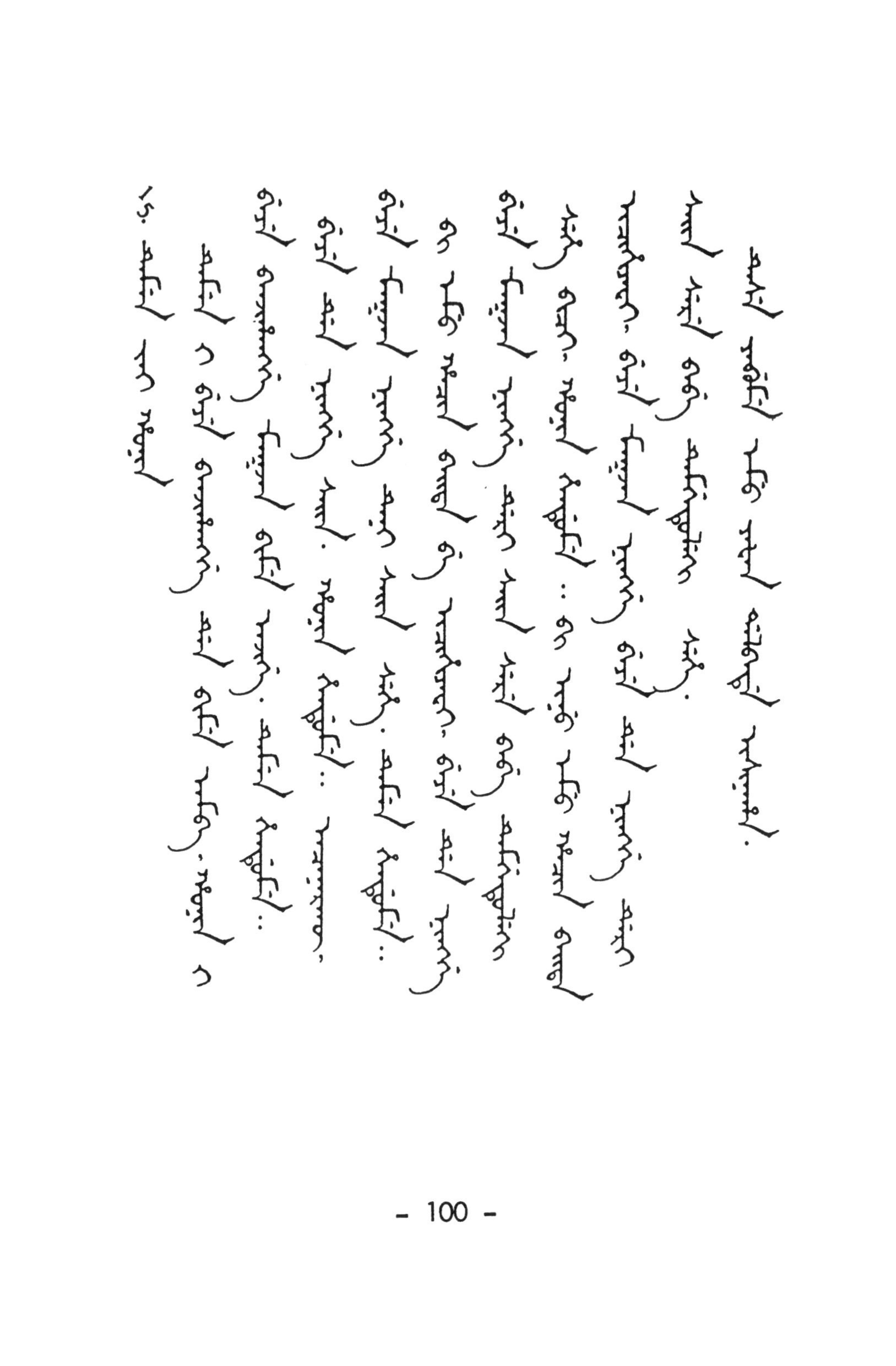

[illegible]

[illegible]

[illegible]

[illegible]

[illegible]

[illegible]

[illegible]

[illegible]

[illegible]

15. [illegible]

15. temen jai honin

temen i beye banjihangge den bime amba,hoin i beye banjihangge makjan bime ajige. temen hendume: " beye den ningge sain." honin hendume:" acanarkū, beye makjan ningge teni sain" sehe. temen hendume: " bi emu hacin baita be icihiyafi, beye den ningge beye makjan ningge deri sain sere babe temgetuleki "sehe bici, honin hendume :"bi inu emu hacin baita icihiyafi, beye makjan ningge beye den ningge deri sain sere babe temgetuleki " sehe.

tese yabume emu yafan dalbade isinaha.

15. 駱駝和羊

駱駝的身體長得又高又大，羊的身體長得又矮又小。駱駝說：「身體高的好。」羊說：「不對，身體矮的才好。」駱駝說：「我做一件事情可以證明身體高的比身體矮的好」，羊說：「我也做一件事可以證明身體矮的比身體高的好。」

他們走到一個園子旁邊。

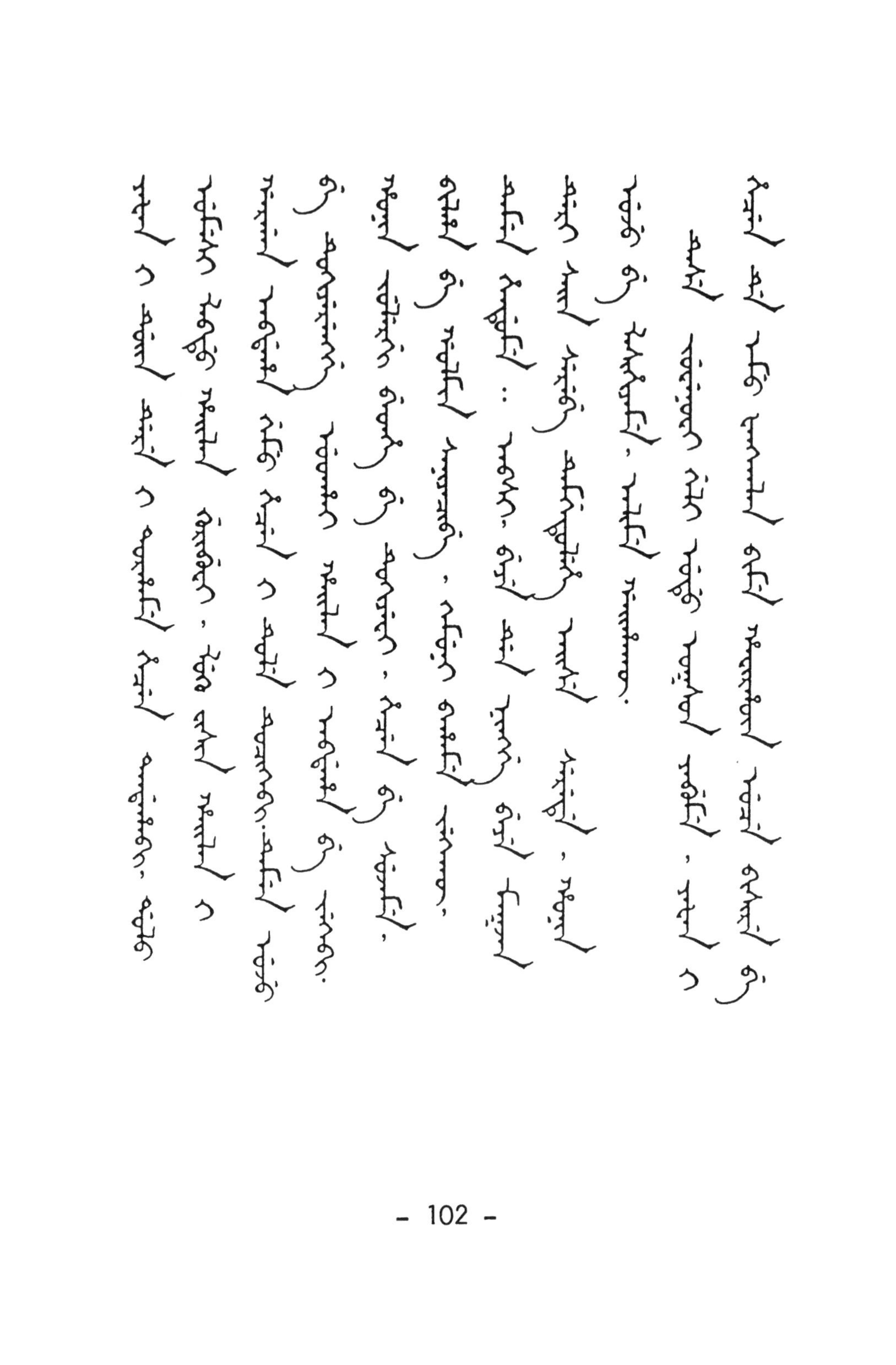

[illegible]

yafan i duin dere i torhame hecen tandahabi, dolo umesi labdu hailan guribufi , luku fisin hailan i gargan abdaha gemu hecen i tule tucikebi.temen uju be tukiyerengge uthai hailan i abdaha be jekebi. honin julergi bethe be tukiyefi , hecen be sujame, bilha be golmin saniyacibe , kemuni bahame jekekū, temen hendume :" absi, beye den ningge beye makjan deri sain serebe temgetulehe aise " serede , honin uju be lasihiyame, alime gaihakū.

tese juwenofi geli udu okson yabume , yafan i hecen de emu fangkalan bime hafirhūn uce bisire be

園子四面打了圍牆，裡面種植了許多樹，茂密的枝葉都長出牆外。駱駝抬起頭來就吃到了樹葉。羊抬起前腿靠牆，支撐著，雖然伸長了脖子，還是吃不到。駱駝說：「怎麼樣,證明了身體高的比身體矮的好吧！」羊搖頭,不接受。

牠們兩個又走了幾步，看到園牆有一個低矮而且又狹窄的門。

ᠠᠪᡴᠠᡳ . ᠠᡵᡤᠠᠨ ᠰᡝᡵᡝ ᠠᡵᡤᠠ ᠠᠰᡥᡡᠮᡝ ᠮᡝᠩᡤᡝᠨ ᠠᠮᠪᠠ ᡳ
ᠠᠵᡳᡤᡝ ᠮᡝᡵᡝ ᠮᠣᡵᡳᠩᡤᠠ ᠨᡳᡴᠠᠨ ᠠᠯᡳᠪᡠ ᠪᡝ ᡤᡳᠰᡠᠨ . ᠮᡝᡵᡤᡝᠨ
ᡳᠯᡝᡨᡠᠯᡝᠮᡝ ᠪᡠᡵᡝ ᠪᡝ ᡤᡝᠮᡠᠨ ᡥᠣᡨᠣᠨ , ᡳᠯᡝᡨᡠ ᠪᡝ ᠪᡝᠶᡝ , ᠮᡝᠶᡝ
ᠣᡵᠣᠨ ᠮᡝᡳᠰᡝᠨ ᡨᡝᠪᡠᡳ ᡨᡝᡵᡤᡳ ᡳᠯᡝᡨᡠᠯᡝᡥᡝᠩᡤᡝ ᡳᡵᡝᠩ ᡨᡝᠪᡠᡳ
ᡤᡳᠰᡠᠨᡝᠮᡝ . ᠠᡵᡤᠠᠨ ᡥᡡᠰᡠᠨ : ᠠᠮᠪᠠᠨ , ᠪᡝᡳᡤᡝ ᡨᡝᡵᡝ ᠨᡳᡴᠠᠨ
ᠪᡝᡳᡤᡝ ᠮᡝᡳᡤᡝ ᠨᡳᡴᠠᠨ ᠮᡝᡳᡤᡝᠨ ᠠᠯᡳᠨ ᡳᠯᡝᡨᡠ ᡨᡠᡵᡤᡠᠨ ᠠᠯᡳᠮᡝ
ᡳᠰᡳᠪᡠᡥᡝ , ᠮᡝᡵᡤᡝᠨ ᡳᠯᡝᡨᡠ ᠪᡝ ᡳᠰᠠᡵᠠᠩᡤᡝ , ᡳᠯᡝ ᠠᠯᡳᡥᠠ ᡳᠰᡳᠨᠵᡳᠮᡝ .
ᠮᡝᡳᡤᡝ ᠣᡵᡤᡳᠯᡝᠪᡠᡵᡝ ᠠᠯᡳᠨ ᠪᡝ ᠪᠠᡳᡨᠠ ᠨᡳᡵᡤᡝ ᠪᡝ
ᠠᠯᡳᡥᠠᠪᡠᡥᡝ , ᠠᠯᡳᠨ ᡤᡳᠰᡠᡵᡝᠨ : ᠮᡝᠶᡝ ᠪᡝᡳᡤᡝ ᠵᡝᡴᡠ ᠠᠯᡳᠨ
ᠪᡝᡳ ᡥᡡᠰᡠᠨ , ᠪᡝᡳᡤᡝ ᠠᠯᡳᠪᡠ ᡨᡝᡵᡝᠩᡤᡝ ᠪᡝᡳ ᠠᠮᡠᠰᡳᠪᡠᡥᡝ ,
ᡨᡝᡵᡝ ᠠᡵᡤᠠᠰᡠᡵᡝ ᠪᡳᠮᡝ .

sabuha . honin yaya hacin kaktabun dalibun akū i yafan de dosime genefi orho be jekebi. temen julergi bethe be niyakūrafi , uju be bukufi , dolo sorgime dosiki seme hūsutulecibe šuwe dosime mutehekū. honin hendume:" absi, beye makjan ningge beye den ningge deri sain serebe temgetulehe aise" serede, temen uju be lasihiyame,inu alime gaihakū.

tese juwenofi ihan be baifi giyan be ilgaburede , ihan hendume : " damu beyei fulu sain babe sabume, beyei eden ekiyehun babe saburkūngge, ere acanarkū " sehe.

羊沒有任何阻礙的進入園裡吃了草。駱駝跪下前腿，低下頭，雖然努力要鑽進去，最後還是進不去。羊說：「怎麼樣，證明了身體矮的比身體高的好吧！」駱駝搖頭，也不接受。

牠們兩個找牛評理，牛說：「只看到自己的優點，沒看到自己的缺點，這是不對的。」

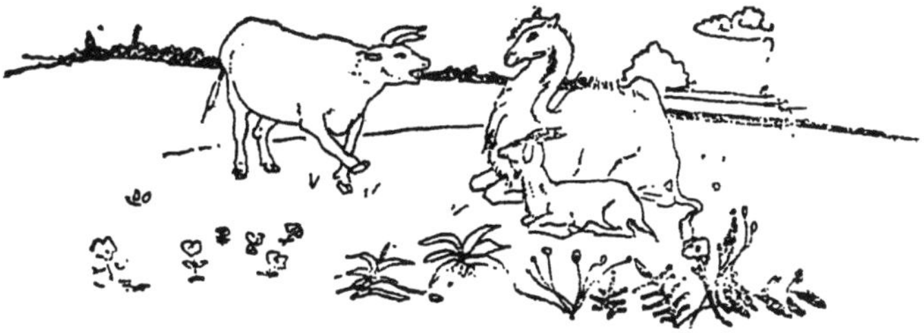

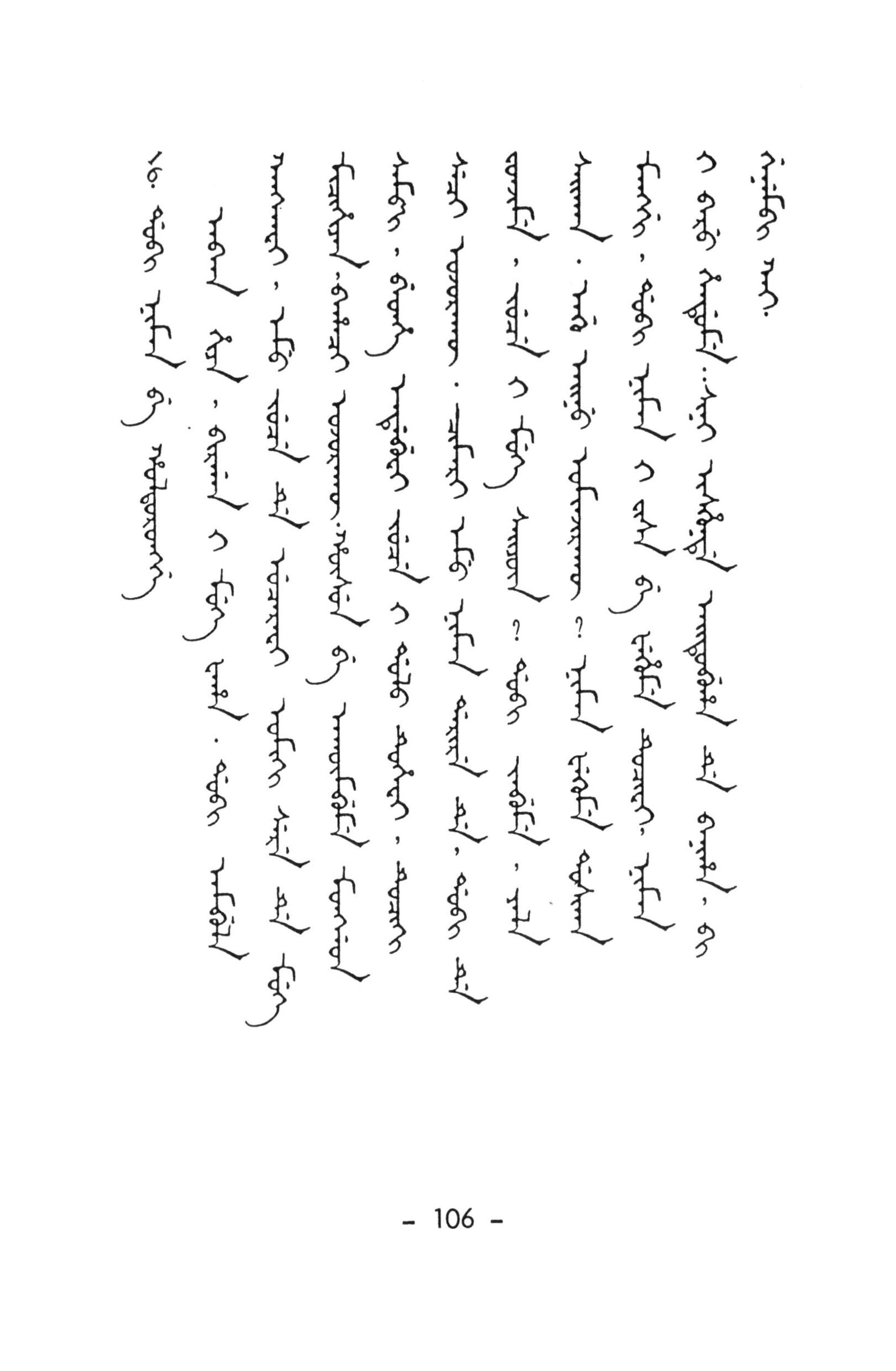

16. dobi niman be holtorongge

abka hiya , birgan i muke faha . dobi ambula kangkafi , emu juce de ucarafi omiki sere de muke micihiyan,bahaci ojorakū.hūsun be akūmbume monggon sampi , bethe endebufi juce i dolo tuhefi , tuciki seci ojorakū . cimari emu niman darire de, dobi de fonjime , juce i muke saiyūn ? dobi jabume , yala saikan . agu ainu ominjirakū ? niman fekume dosika manggi , dobi niman i fisa be fehume tucifi, niman i baru hendume:sini ishunde aitubuha de baniha, bi genembi kai.

16. 狐欺山羊

天旱，小溪的水乾了。狐狸很渴，遇到一個水潭，想喝水，水淺喝不到。用力伸長脖子，失足掉進潭裡，想出來，卻出不來。次日，有一隻山羊經過，問狐狸說：「潭水好嗎？」狐狸回答說：「真是好，老兄為什麼不下來喝？」山羊跳進去後，狐狸踩著山羊的背出去了，向山羊說：「謝謝你相救，我要走了。」

[illegible]

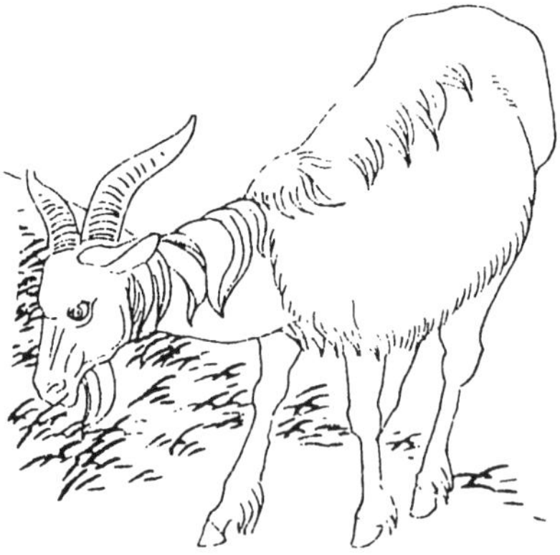

niman teni ambula korsoho bime gùnime hendume: dobi i koimali de bi kemuni terei gisun be akdafi , holtoho be alime gaihangge giyan kai sehebi.

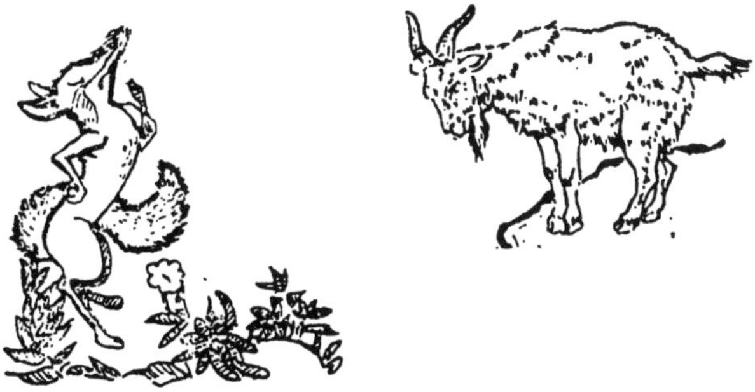

山羊這才大大地悔恨，繼而自己心裡想道：「以狐狸的狡猾，我尚且相信牠的話，理當受到欺騙。」

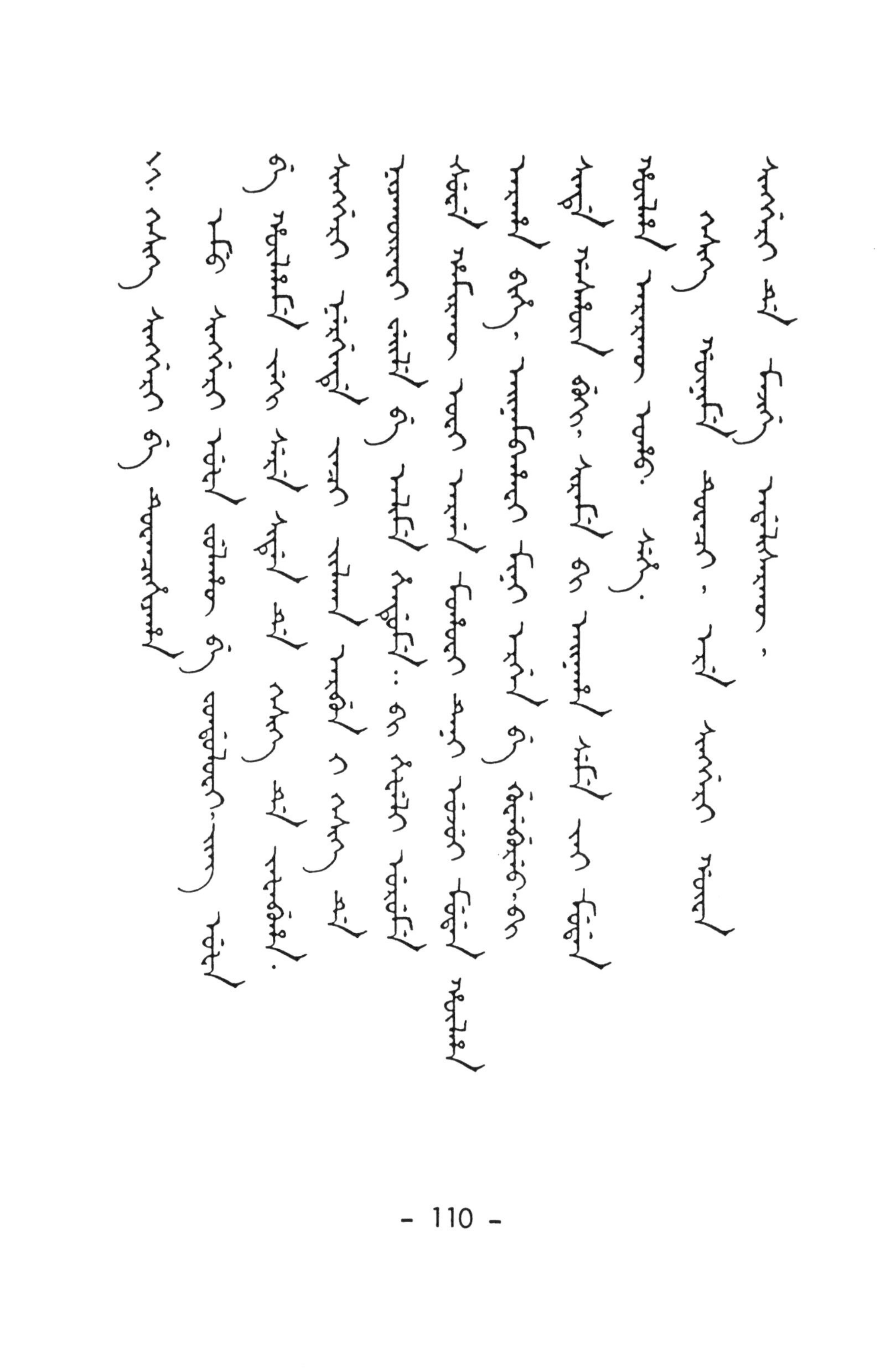

17. kesike singgeri be tuwancihiyaha

emu singgeri ufa fulahū be fondolofi,jing ufa be hūlhame jeki sere siden de kesike de jafabuha. singgeri nerginde jaci jilaka arbun i kesike de niyakūrafi weile be alime hendume:"bi hefeli urume šuwe hamirkū ofi arga mohofi teni ujui mudan hūlha araha bihe, ainambahafi mini ergen be guwebureo,bi sinde gashūn buki, sirame bi ainaha seme jai mudan hūlha ararkū oho. " sehe.

kesike gūnime tuwaci , ere singgeri gūwa singgeri de majige adališarkū ,

17. 貓教訓鼠

一隻老鼠咬破麵粉袋，正想偷吃麵粉的時候，被貓捉住了，老鼠立即以很可憐的樣子向貓跪下認罪說：「我因為肚子餓得很難忍受，所以才頭一回做賊，請千萬免我一死，我向你發誓，下次我絕不再做賊了。」

貓看這隻老鼠有一點不像別的老鼠，

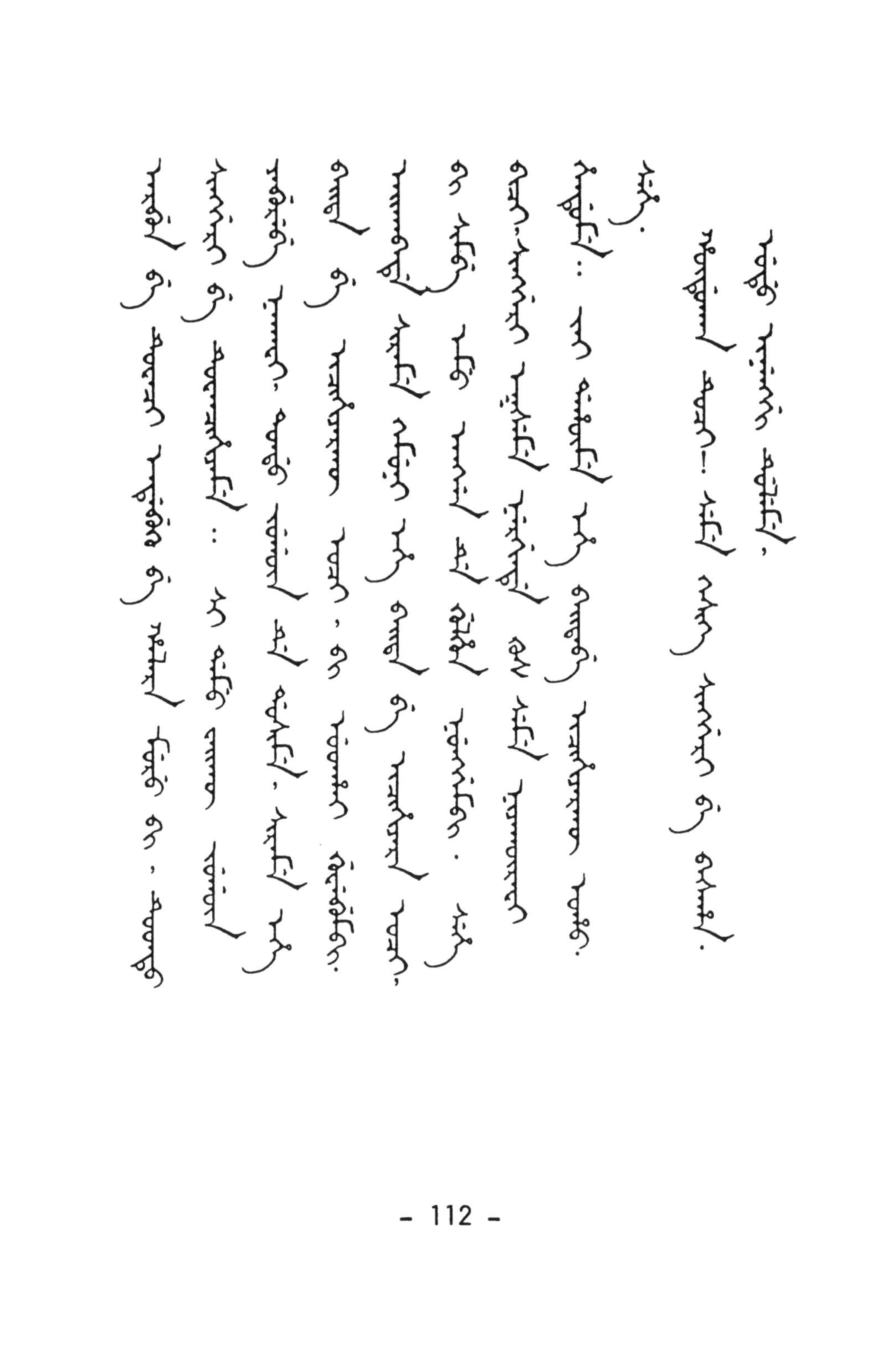

arbun be tuwaci endebuku be halara muru bi , tuttu singgeri be tuwancihiyame : " si damu waikū jugūn yaburebe nakafi, tondo jugūn de dosime, sirame ehe baita be icihiyarkū oci , bi uthai guwebumbi. aikabade sirame kemuni ehe baita be icihiyara oci, bi simbe emu angga de gulhun nunggembi . " sehe bici,singgeri ekšeme nerginde k'os seme niyakūrafi hendume:" jai dahūme ehe baitabe icihiyarkū oho. " sehe.

"hūdukan tuci!"seme kesike singgeri be bašaha.

udu inenggi duleme,

看樣子能改過○因此教訓老鼠說：「你只要不再走歪路，進入正道，不再做壞事，我就放過你○倘若以後再做壞事，我一口把你整個吞下○」老鼠急忙立即咕咚下跪說：「再也不做壞事了○」

「快出去！」貓把老鼠趕出去了○

過了幾天，

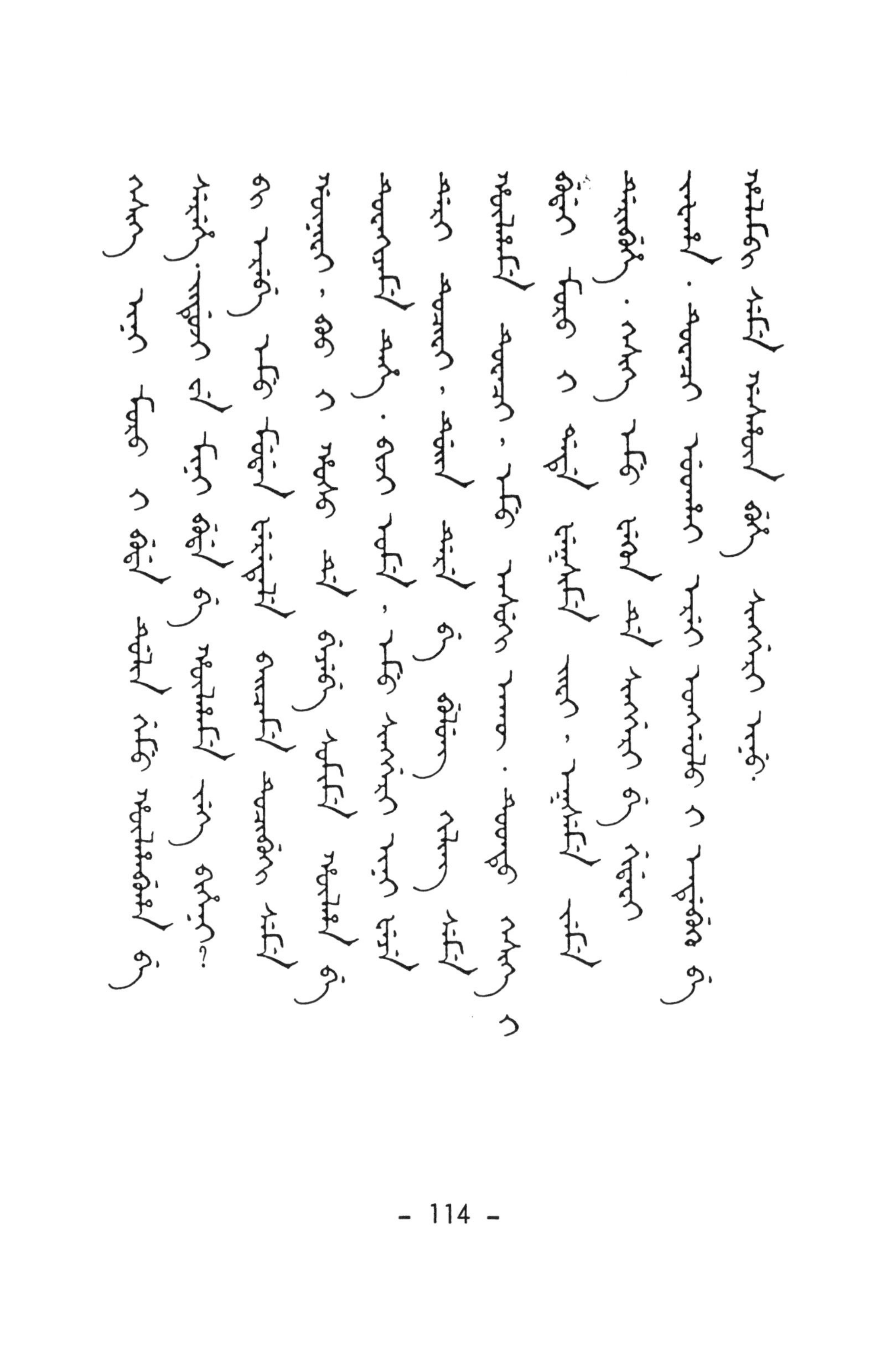

[illegible]
[illegible]
[illegible]
[illegible]
[illegible]
[illegible]
[illegible]
[illegible]
[illegible]
[illegible]
[illegible]
[illegible]

kesike ini moro i buda dulin gemu hūlhabuha be serehe.jiduji we mini buda be hūlhame jeke biheni? bi erebe emu mudan feretele baicame tucibuki seme gūnifi , boo i hošo de beyebe somime hūlha be tuwakiyame tehe . biji ome , emu singgeri ini feye deri tucifi , duin dere be bulung kiling seme hūlhame tuwaci , emu asuki akū . tuttu kesike i budai moro i dade feksime jifi , ekšeme jeme deribuhe . kesike emu fekun de singgeri be gidafi jafaha . tuwaci uthai erei onggolo i endebuku be halambi seme gashūn buhe singgeri inu.

貓發現牠的半碗飯都被偷了。心想：「到底是誰偷吃了我的飯呢？我要把牠一次徹底查出來。」便躲在屋角裡坐著。過了片刻，一隻老鼠從牠的窩裡出來，賊頭賊腦地四面偷看，寂靜得沒有一點聲音，於是跑到貓的飯碗跟前，急忙開始吃著。貓一跳把老鼠捉住了。一看就是前此發誓改過的那隻老鼠。

ᠠᠨᡳᠶᠠ ᠪᡝ ᡨᠣᠯᠣᠮᡝ ᡨᠣᡴᡨᠣᠪᡠᡥᠠ.
ᡥᡡᠸᠠᠩᡩᡳ ᠰᠣᠨᠵᠣᡴᡳ. ᠪᠣᠯᠣᡵᡳ ᠰᡳᠩᡤᡝᡵᡳ ᡴᡝᠰᡳᡴᡝ ᠪᡝ ᠠᠯᠠ
ᡴᡝᠰᡳᡴᡝ ᠰᡳᠩᡤᡝᡵᡳ ᡳᠨᡝᠩᡤᡳ, ᠪᡝ ᠪᠣᠵᡳ ᠪᡝ
ᠰᡳᠩᡤᡝᡵᡳ ᠪᡝ ᠪᠣᡵᡳ ᠠᠯᠠ ᡴᡝᠰᡳᡴᡝ ᠪᡝ ᠣᠪᠣᠯᡳ:

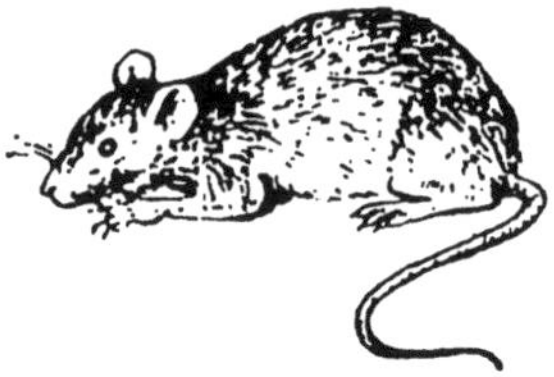

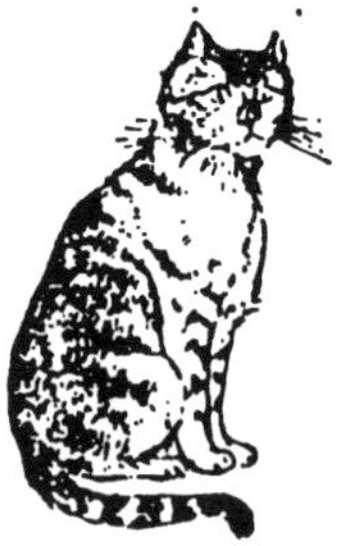

kesike ere teni emu jingking giyan be ulhihe : " singgeri serengge naranggi singgeri , da banin be halame muterkū . " tuttu kesike singgeri be emu angga de gulhun nunggehe.

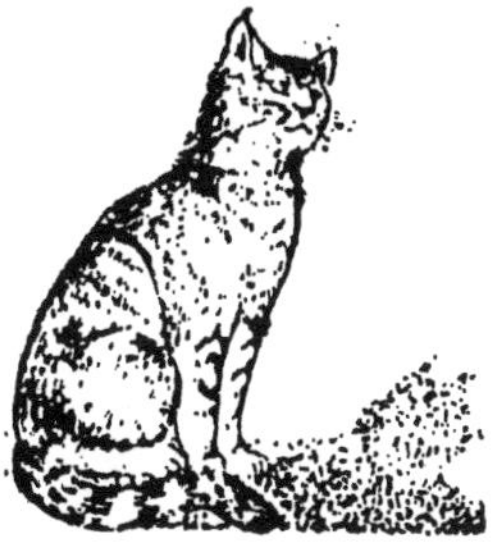

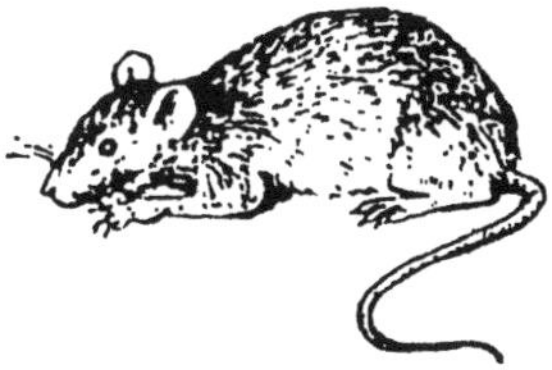

貓這才曉得一個真理：「老鼠畢竟是老鼠，本性難改。」於是貓把老鼠一口囫圇吞下去了。

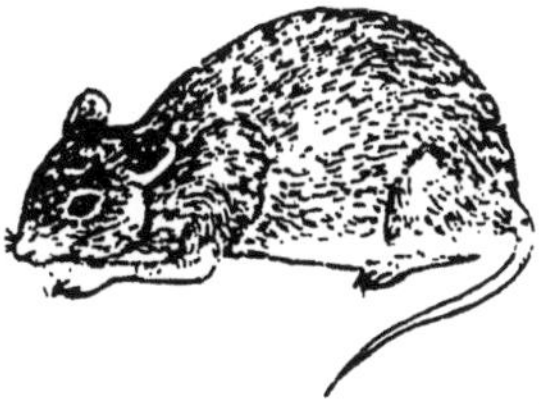

[illegible] [illegible] [illegible]? [illegible], [illegible] [illegible]::
[illegible] [illegible] [illegible]. [illegible] [illegible] [illegible] [illegible], [illegible]
ᠪᡝ [illegible] [illegible] [illegible] [illegible] ᠨᡳᠶᠠᠯᠮᠠ, [illegible] [illegible]
[illegible] [illegible] [illegible]:: [illegible] [illegible], [illegible] ᠨᡳᠶᠠᠯᠮᠠ
[illegible] [illegible] [illegible] [illegible] [illegible].
ᠨᡳᠶᠠᠯᠮᠠ ᠪᡝ [illegible] [illegible], [illegible] [illegible] [illegible] [illegible] ᡳ
[illegible] ᠪᡝ [illegible] [illegible], [illegible] [illegible] ᠪᡝ [illegible]
[illegible] [illegible] [illegible] [illegible] ᡳ [illegible] [illegible] [illegible] [illegible] [illegible].
[illegible] ᠪᡝ [illegible] [illegible] ᡳ [illegible] [illegible] [illegible] [illegible]
[illegible] [illegible], [illegible] [illegible] ᠨᡳᠶᠠᠯᠮᠠ [illegible] [illegible] [illegible]
10. ᠨᡳᠶᠠᠯᠮᠠ ᠪᡝ [illegible] [illegible]

18. usiha be toloro jui

dobori ome , abkai jalu usiha aimaka ton akū nicuhe be niowanggiyan gu i alikū de sindaha adali sabubumbi.emu jui hūwa i dolo mama de nikeme tefi, uju be wesihun karafi , abkai untuhun be jorime usiha be tolombi.tere emken, juwe seme emu siran i udu tanggū usihai siden toloho.

mama injeme gisureme:" beliyen jui, geli usiha be tolome deribuhe.tenteke labdu usiha,gilir gilir seme balai aššandume . yasa gemu ilgašara de , si tolome wajibume mutembio ? " serede, jui gisureme:

18. 數星星的孩子

到了夜晚，滿天的星星，看起來好像把無數的珍珠放在綠玉盤上一樣。有一個孩子在院子裡靠著祖母坐著，抬頭仰望，指著天空數星星。他一個、兩個地，直數到幾百個星星。

祖母笑著說：「傻孩子，又開始數起星星來了，星星那麼多，閃閃亂動，眼睛都花了，你能數得完嗎？」孩子說：

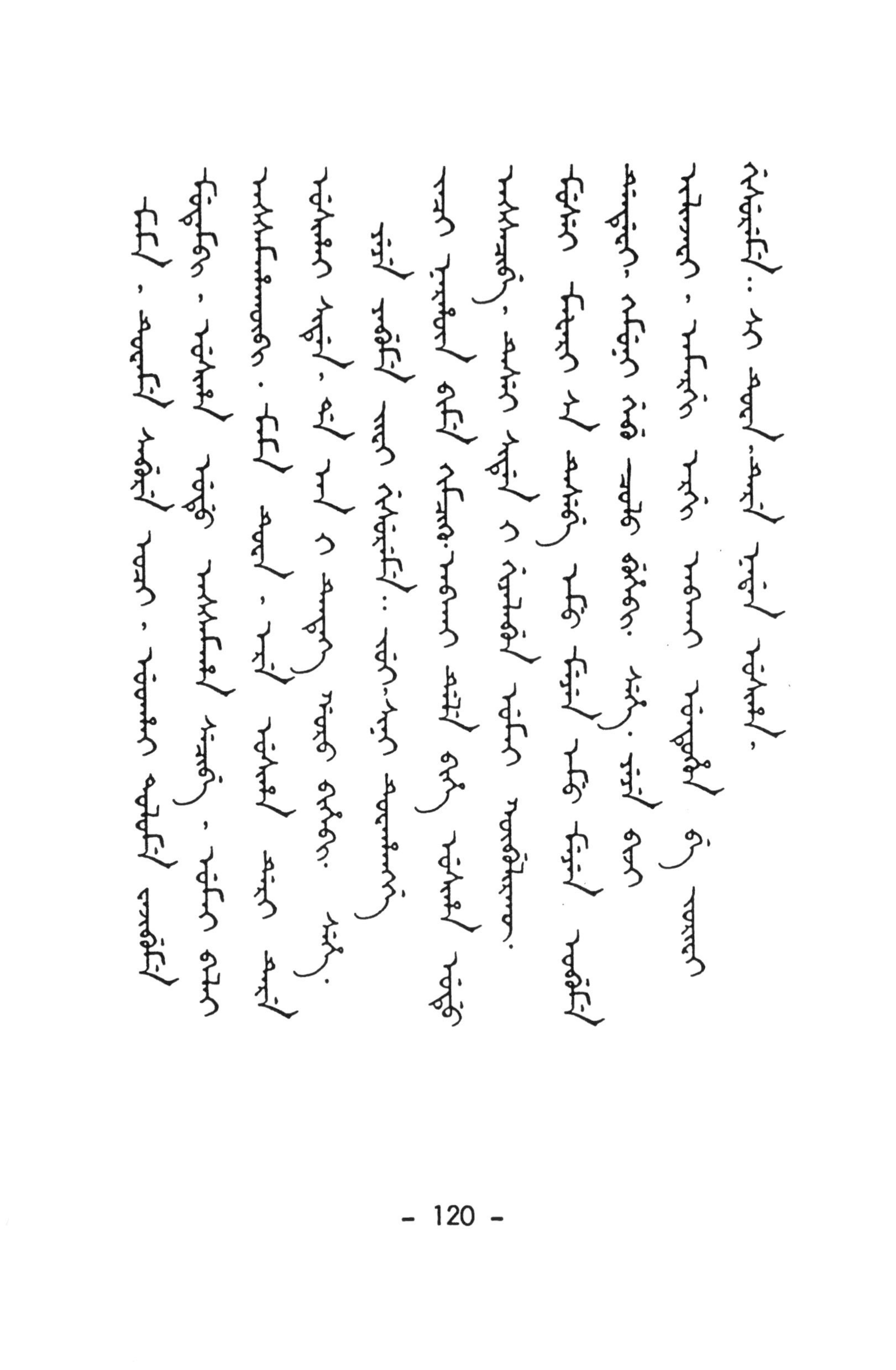

" mama , tuwame sabure oci , uthai tolome wajibume mutembi , usiha udu aššamaha secibe , umai balai aššamahakūbi . mama tuwa , ere usiha deri tere usihai siden, da an i tenteke goro bihebi. " sehe.

yeye yabume jifi gisureme:"jui,sini tuwahangge jaci narhūn bime kimciku.abkai dele bihe usiha udu aššacibe, tesei siden i giyalabun umai kūbulirkū. musei mafari sa tesebe emu meyen emu meyen obume dendefi, kemuni gebu colo buhebi." sehe. yeye biji ilinjafi , amargi ergi abkai untuhun be jorifi gisureme:"si tuwa,tere nadan usiha,

「奶奶,要是看得見的話,就能數得完,星星雖然移動並不是亂動。奶奶看,從這顆星到那顆星之間,仍然那麼遠。」

爺爺走過來說:「孩子,你的觀察很仔細。天上的星星雖然移動,但它們之間的距離,並不改變。我們的祖先,把它們分成一個一個的星座,還給了名號。」爺爺停了片刻後,指著北方的天空說:「你看,那七顆星星,

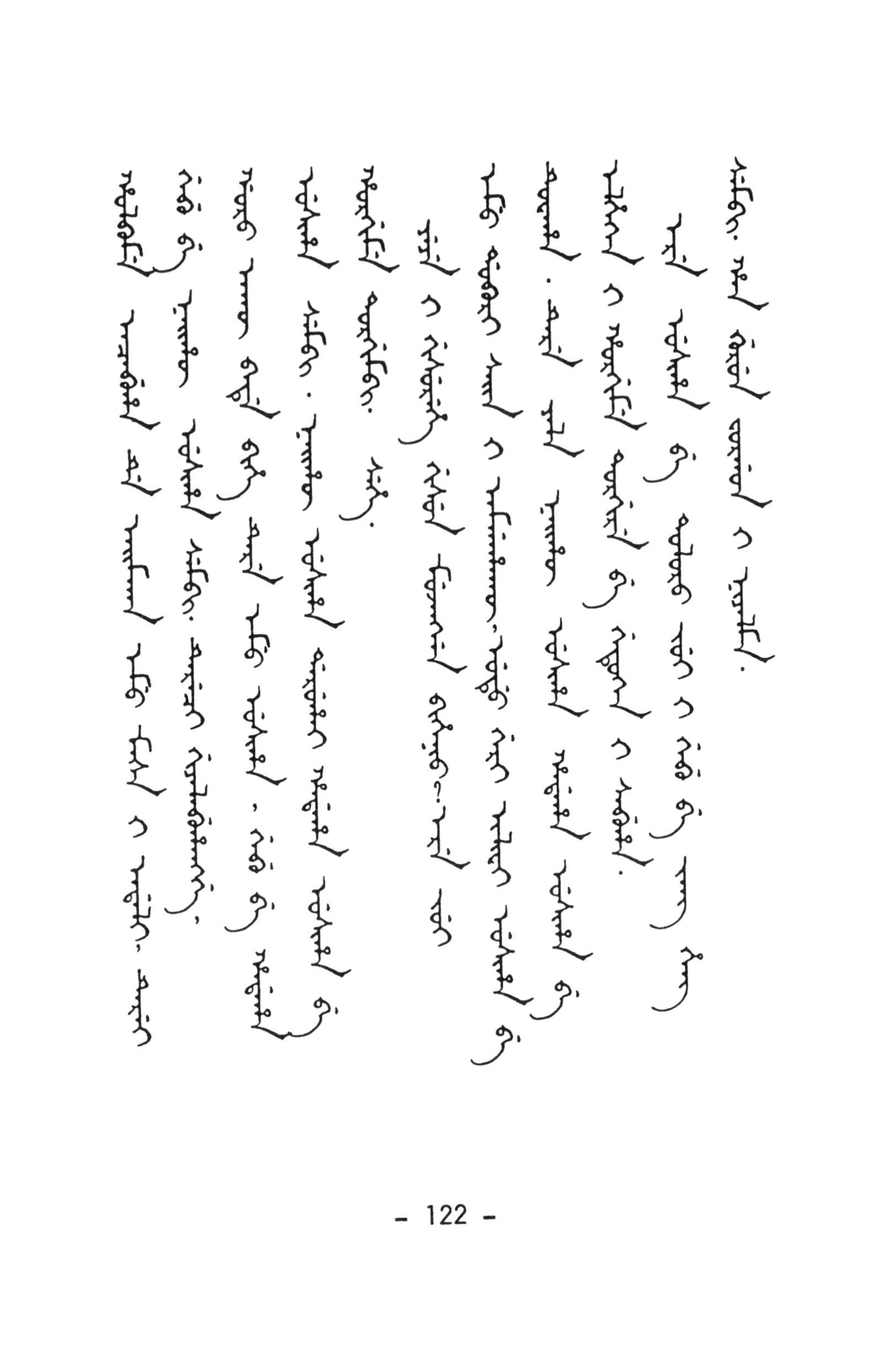

holbome acabuha de aimaka emu maša i adali, terei gebu be naihū usiha sembi. tereci giyalabuhangge, goro akū bade bihe tere emu usiha , gebu be hadaha usiha sembi . naihū usiha daruhai hadaha usiha be horgime torgimbi. " sehe.

yeye i gisurehe gisun mujangga bihenio?ere jui emu dobori sain i amgahakū,udu geri ilifi usiha be tuwaha . tere yala naihū usiha hadaha usiha be elheken i horgime torgire be getuken i sabuha.

ere usiha be toloro jui i gebu be jang heng sembi. han gurun forgon i niyalma.

連接起來，就像杓子一樣，它的名字叫做北斗星。離它不遠的那一顆星，名字叫做北極星。北斗星常常繞著北極星旋轉。」

爺爺說的話是真的嗎？這個孩子一夜沒睡好，幾次起來觀察星星。他果真清清楚楚地看見北斗星慢慢地繞著北極星旋轉。

這個數星星的孩子，名叫張衡。是漢朝時候的人，

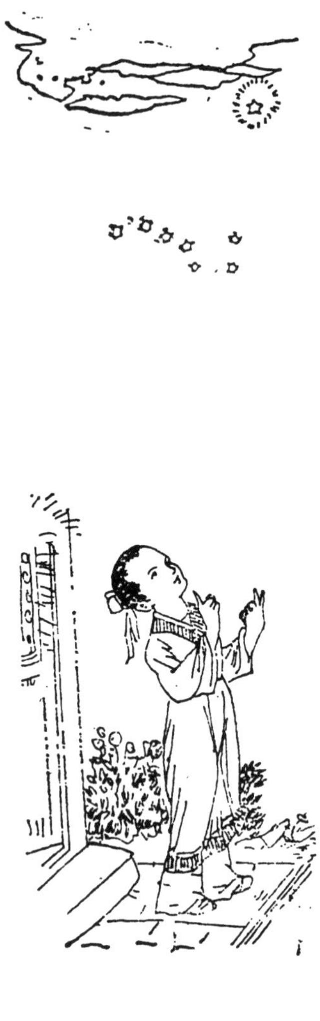

i mutume hūwašame amba oho amala , abkai šu be sithūme sibkime fuhašaha ofi , gebu algikan abkai šu i tacihasi ohobi.

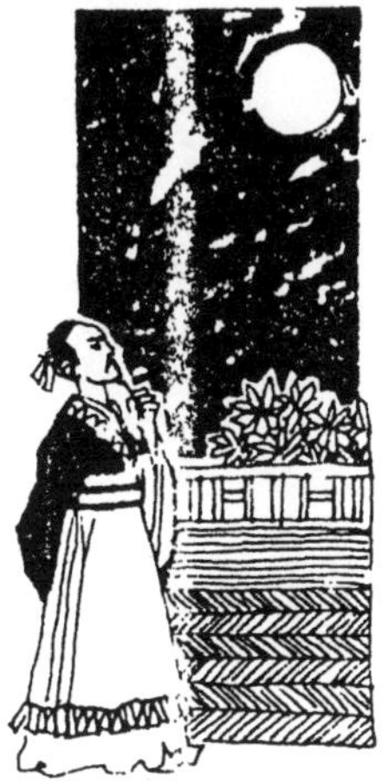

他長大以後，因專心研究天文，成為著名的天文學家。

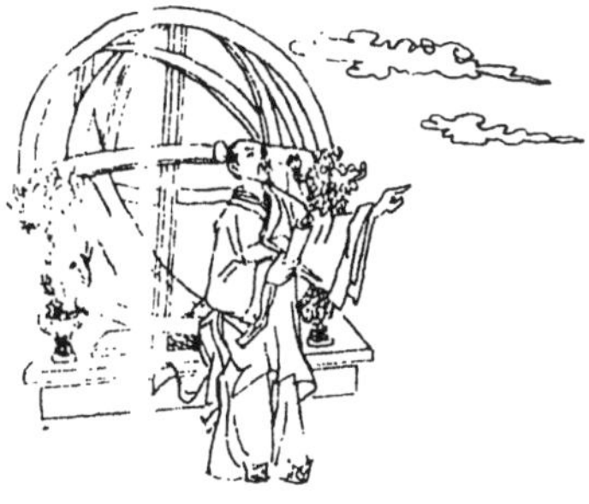

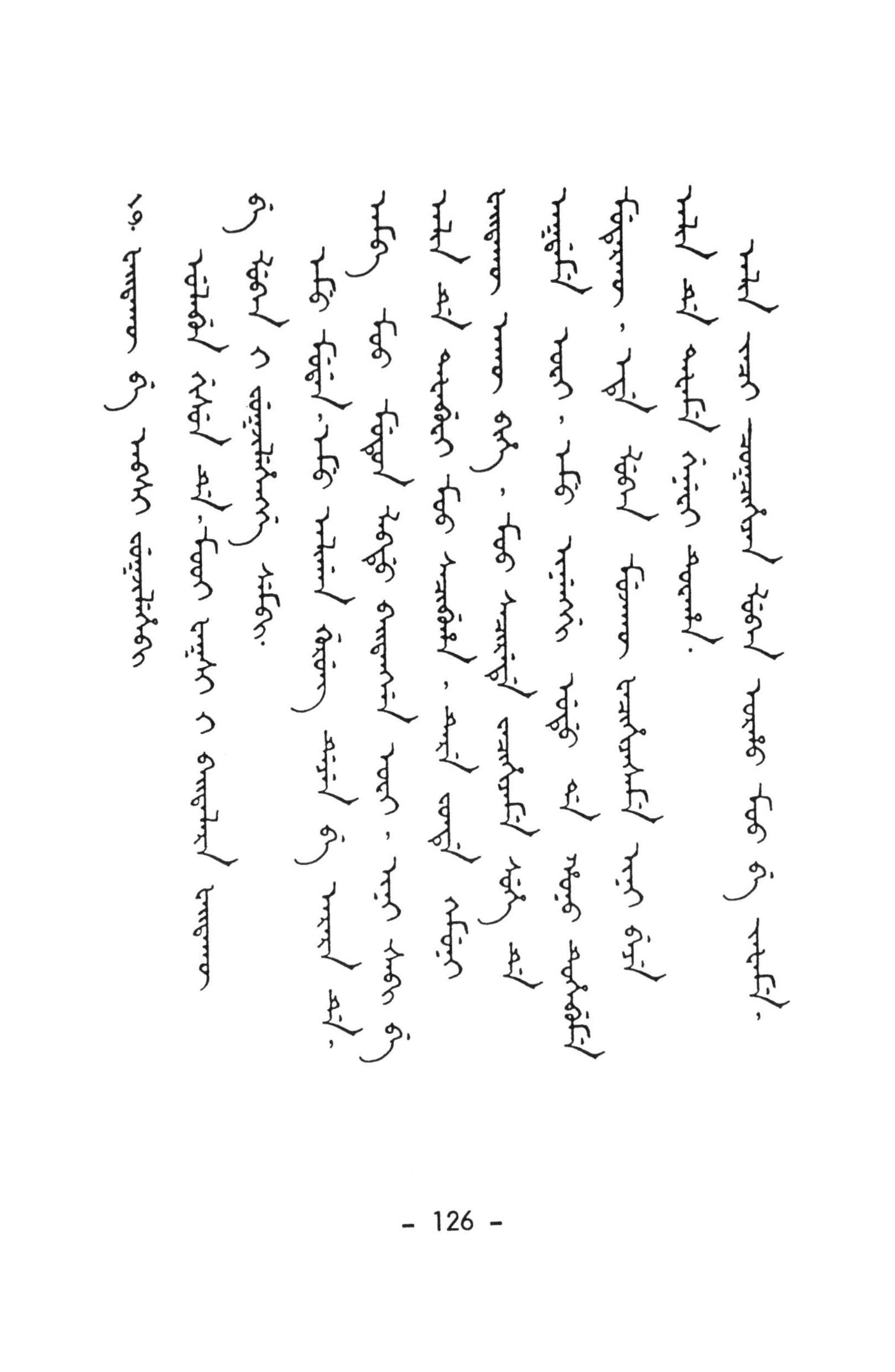

19. faitakū be absi fukjilehebi

ulabun gisun de,mooi faksi i baitalara faitakū be luban i fukjilehengge sembi.

emu mudan,emu aligan gurung deyen be arara de, amba moo mutun labdu baitangga ofi , ini šabi be alin de tafabufi moo sacibuha , tere fonde kemuni faitakū akū bihe , moo sacirede wacihiyame suhe de akdame ofi , emu inenggi udu da hono tuhebume muterkū , ede luban mujakū facihiyašame ini beye alin de tafame genefi tuwaha.

alin jaci cokcihiyan luban orho moo be jafame,

19. 鋸子是怎樣發明的？

傳說，木匠用的鋸子是魯班發明的。

有一次，建造一座宮殿時，因為需用很多大塊木料，叫他的徒弟登山砍樹，那時還沒有鋸子，砍樹時，全靠斧頭，一天還砍不下幾棵，魯班非常著急，親自上山去看。

山很陡峻，魯班攀著草木，

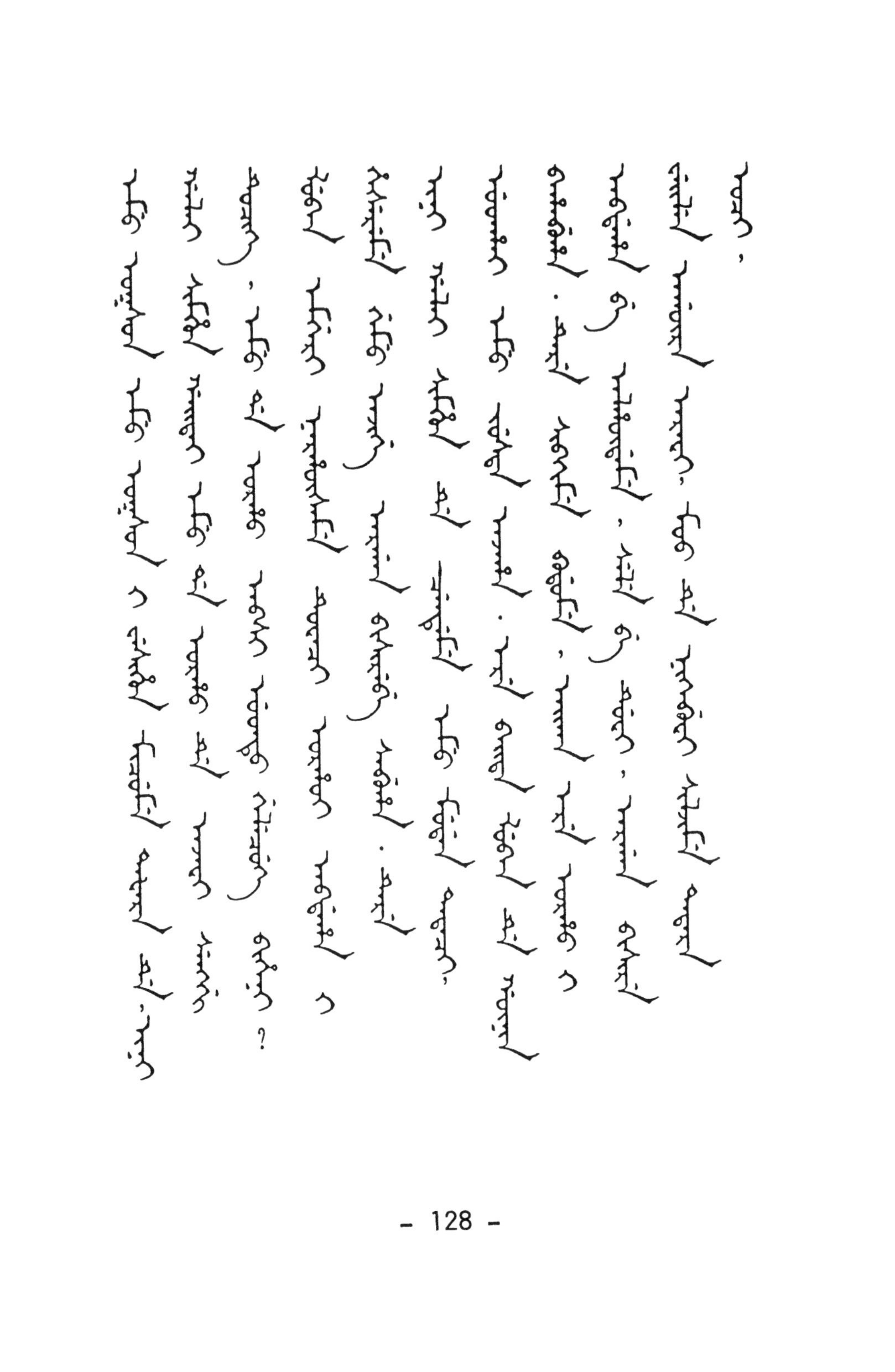

[illegible]

emu okson emu okson i wesihun micume tafara de,ini galai simhun gaitai emu da orho de ajafi senggi tucike , emu da orho absi uttu gelecuke biheni ? luban emgeri narhŭšame tuwaci orhoi abdaha i hešėreme gemu ajige argan bisirebe sabuha . tere ini galai simhun de cendeme emu mudan tataci, uthai emu justa ajaha . ere baita luban de gŭnin bahabuha . tere sibkime bodome , aika ere orho i abdaha be alhŭdame , sele be dufi , argan bisire weilen agŭra arafi, moo de nikebufi siljime tatara oci ,

一步一步地往上攀登，他的手指忽然被一根草劃破流血了，一根草怎麼這樣可怕呢？魯班仔細一看，看到草葉的邊緣都有小鋸齒，把它試著刮一下他的手指，立刻就劃破一道。這件事啟發了魯班,他研究思考，心想:「若是模倣這草葉，煉鐵做成有鋸齒的工具來鋸樹木的話，

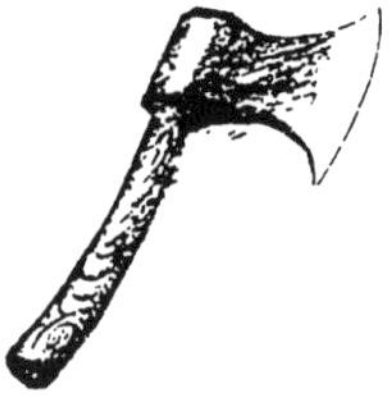

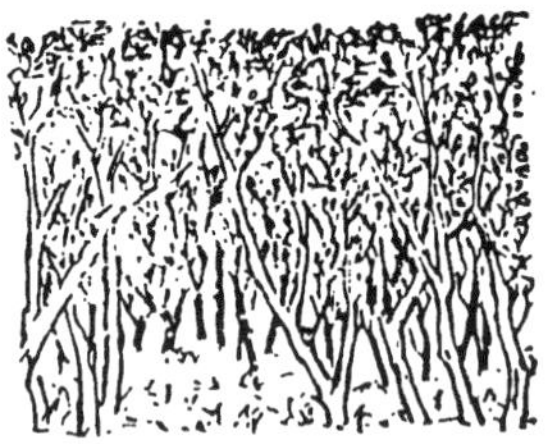

ainahai suhe baitalame sacire ci ubui fulu wakanio seme bodofi , nerginde bedereme genefi , emken dume arafi, alin de gamame genefi, cendeme tuwafi, jingkini suhe deri hūdun bime hūsun inu funcembi. luban dade uthai uttu faitakū be fukjilehe bihebi.

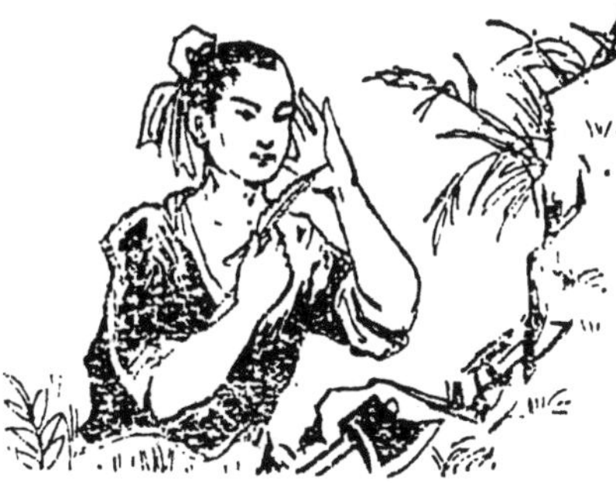

不就必然比用斧頭砍要快幾倍嗎？」於是馬上回去，煉成一把，帶到山上試用，果然比斧頭快而且又省力，魯班原先就是這樣發明了鋸子。

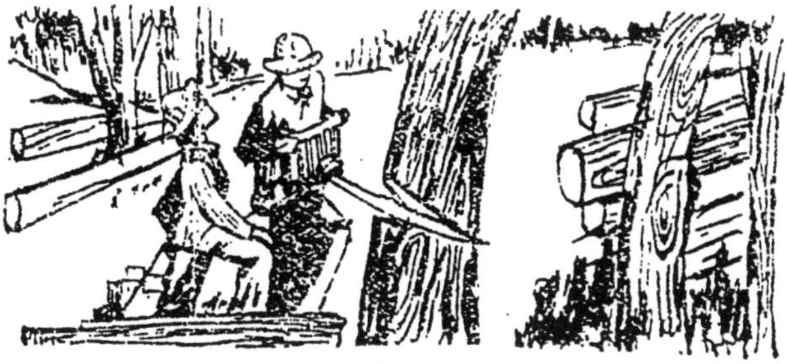

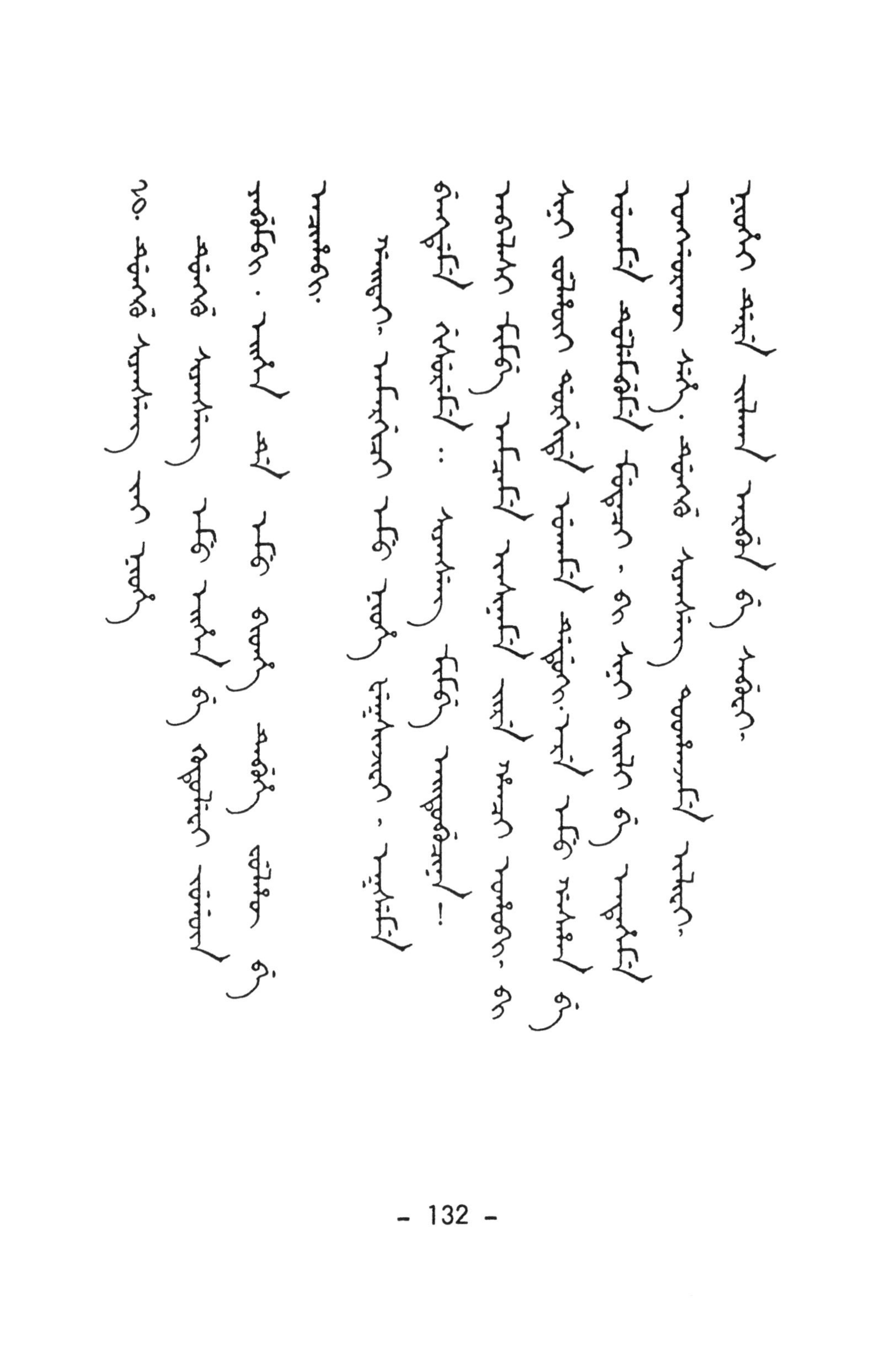

20. dungg'o siyanšeng jai niohe

dungg'o siyanšeng emu eihen be kutulefi jugūn yabumbi . eihen de emu bithe tebuhe fulhū be acihabi.

gaitai, amargici emu niohe feksinjifi , ekšeme bengdeme gisureme : " siyanšeng mimbe aitubucina! abalasi mimbe amcame insiname jire hanci ohobi, bi sini fulhūi dorgide ukame deduki.ere emu gashan be ukame dulembume muteci , bi sini baili be enteheme onggorkū"sehe. dungg'o siyanšeng toohanjame ilifi, niohei dere jilaka arbun be sabufi,

20. 東郭先生和狼

東郭先生牽了一隻驢走在路上，驢馱著一個裝了書的袋子。

忽然，有一隻狼從後面跑過來，驚慌地說：「先生救救我吧！獵人追我，快接近了，我躲在你的袋子裡吧！若能逃過這一次災禍，我永遠不會忘記你的恩情。」東郭先生遲疑不決地停了下來，看到狼可憐的樣子，

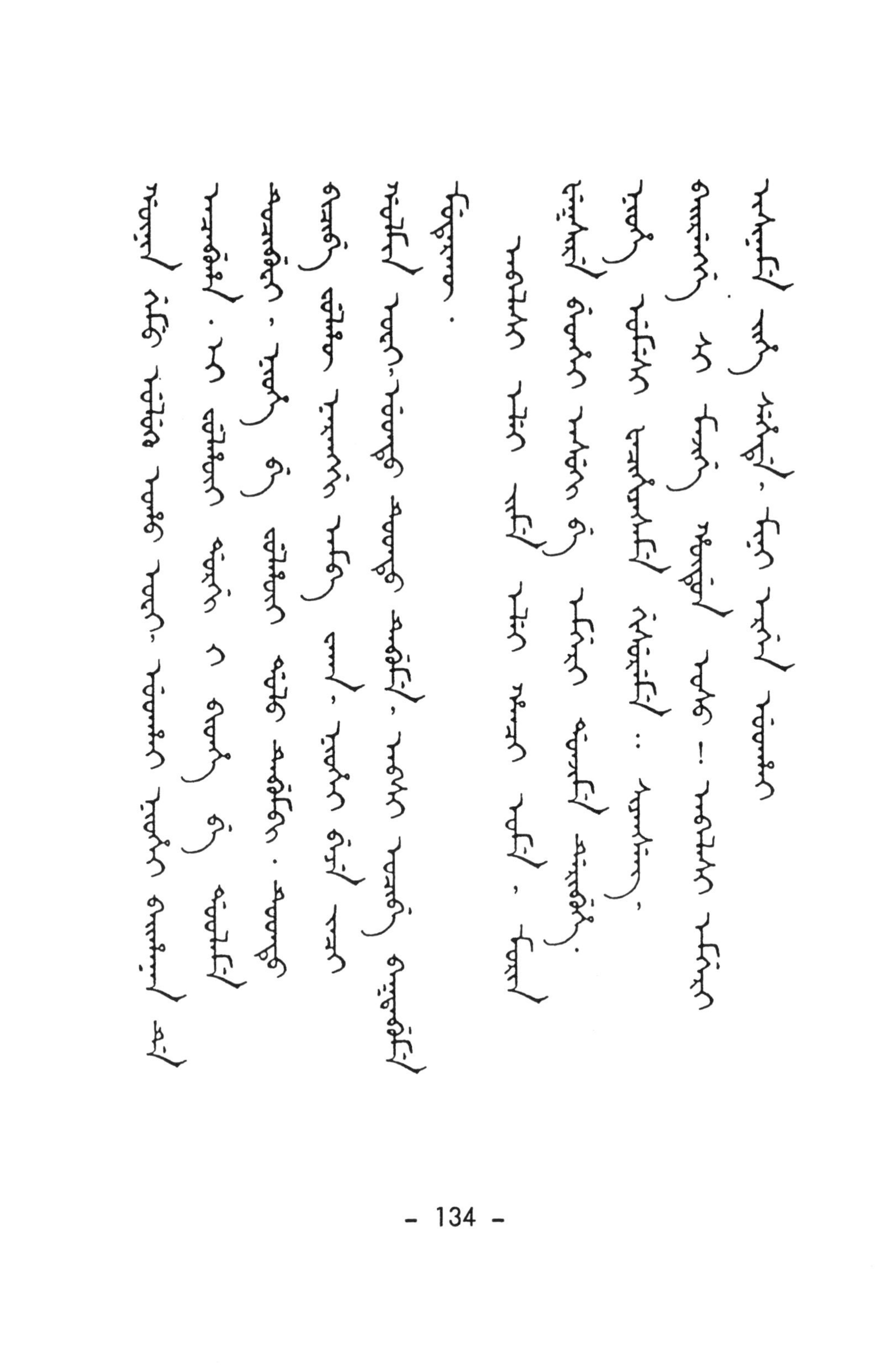

gūnin gemu uluku oho ofi, uthai niohei baihanan de acabuha . i fulhūi dorgi i bithe be doolame tucibufi , niohe be fulhūi dolo tebumbi . tuttu bicibe fulhū naranggi amba waka, niohei beye jaci golmin ofi,uttu tuttu tebume, absi ocibe baktabume muterkū .

abalasi elei jime elei hanci ome , morin feksire bethei asuki be emgeri donjime deribuhe. niohe umesi facihiyašame gisureme :" siyanšeng, bairengge si majige hūdun oso ! abalasi emgeri isiname jihe sehede, mini ergen uthai

心都軟了，就答應了狼的請求。他把袋子裡的書倒出來，把狼裝到袋子裡，但是袋子畢竟不大，因為狼的身體太長，這樣裝那樣裝，怎麼樣也裝不下。

獵人越來越近，已開始聽到馬跑的腳步聲了，狼很著急地說：「先生，請你快一點吧！獵人一來到，我的命就

ᠴᡳᡵᡤᡡᠪᡠ᠈ ᠨᡳᠶᠠᠯᠮᠠ᠈ ᡠᠮᡝᠰᡳᠨ ᡳᠨᡳᠩᡤᡳ ᡨᡝᠪᡳᡥᡝᠨ᠈ ᡳᠨᡳᠨ ᠪᡝᡳᡠᠪᡠ ᡥᡠᡵᡠᠨᡤᡝ
ᠠᡵᡤᠠᠪᡠ ᠨᡳᡴᡝ ᡠᡵᡠᡴᡝ ᡳᠰᡳᠪᡠ ᠪᡳ ᡠᡵᡠᡴᡝᠨᡝ ᡨᡝᡵᡝ ᡳᠰᡳᡥᠠᠪᡠᡵᡝ᠈ ᡨᡠᠮᡝᠨ
ᠪᡠᠴᡝᠨ ᠪᡳ ᠪᡝᡳᡥᡝᠮᡝᡵᡝ ᠠᡴᡩᡠᡥᠠᠨ᠈ ᡨᡠᠮᡝ ᡝᠮᡠᡤᡝ ᡨᡝᡵᡝ
ᡠᡵᡠᡴᡠᠪᡠᡵᡝ᠉ ᡨᡠᠮᡝ ᡳᠰᡳᡴᡝ ᡳᠨᡳᠨ ᠪᡳ ᡠᡵᡠᡴᡝᠨ
ᠠᠯᡳᡵᡝ᠈ ᡨᡠᠮᡝᠨ ᡩᡠᠯᡝ ᠰᡠᠪᡝᠨ᠈ ᠨᡳᡵᡝ ᠪᡠᠴᡝᠨ ᠪᡳ ᡨᡝᠪᡠᡵᡝ᠈
ᡨᡠᠮᡝᠨ ᠠᠨᡳᠶᠠ ᠪᡳ ᠵᡳᠯᡝ ᡠᡵᡠᠯᡝᡥᡝᠩᡤᡝ ᠵᠠᠨᡳᠨ᠈ ᡨᡝ ᠠᠨᡳ ᠨ
ᠠᠩᡤᠠ ᠨ ᡨᡠᡵᡝ ᡨᡝᡵᡝ ᠠᡴᡩᡠᠨ᠈ ᠠᠰᡳᡥᠠᠪᡠᠨ ᡨᡠᠪᡳᡥᡝᠨ ᡨᡠᠮᡝᠪᡠ᠈
ᠠᠯᡳᠮᠪᠠᡥᠠᠨ ᠠᡵᡤᠠᡩᡝ ᠠᡵᡤᠠᠰᡳᠨ ᡳᠨᡳᠨ ᠪᡳ ᠪᡝᡳᠰᡳᠯᡝ ᡠᡵᡠᠨ᠈
ᡠᡵᡠᠰᡠᠨ ᡨᡠᠮᡝᠪᡠ ᡳᠰᡳᡥᠠᠨ ᡨᡝ ᡨᡠᡵᡤᡝᡵᡝ᠉ ᠠᠨ ᠠᡵᡤᠠ ᡳᠨᡳᠨ
ᠪᡳ ᠠᡵᡤᠠᠪᡠ ? ᡨᡝᡵᡝ ᡝᠨ ᠪᡝᡳᠪᡠ ᠪᡠᡵᡳᠰᡳᠨ ? ᠨᡳᠰᡳ ᠪᡝᡳᠨ᠈
ᡨᡠᠮᡝᠪᡠ ᠠᡵᡤᠠᠰᡳᠨ ᡨᡠᠮᡠᠰᡠᠨ᠈ ᠨᡳᠶᠠᠯᠮᠠᡵᡝ᠉

wajimbi."sefi, uthai nade dedufi,ini beyebe šoyome emu g'ada obume uju be uncehen de latubume , duin bethe be bargiyame acabufi , dungg'o siyanšeng de huthubuhe . dungg'o siyanšeng niohe be huthuhe amala , fulhūi dolo tebufi , geli bithe be tebume, fulhūi angga be cira hūwaitaha manggi , da an i eihen i dara de acifi, siranduhai julesi yabumbi.

abalasi amcame isinafi niohe be baharkū ofi, uthai dungg'o siyanšeng de fonjime :" si emu niohe be sabuhao ? tere ya baru feksihe ? " sehe bici, dungg'o siyanšeng toohanjafi, gisureme:

要完了。」說完就臥在地上，把牠的身體縮成一團，把頭貼在尾巴上，併攏四條腿收合起來，讓東郭先生捆綁。東郭先生把狼綁好後，裝在袋子裡面，又裝上書，把袋口緊緊地拴好後，照常馱在驢腰上，繼續向前走。

獵人追上後因為找不到狼，就問東郭先生說：

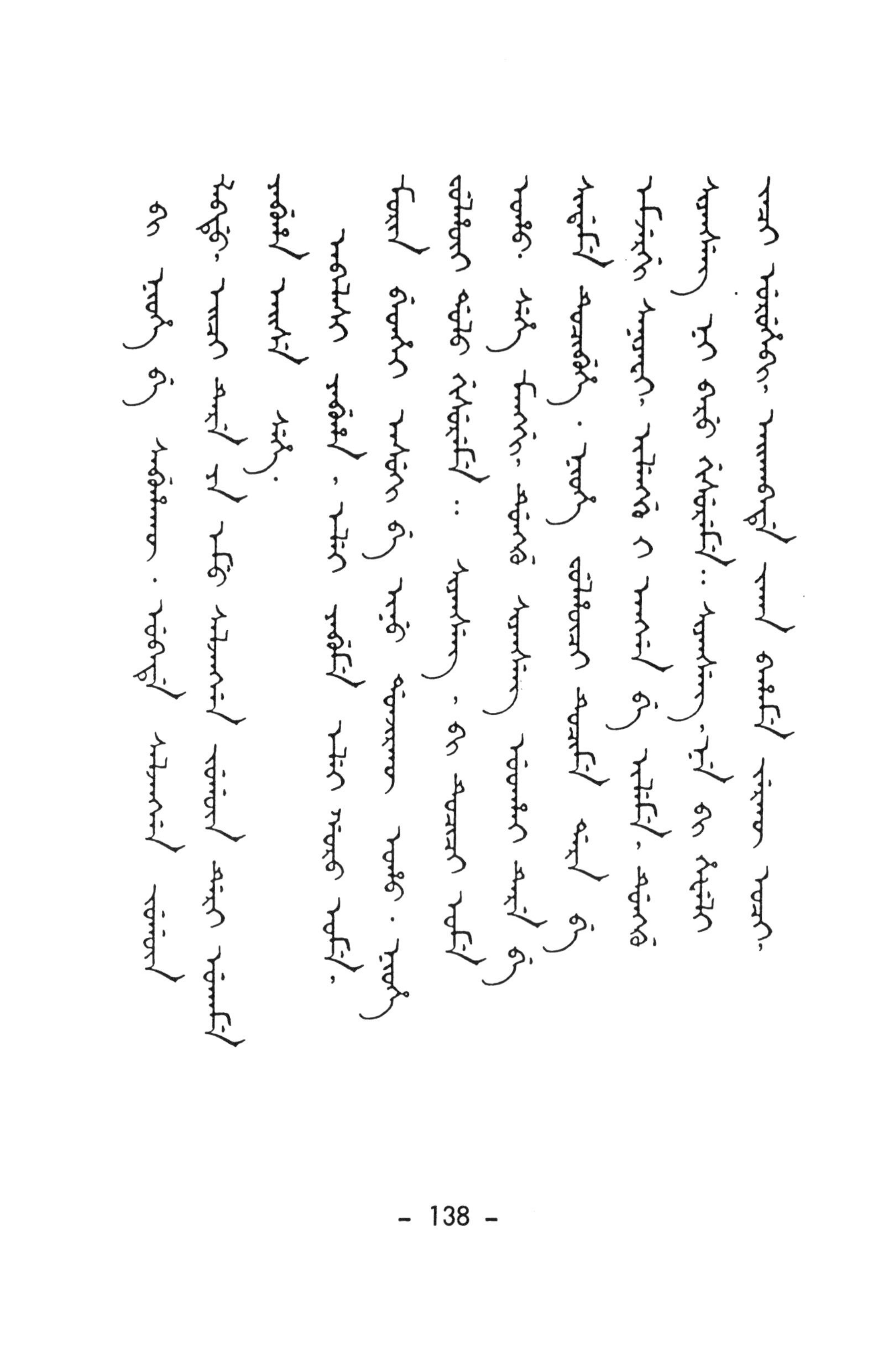

[illegible]
[illegible]
[illegible]
[illegible]
[illegible]
[illegible]
[illegible]
[illegible]
[illegible]
[illegible]
[illegible]

" bi niohe be sabuhakū . ubade saljangga jugūn labdu, eici tere ya emu saljangga jugūn deri ukame yabuha aise " sehe.

abalasi yabuha , elei yabume elei goro ome, morin bethei asuki be inu donjirkū oho . niohe fulhūi dolo gisureme : " siyanšeng , bi tucici ome oho." sehe manggi, dungg'o siyanšeng uthai tere be sindame tucibuhe . niohe fulhūci tucime dara be emjergi saniyafi, ilenggu i angga be ileme,dungg'o siyanšeng ni baru gisureme:"siyanšeng,ne bi hefeli jaci uruhebi, aikabade jaka bahame jerkū oci,

「你看到了一隻狼嗎？牠往那個方向跑了？」東郭先生猶豫了一下說：「我沒看見狼。這裡岔路多，或者是從那一條岔路逃走了吧！」

獵人走了，越走越遠了，馬蹄聲也聽不見了。狼在袋子裡說道：「先生，我可以出去了。」說完後，東郭先生就把牠放出來了。狼從袋子裡出來伸了一伸腰，用舌頭舔著口，向東郭先生說：「先生，現在我的肚子很餓了，如果得不到東西吃，

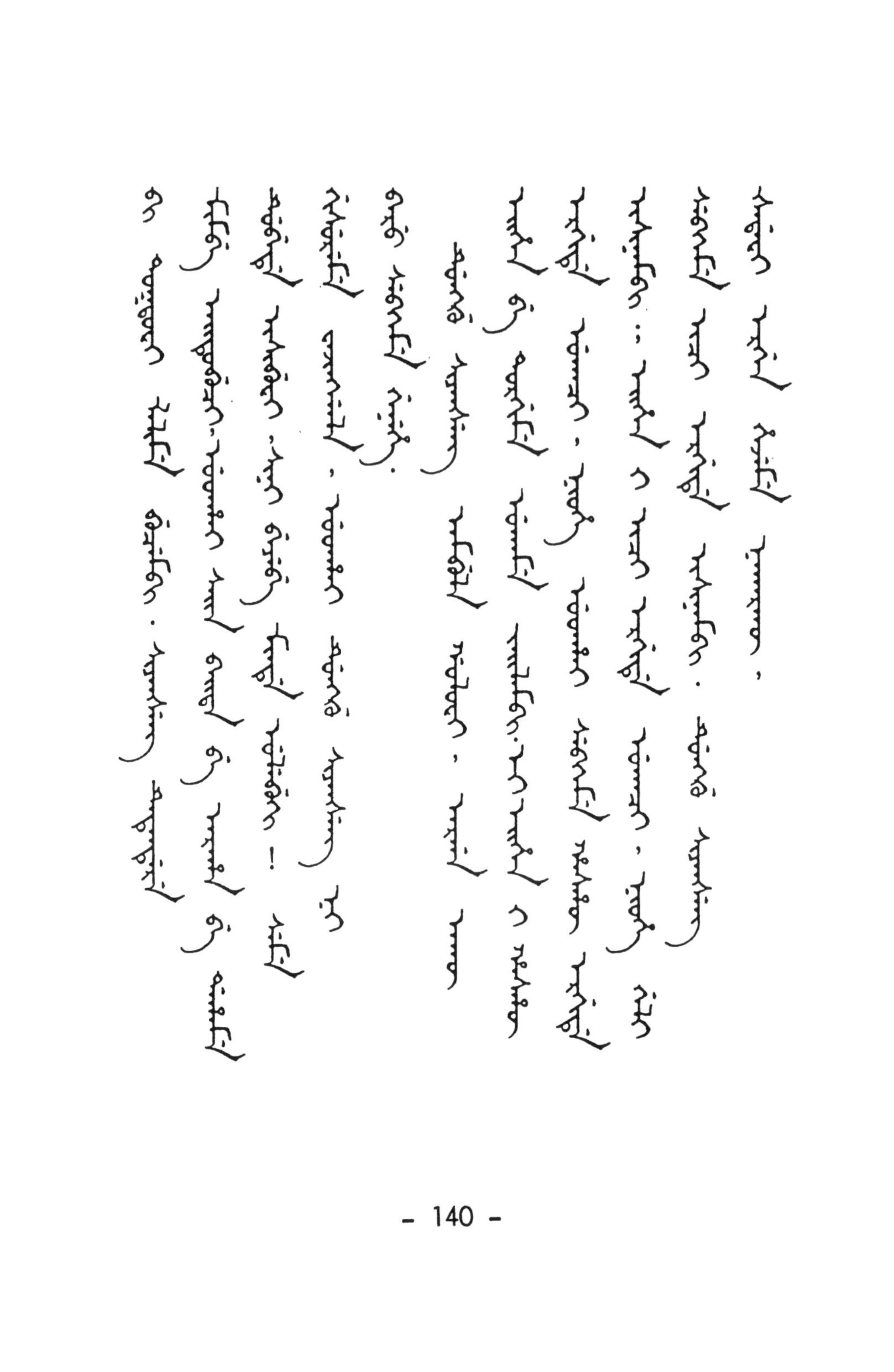

bi toktofi lalime bucembi . siyanšeng tetendere mimbe aitubuci,uthai sain baita be araha be dahame dubede isibufi ,sini beyebe minde ulebuki ! " seme gisureme wajinggala , uthai dungg'o siyanšeng ni baru sebkeme genehe.

dungg'o siyanšeng ambula golofi , arga akū eihen be torgime ukame jailambi. i eihen i hashū ergide ukaci , niohe uthai sebkeme hashū ergide isinambi ; eihen i ici ergide ukaci , niohe geli sebkeme ici ergide isinambi . dungg'o siyanšeng šadafi ergen hejeme nakarkū ,

我一定會餓死。先生既然救我，就好事做到底，把你自己給我吃吧！」話還沒說完，就向東郭先生撲了過去。

東郭先生很害怕，沒有法子，只得繞著驢子躲避。他躲到驢的左邊，狼就撲到左邊去；躲到驢的右邊，狼又撲到右邊去。東郭先生累得不停地喘氣，

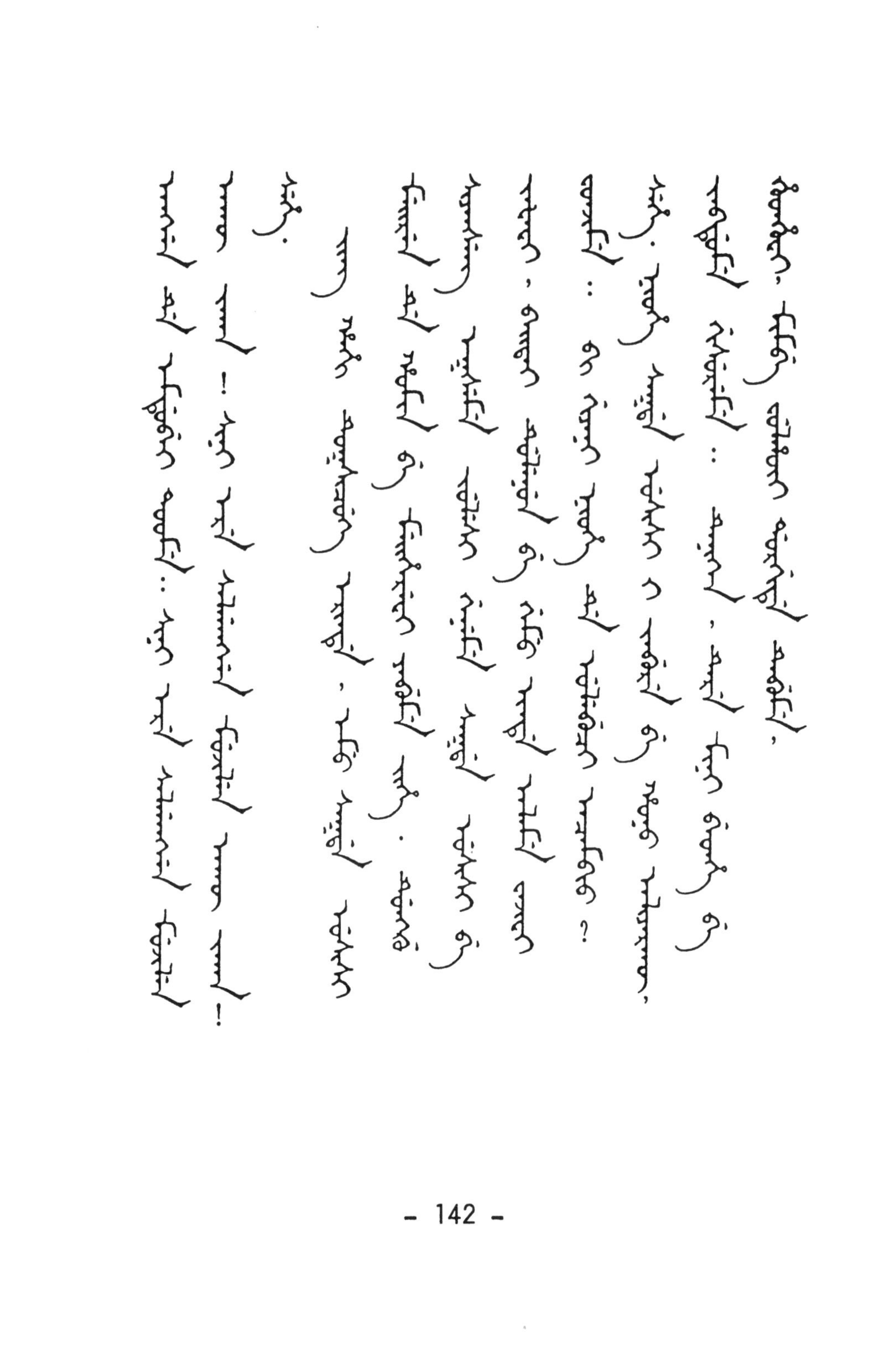

angga de emdubei toome:"sini ere salgangga mujilen akū jaka ! sini ere salgangga mujilen akū jaka! " sehe.

jing hahi tuksicuke erinde , emu sakda usisi meiren de homin be meiherefi yabume jihe . dungg'o siyanšeng ekšeme julesi geneme sakda usisi be jafafi , baitai dulenun be gemu inde alame wajifi fonjime : " bi giyani niohe de ulebuci acambio ? " sehe. niohe sakda usisi i jabure be hono aliyarkū, jabdume gisureme : " teniken , tere mini bethe be huthufi, mimbe fulhūi dorgide tebume,

嘴裡只管罵著：「你這個沒有良心的東西！你這個沒有良心的東西！」

正在緊急的時候，有一個老農夫肩膀上扛著鋤頭走過來。東郭先生急忙走到前面，抓住老農夫，把事情的經過都告訴他，完了後問說：「我理應給狼吃嗎？」狼還沒等老農夫回答，就趕緊說：「剛纔他綑綁我的腿，把我裝到袋子裡面，

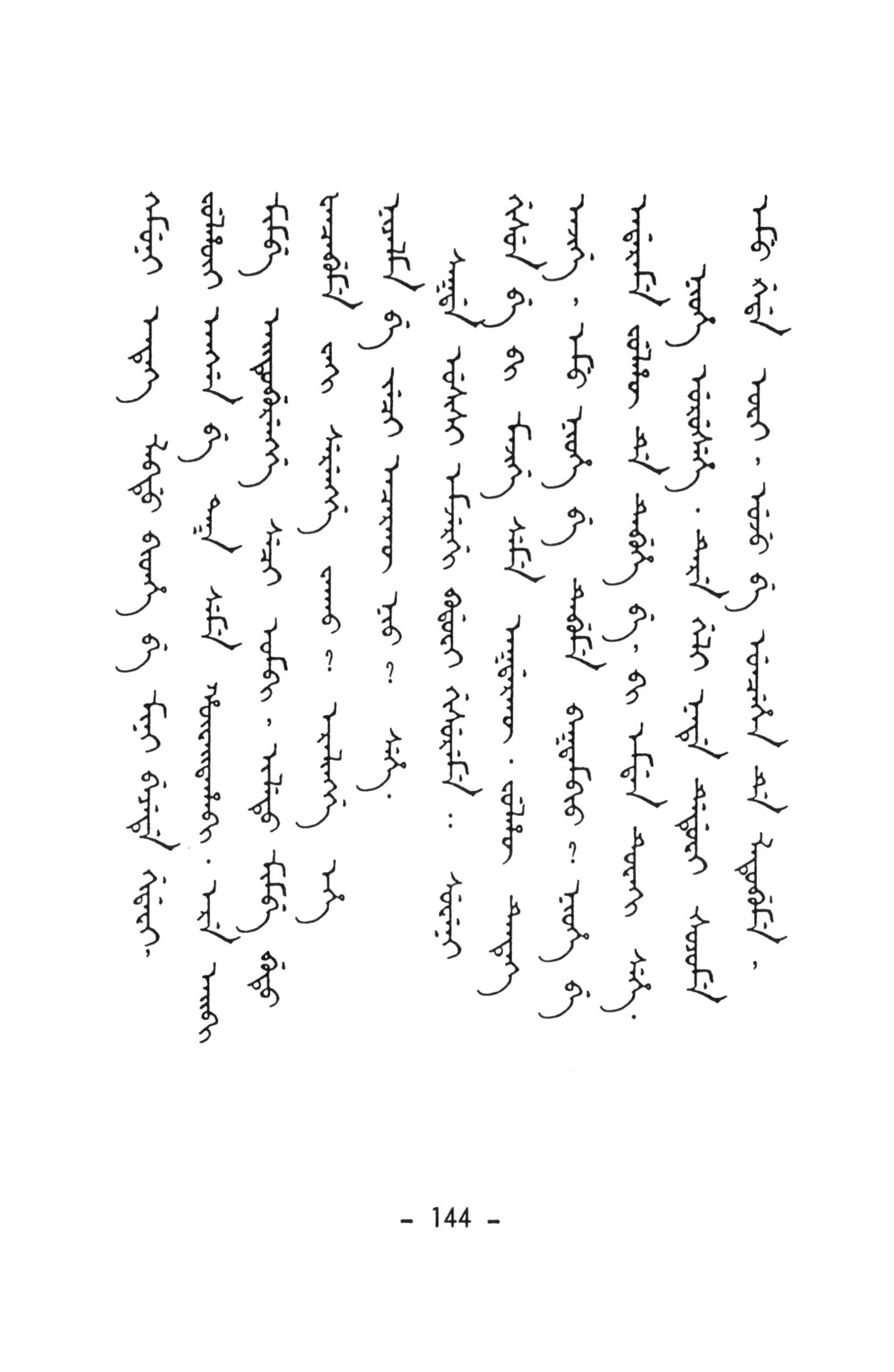

kemuni enteke labdu bithe be mini beyede gidafi, fulhūi angga be tak seme hūwaitahabi . ere aibi mimbe aituburengge seci ombi , iletu mimbe butu fancabume waki serengge wakao ? eralingge ehe niyalma be jeci acarkū nio ? " sehe.

sakda usisi emjergi bodofi gisureme : " suweni gisun be bi majige seme akdarkū . fulhū tenteke ajige , emu niohe be tebume baktambio ? niohe be adarame fulhū de tebuhe be, bi emdan tuwaki" sehe.

niohe urušehe . tere geli nade dedufi šoyome emu g'ada ofi , uju be uncehen de latubume ,

還把這麼多的書壓在我身上，把袋口牢牢地拴緊。這怎麼可以說是救我呢？不是很明顯地想悶死我嗎？這樣的壞人不該吃嗎？」

老農夫想了一想說：「你們的話，我一點兒也不相信。袋子那麼小，能裝得下一隻狼嗎？我想看一看如何把狼裝到袋子裡？」

狼同意了。牠又臥倒地上縮成一團，把頭貼在尾巴，

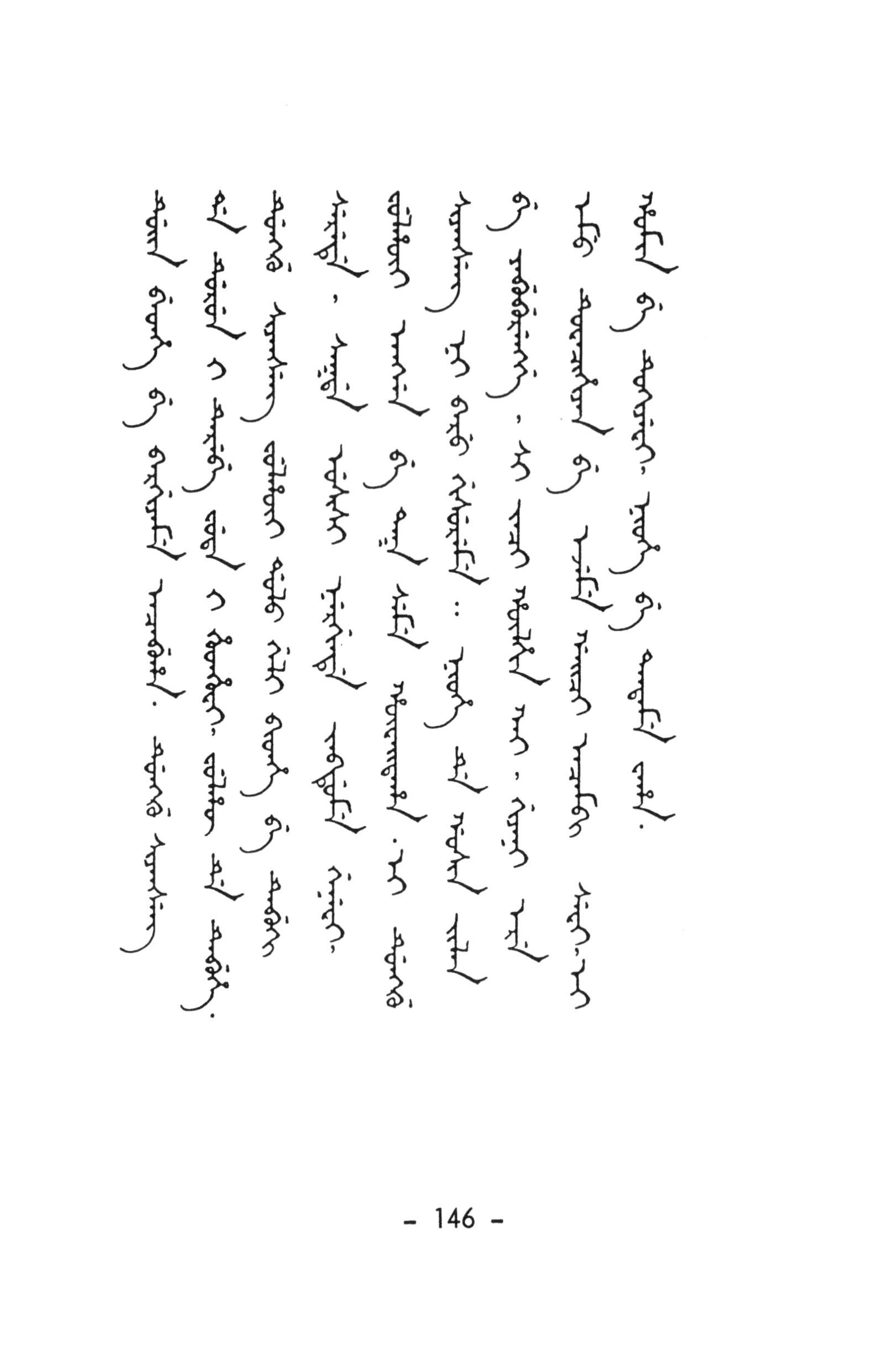

duin bethe be bargiyame acabuha. dungg'o siyanšeng da durun i terebe futa i huthufi, fulhū de tebuhe. dungg'o siyanšeng fulhūi dolo geli bithe be tebuki serede , sakda usisi nerginde jabdume genefi, fulhūi angga be tak seme hūwaitaha . i dungg'o siyanšeng ni baru gisureme :" niohe de gosin jilan be yabuburengge , si jaci hūlhin kai , giyani ere emu tuwacihiyan be ejeme gaici acambi " sefi , i homin be tukiyefi, niohe be tantame waha.

把四腿併攏起來。東郭先生照原來樣子用繩把牠綑綁，裝在袋子裡。東郭先生又正想把書裝到袋子裡的時候，老農夫立即趨前把袋口牢牢地拴上。他對東郭先生說：「對狼行仁慈，你太糊塗了啊！理應記取這個教訓。」他說完舉起鋤頭把狼打死了。

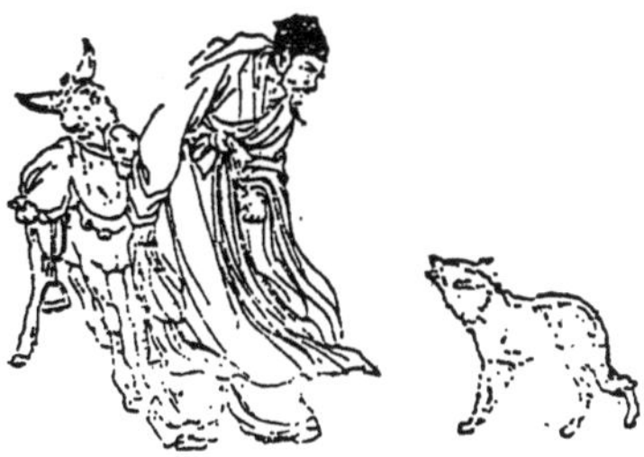

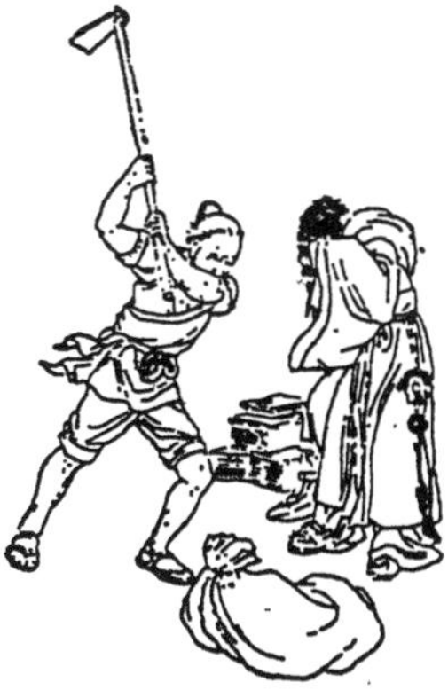

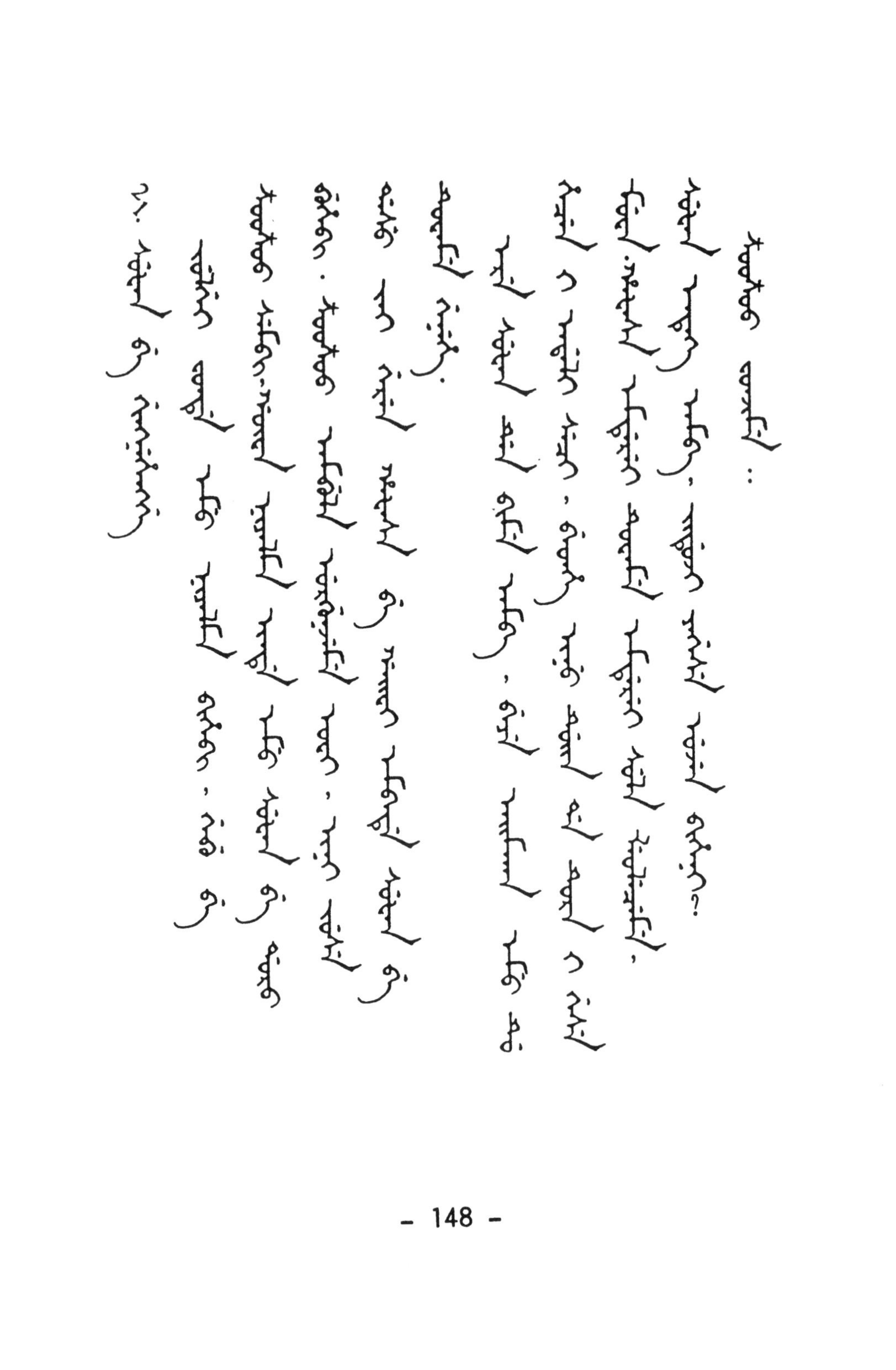

21. sufan be gingnehengge

julgei fonde emu niyalma bihebi , gebu be tsʿootsʿoo sembi,gŭwa niyalma inde emu sufan be doro buhebi . tsʿootsʿoo ambula urgunjeme ofi , ini juse dasu jai geren hafasa be gaifi embade sufan be tuwame genehe.

ere sufan den bime amba , beye aimaka emu du hecen i adali seci , bethe inu duin da tura i gese muwa.hafasa emderei tuwame emderei sula leoleceme, sufan enteke amba, jiduji yagese ujen biheni?

tsʿootsʿoo fonjime :

21. 稱象

古時候有一個人，名叫曹操，別人送給他一隻象。曹操很高興，他帶了他的兒子們及眾官員一起去看象。

這隻象又高又大，身體好像是一堵牆，腿也像四根柱子一樣粗。官員們一面觀看，一面閒談，象這樣大，到底有多重呢？

曹操問道：

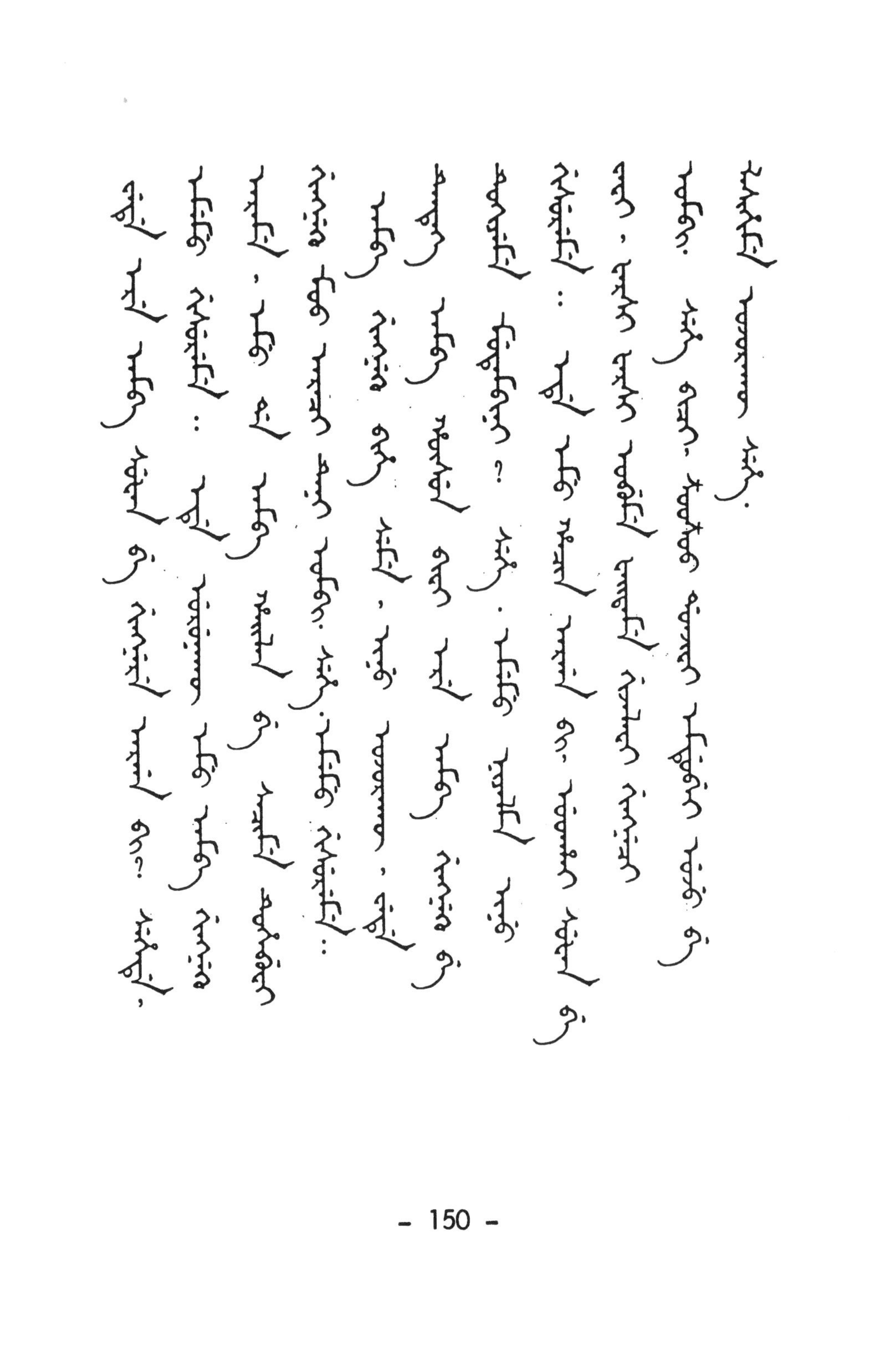

"wede ere amba sufan be gingnere arga bi?" sehede, ememu gisureme : " ede urunakū emu amba gingneku arame , emu da amba hailan be sacime tuhebufi gingneku moo araci teni ombi."sehe.ememu gisureme: " amba gingneku bihe seme , inu ojorakū , wede tenteke amba hūsun bifi ere amba gingneku be tukiyeme mutembini ? " sehe . ememu niyalma inu gisureme : " ede emu hacin arga bi, uthai sufan be wafi , farsi farsi obume faitame gijalafi gingneci ombi. " sehe bici, ts'oots'oo donjifi emdubei uju be lasihime ojorakū sehe.

「誰有稱這隻大象的法子？」有的說：「這必須做一支大秤，砍下一棵大樹做秤桿才行。」有的說：「就是有了大秤也不行，誰有那樣大的力量能把這支大秤抬起來呢？」也有人說：「這有一個法子，就是把象殺了，切割成碎塊來稱就行了。」曹操聽了只管搖頭說不行。

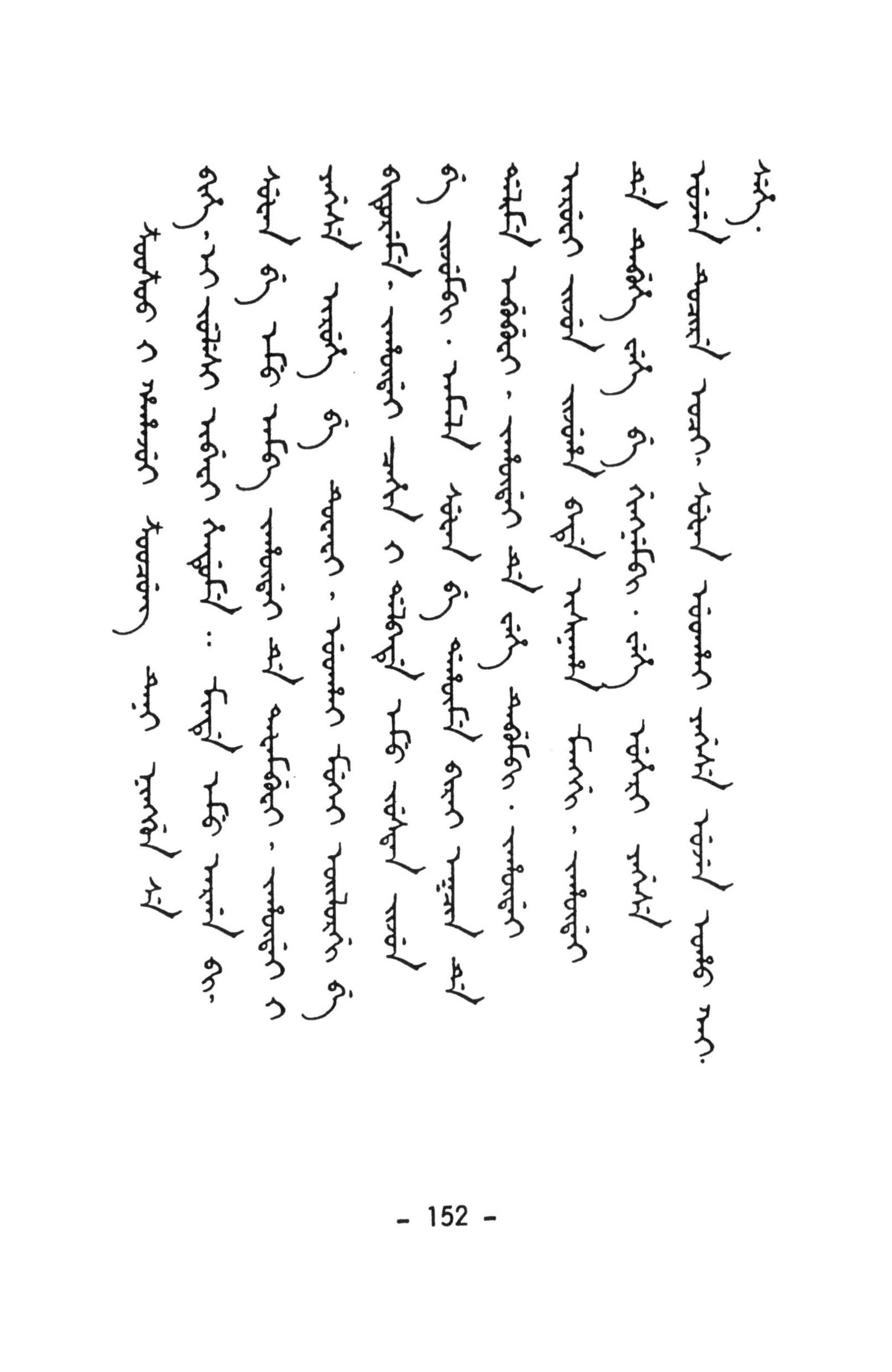

[illegible]

ts̊oots̊oo i hahajui ts̊oocung teni ninggun se bihe, i julesi ibefi hendume :" minde emu arga bi, sufan be emu amba jahūdai de tafambufi , jahūdai i yagese iruhe be tuwafi , uthai mukei oilorgi be bitureme, jahūdai cahin i dalbade emu justan jijun be jijumbi . amala sufan be dahūme birai ekcin de dalime ebubufi , jahūdai de wehe tebumbi . jahūdai irufi jijun jijuha bade isinaha manggi , jahūdai de tebuhe wehe be gingnembi . wehe uheri yagese ujen tucire oci, sufan uthai yagese ujen oho kai." sehe.

曹操的兒子曹沖才六歲，他向前說：「我有一個法子，讓象登上一艘大船，看船沉到那裡，就沿水面，在船艙旁邊畫上一條線。然後再把象趕下河岸，在船上裝上石頭，船沉到畫線的地方後，再稱船上所裝的石頭，石頭稱出來一共有多重？象就有多重了啊！」

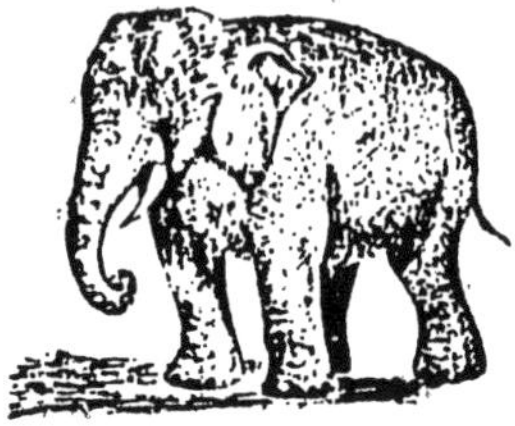

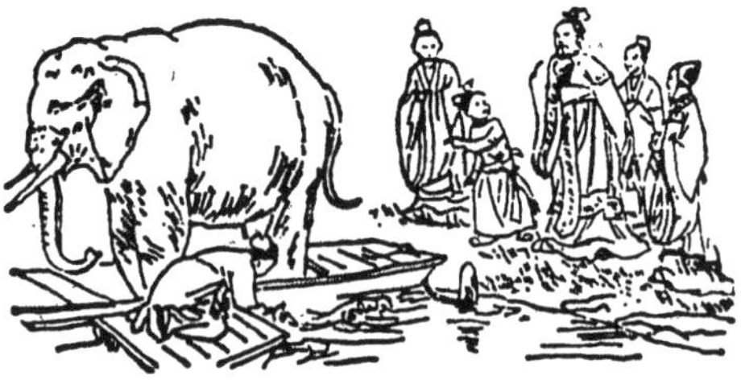

ts'oots'oo uju be gehešeme ijaršame injehe . i niyalma takūrafi ts'oocung ni gisurehe songkoi icihiyabuha bici , yala sufan i ujen kemun be gingneme bahabi.

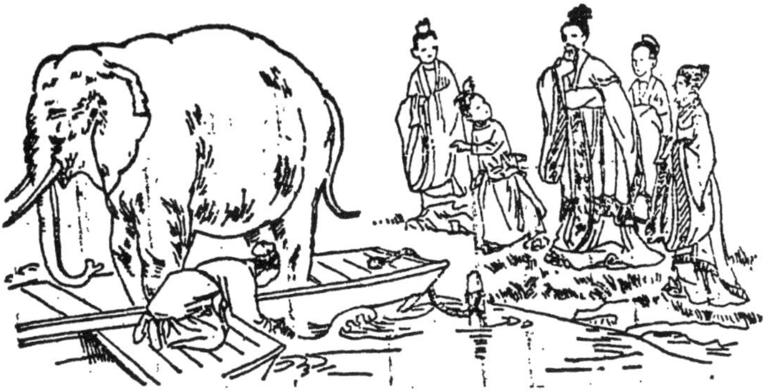

曹操點著頭笑盈盈。他派人按照曹沖所說的話去做，果然稱得了象的重量。

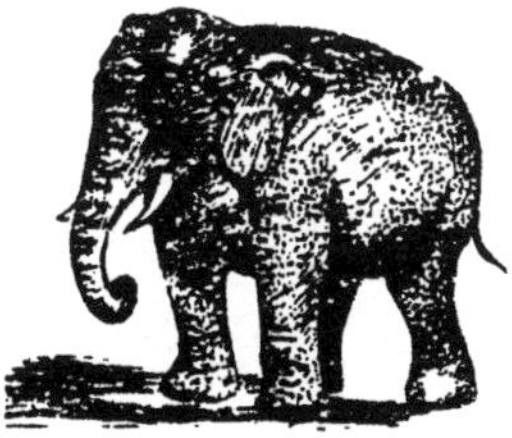

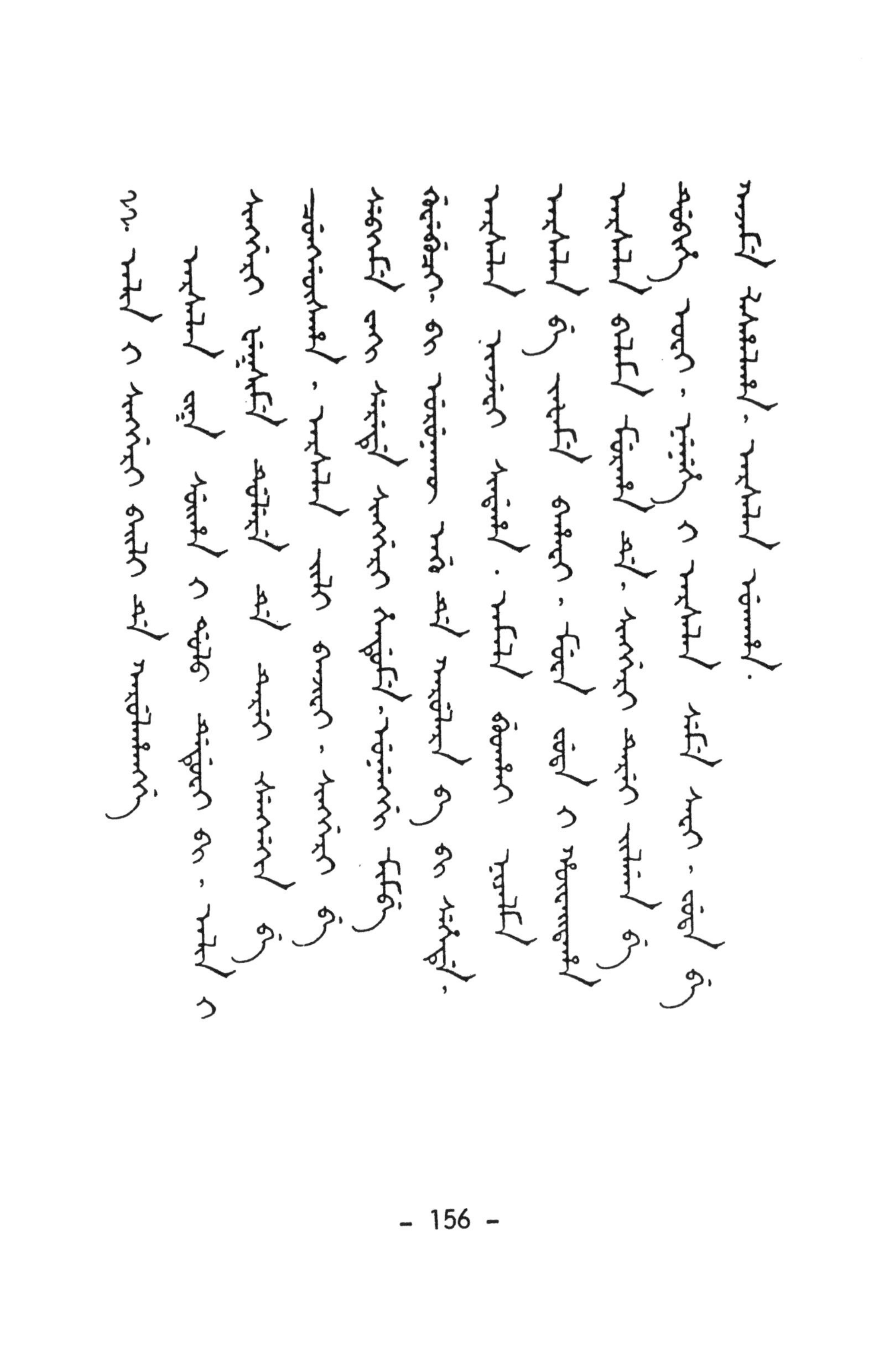

[illegible]

22. alin i singgeri baili de karulahangge

arsalan fik suiha i dolo dedufi bi , alin i singgeri feksime dulere de terei šenggkin be cunggūšaha , arsalan jili banjifi , singgeri be sebkeme waki serede singgeri hendume,unenggi mimbe guwebuci, bi urunakū agu de karulara ba bi sehede, arsalan injefi sindaha . amala buthai niyalma arsalan be jafame bahafi , muwa futa i hūwaitaha arsalan balama muraha de, singgeri terei jilgan be dubihe ofi , nenehe i arsalan seme safi , futa be kajame lashalaha, arsalan ukaha.

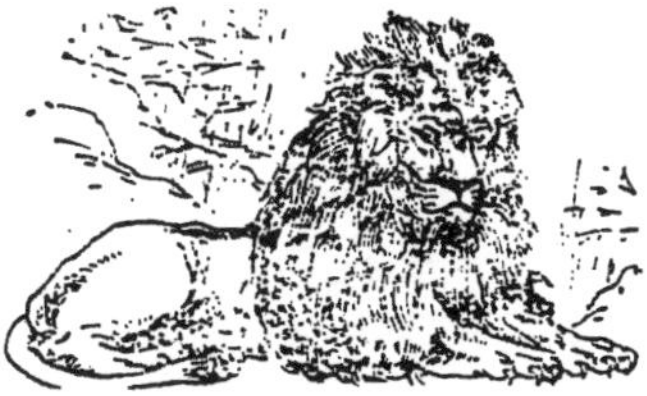

22. 山鼠報恩

獅子在茂密的艾草內睡臥，山鼠跑過來時撞到牠的額頭○獅子生了氣，想要撲殺老鼠○老鼠說，如果真的饒了我，我一定有報答老兄之處，獅子笑了笑把牠放了○後來獵人捉到了獅子，以粗繩綑綁○獅子狂叫，老鼠因為熟悉牠的聲音,知道是先前的獅子,咬斷了繩子，獅子逃走了○

ᡝᠨᡝ᠉ ᠶᠠᠪᡠᡵᡝ ᡩᡠᡳᠪᡠ ᠰᡳᠨᡝ ᡳᠯᡳᠮᡝ ᡩᡝ ᡨᡠᡥᡝᡨᡝ
ᠶᠠᠪᡠ ᡨᡝᠩᡤᡳᠰᡳ ᠶᠣᡥᠣᠨ ᡨᠣᡤᠣ ᡨᡝᡵᡝᠪᡝ᠉ ᠶᠠᠪᡠ ᠠᡵᡳᠮᡝ ᠶᡝᡵᡝᠨ
ᡨᡠᠯᡤᡳᠶᡝᠨ ᡤᡳᠩᡤᡠ᠈ ᠶᠣᡥᠣᠨ ᠠᠩᡤᠠ ᡳ ᡤᡳᠰᡠᠨ ᠪᡳ ᡨᠣᠮᡝ᠈ ᡨᡝᠩᡤᡳᠰᡳ
ᠠᡵᡳᠨ ᠠᡵᡳᠨ ᠶᠣᡵᡳᠩᡤᠠ ᠪᡳ ᡩᠣᡵᡤᡳᠩᡤᡝ :: ᠰᡳ ᡤᡳᠪᡳᠨ ᡤᡳᠩᡤᡝᠨ? ᠶᠠᠪᡳ᠉
ᠠᡵᡳᠨ ᠶᠠᡵᡳᠩᡤᠠ ᠠᡴᡩᡠ ᡩᡠᠸᡝᡵᡝ ᠨᠠᡴᡩᠣᡵᡳ :: ᠪᡳ ᠠᠮᠠ ᠰᡳ
ᡤᡝᡵᡝᠨ ᡨᡠᡵᡤᡝᠨ ᡨᡠᡵᡤᡠᠩᡤᡝ ᡩᡝᡵᡳᠪᡝ᠈ ᠪᡳ ᠮᠠᠩᡤᡳᠮᡝ ᡩᡝ ᡨᡠᡵᡤᡠᠩᡤᡝ
ᡨᡠᡵᡤᡠᠨ ᠶᠠᡴᡩᠠ᠈ ᠠᡵᡳᠩᡤᠠ ᠶᠣᡵᡳᠨᡩᠠᠮᡝ᠈ ᡨᡠᡥᡝᠪᡝ ᠶᠣᡥᠣᠩᡤᡝ ᡩᡳᡩᡳ ᡨᡝᠮᡝ
ᠶᠠᡴᡩᡳ ᠪᡠᠯᡳᠶᡳᠨ ᠶᠠᡴᡩᡳᠨ ᠨᡳᠶᠠᠯᠮᠠ᠉
ᡨᡝᠩᡤᡳᠰᡳ ᠶᡠᠮᡝᡵᡝ :: ᡩᡠᠸᠠ᠈ ᠰᡳ ᡝᡳᠨᡝ ᡨᡠᠸᠠᡵᡳᠨ ᠠᡵᡳᠩᡤᠠ
ᠨᡳᠶᠠᡤᠠ ᠨᡳᠶᠠᠯᠮᠠᠨᡳ! ᠶᠠᠪᡠᠮᡝ ᠨᡳᠶᠠᠯᠮᠠ ᠠᠩᡤᠠᠨᠠ ᠶᠣᡥᠣᠨ ᡳ
ᠠᠩᡤᠠ ᡳ ᠨᡳᠩᡤᡠ ᠠᠪᡴᠠ ᠠᠮᠠ᠈

23. hocin dolo tefi abka be tuwambi

emu wakšan hocin dolo banjimbi.emu ajige gasha deyeme jifi , hocin angga i cikin de doha . wakšan ajige gasha de fonjime:"si yaderi jihengge?" sehe.

ajige gasha karu jabume hendume : " bi abka i cala deri deyeme jihengge , bi tanggū ba duleme deyehe ofi, hangkame hamirkū,tuttu ebume jifi muke majige bahafi omiki sehengge. "

wakšan hendume : " gucu , si ume dabali amba gisun gisurere ! abka serengge manggai hocin i angga i gese amba kai,

23. 坐井觀天

一隻蝦蟆生長在井裡。一隻小鳥飛來，落在井口邊。蝦蟆問小鳥說：「你是從那裡來的？」

小鳥回答說：「我是從天的那邊飛來的，我飛過了百里，渴得受不了，所以下來找些水喝。」

蝦蟆說：「朋友，你不要過分說大話！天充其量也不過像井口大啊，

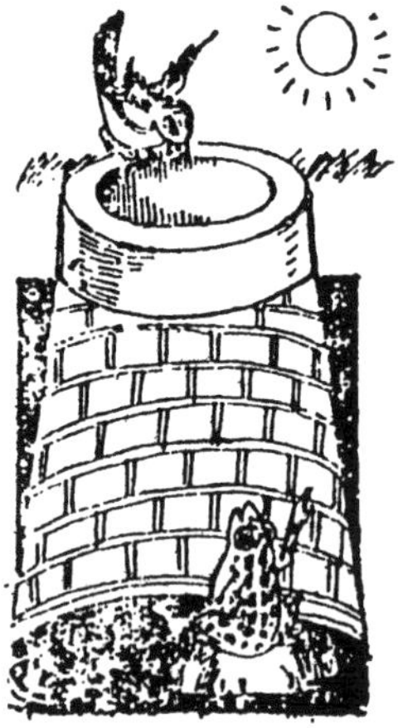

aibi tenteke goro deyere be baibumbi? "

ajige gasha hendume :" si tašaraha , abka den ujan jecen akū, umesi amba! sehe.

wakšan injeme hendume :" gucu , bi inenggidari hocin de tefi uju be tukiyeme uthai abka be sabumbi, ede umai tašan akū. " sehe.

ajige gasha inu injeme hendume : " gucu , si tašarhabi. akdarkū oci,emu mudan hocin deri fekume tucifi tuwamtuwa" sehe.

哪兒需要飛那麼遠呢？」

小鳥說：「你錯了。天高沒有盡頭，很大！」

蝦蟆笑著說：「朋友，我每天坐在井裡，抬起頭來就能看見天，因此並沒錯。」

小鳥也笑著說：「朋友，你錯了，不信的話，從井裡跳出來一次看看吧！」

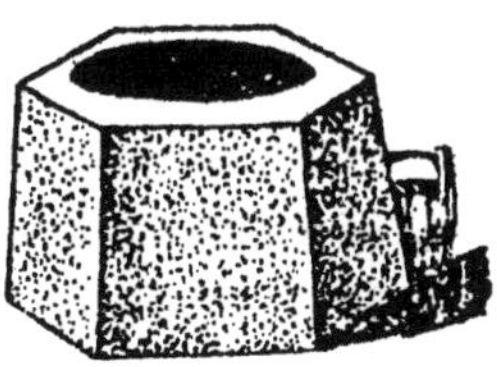

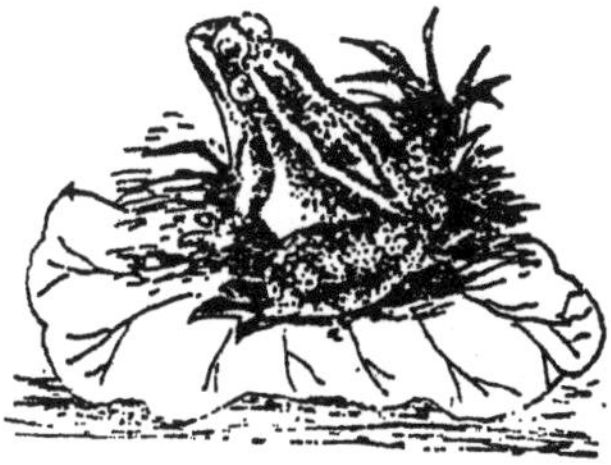

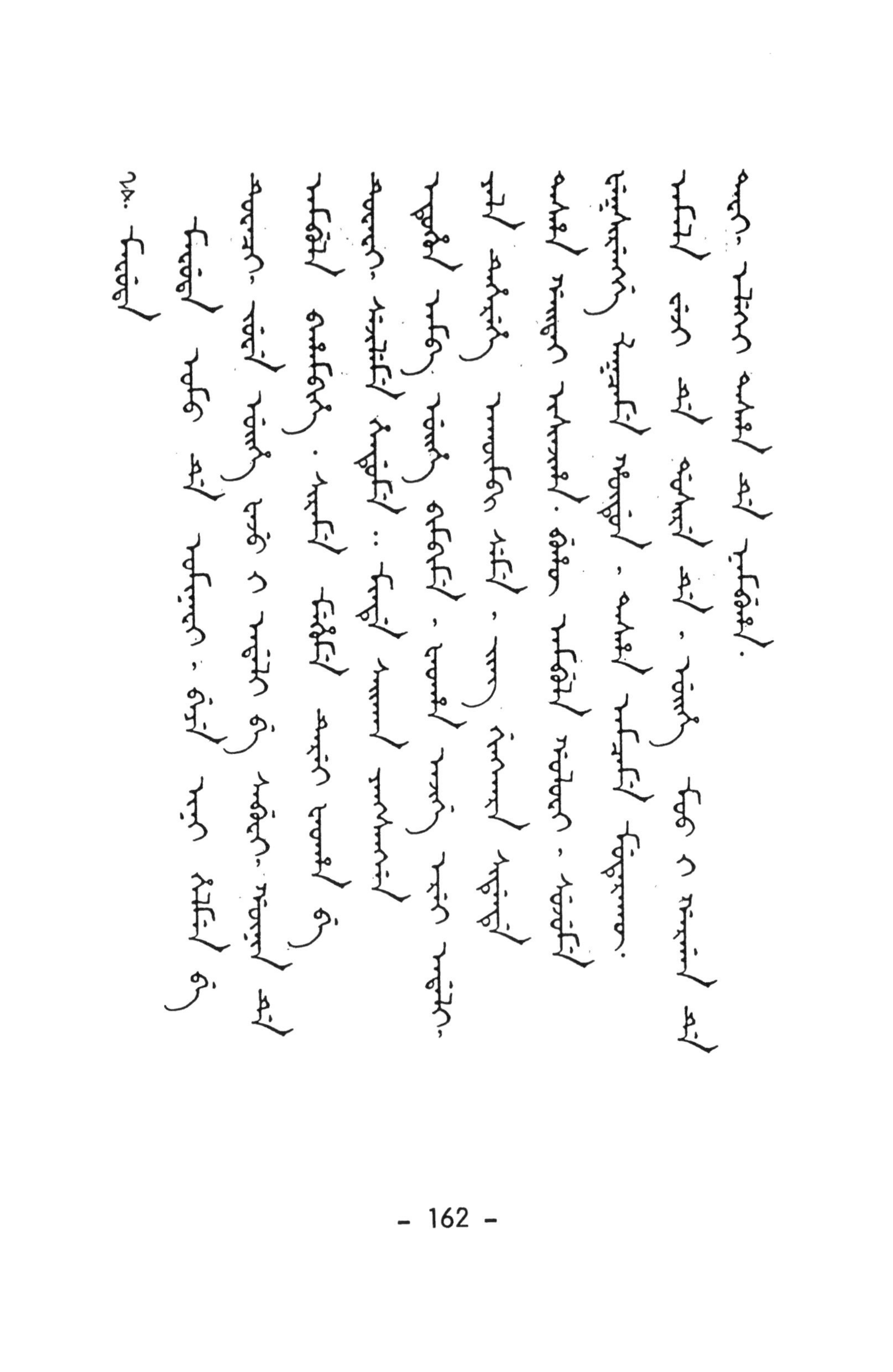

24. mafuta

mafuta omo de ominafi , beye ini helmen be tuwaci, juwe uihe faju i adali be sabufi, gūnin de ambula bahambihe . sirame mehume terei fatha be tuwafi, sejileme hendume : minde saikan yangsangga etuhun amba uihe bimbime , fatha ajige erei adali, yala teherehe akūmbi seme , jing gingkara sidende tasha gaitai isinjiha. buhū ambula golofi , sujume feksirengge lakcame hūdun , tasha amcame muterakū. amala weji de dosire de , uihe moo i gargan de tafi, elekei tasha de nambuha.

24. 牡鹿

牡鹿到池邊去喝水，看牠自己的影子時，看見兩角好像樹杈，心裡很得意。接著俯視牠的蹄，歎息著說：我有美麗雄偉的大角，而蹄卻如此的小，真不相稱。正在愁悶之間，老虎突然來到，鹿大為吃驚，超速奔跑，老虎追不上。後來進入深林的時候，角絆住在樹枝上，幾幾乎被老虎抓到。

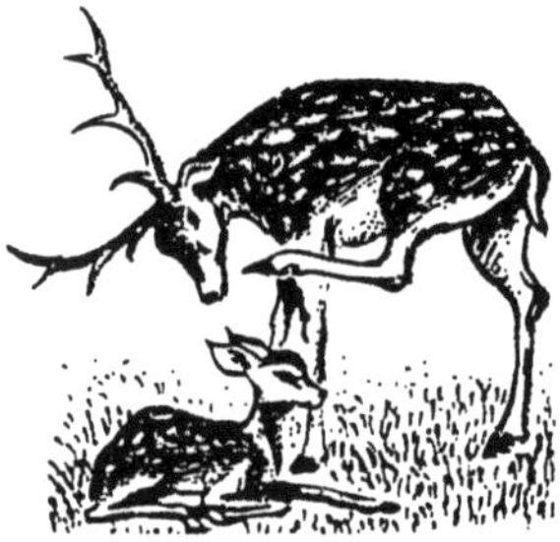

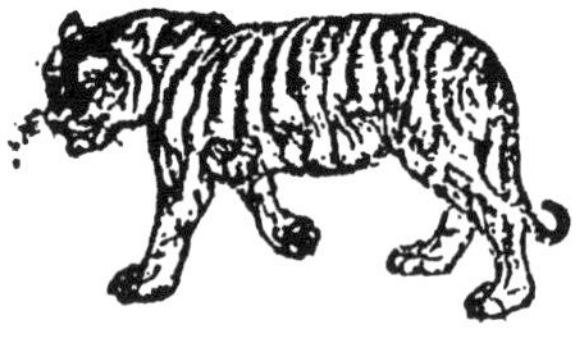

jabšan de bahafi guwefi , buhū uthai beye aliyame hendume : bi mini uihe be ujelehe bihe , mini uihe elekei mimbe waha ; bi mini fatha be weihukelehe bihe , mini fatha yargiyan i mimbe banjibuha. tuttu ofi abkai fejergi i jaka, damu baitalara de acanarangge be teni wesihuleci ombi sehebi.

僥倖得免，鹿就自悔地說：我原先重視我的角，
我的角幾幾乎殺了我；我原先輕視我的蹄，我的蹄卻實在活了我。因此天下之物，只有合用的才可貴。

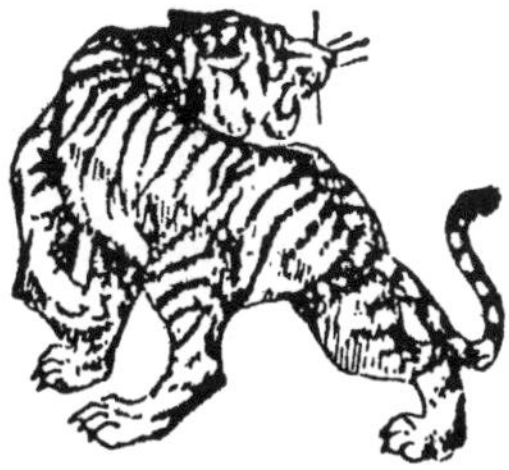

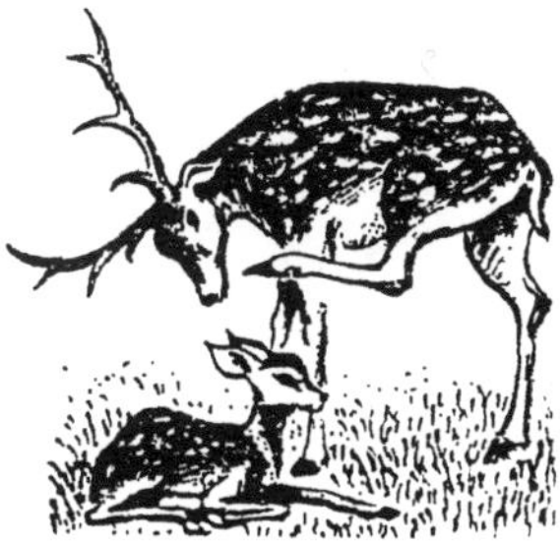

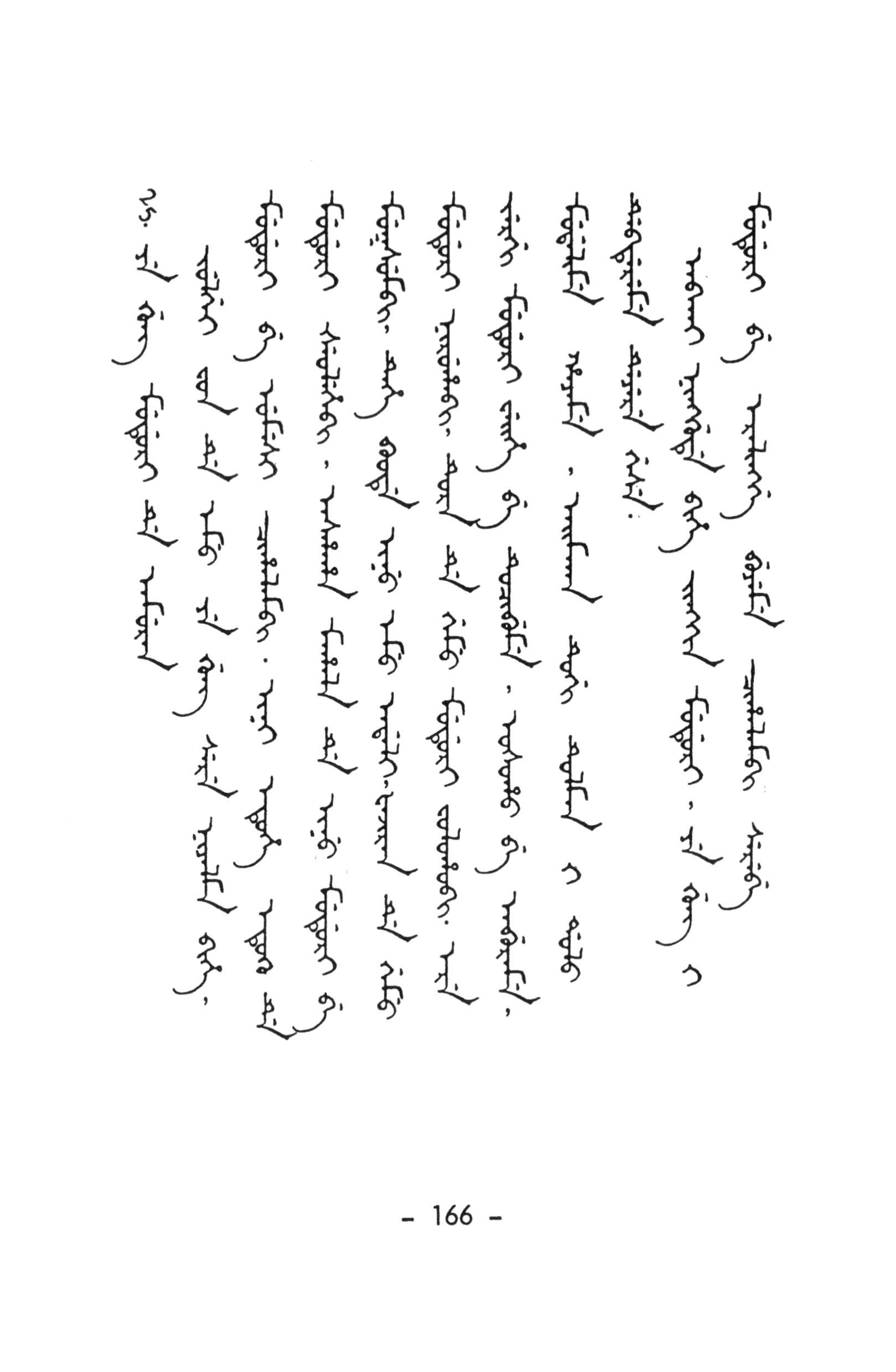

25. ye gung muduri de amuran

julgei fon de emu ye gung sere niyalma bihe, muduri be umesi cihalambi . ini etuhe etuku de muduri šeolehebi , ashaha mahala de inu muduri be muksumbi, tehe boode inu emu adali,fajiran de gemu muduri niruhabi, tura de gemu muduri folohobi. ere jergi muduri weihe be tucibume , ošoho be aburame, mudalime hayame , aimaka tugi tulman i dolo debdereme deyere gese.

abkai ninggude bihe jingkin muduri , ye gung i muduri be eralingge buyeme cihalambi serebe

25.葉公好龍

從前有一個叫做葉公的人，很喜愛龍。他在所穿的衣服上繡了龍，在所戴的帽子上也鎖了龍的花邊，在所住的房屋裡也一樣，在牆上都畫了龍，柱子上都雕刻了龍。這些龍張牙舞爪，彎曲蟠繞，好像在雲霧裡展翅翱翔一樣。

在天上的真龍，聽見葉公如此的喜愛龍，

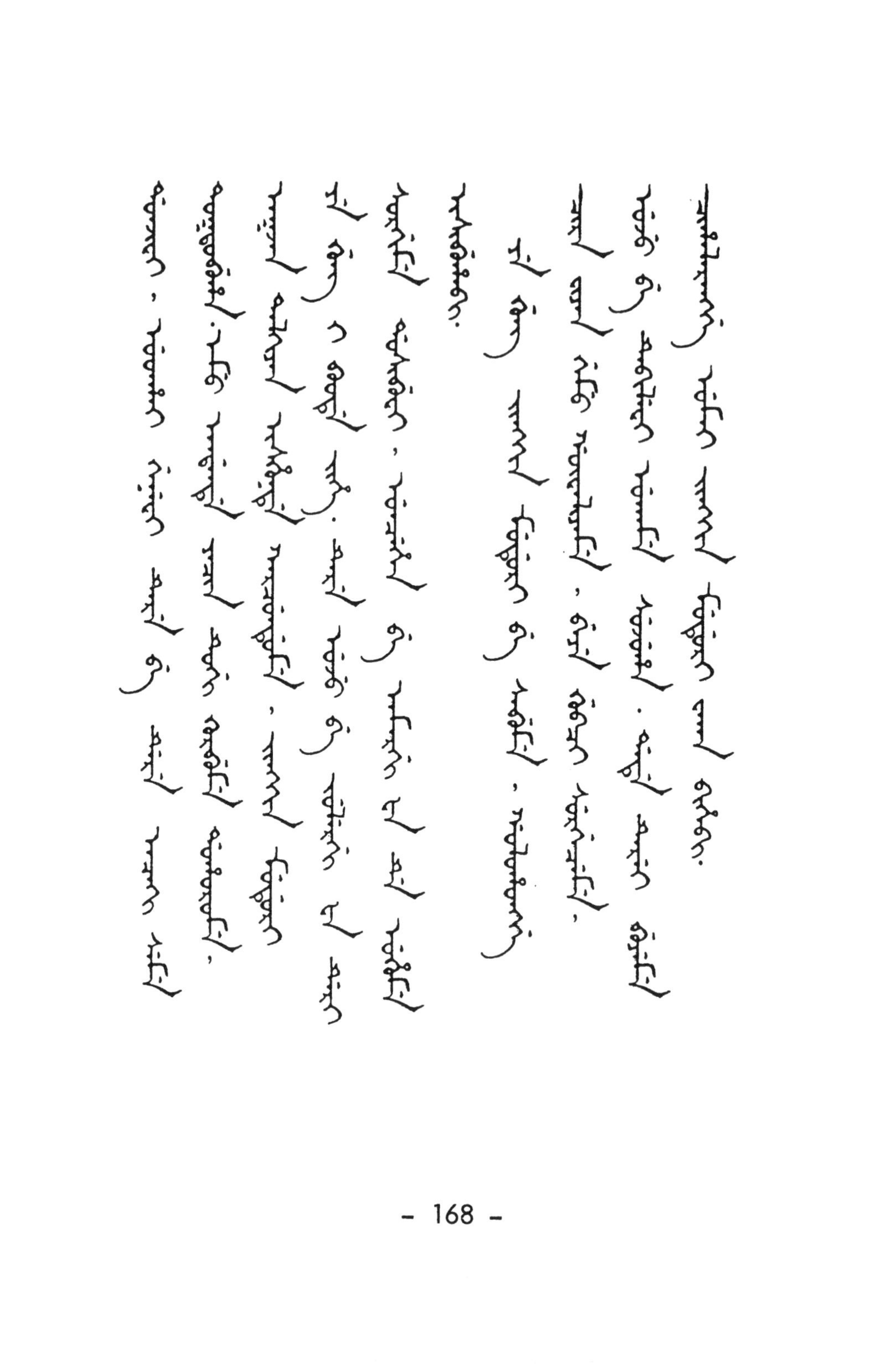

donjifi , uthai genefi tere be dere acaki seme toktobuha.emu andande yacin tugi kurbume dohorome, akjan talkiyan ishunde karcundume , jingkin muduri ye gung i boode jihe. tere uju be julergi fa deri sorgime dosibufi , uncehen be amargi fa de uhume isibuhabi.

ye gung jingkin muduri be sabume , golohongge cira fiyan gemu gū̆waliyame , beye gubci surgeceme, uju be tebilefi ukame sujuha . dade terei buyeme cihalarangge umai jingkin muduri waka bihebi.

就決定去和他見面。頃刻之間，烏雲翻滾，雷電交作，真龍來到了葉公的家裡。牠把頭從前窗鑽入，把尾巴捲到後窗。

葉公看見真龍，害怕得臉色都變了，全身發抖，抱頭逃跑，原來他喜愛的並非真龍。

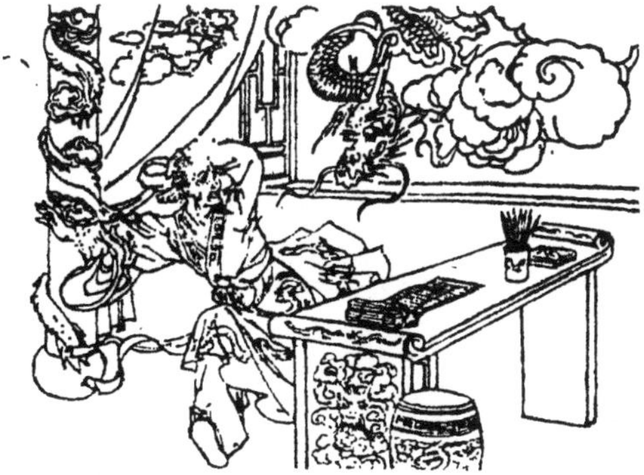

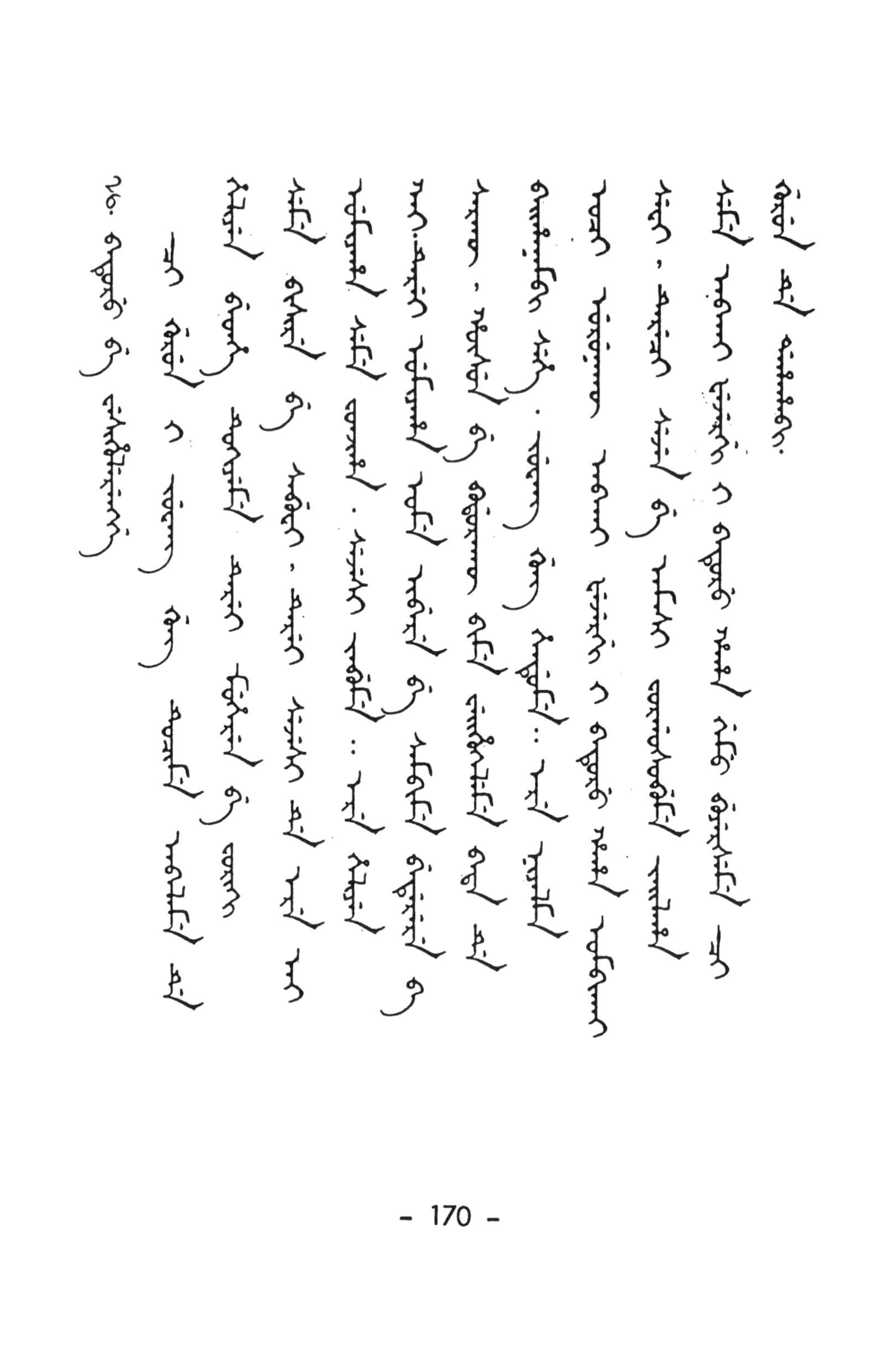

26. baturu be wesihulerengge

ci gurun i juwang gung tucime abalame de heliyen bethe tukiyeme terei muheren be foriki seme bisire be sabufi , terei sejesi de ere ai umiyaha seme fonjiha . sejesi jabume : ere heliyen kai.terei umiyaha ome ibere be sambime bederere ba sarkū , hūsun be bodorakū bime weihukeleme bata de baihanambi sehe . juwang gung hendume: ere niyalma oci urunakū abkai fejergi i baturu haha ombikai sefi , tereci sejen be amasi forgošobume jailaha seme abkai fejergi i baturu haha gemu buyeršeme ci gurun de dahahabi.

26. 尚勇

齊國的莊公出去打獵時，看見螳螂舉起腳來想要捶打他的車輪，問他的車夫這是什麼蟲？車夫回答說：「這是螳螂，那種蟲知進而不知退，不量力而輕就敵人。」莊公說：「這種人必定可以成為天下的勇士。」於是令車子迴避。天下勇士都願歸附齊國。

ᠪᠠᡳᠨ! ᡨᡡᠨ ᠰᡳᠩ ᡨᠣᡶᠣᡥᠣ ᠪᡝ ᠪᠠᡳᡨᠠᠯᠠᡥᠠ᠈
ᡨᡠᠸᠠᡶᡳ᠉ ᠰᠣᠣᠩᡤᠣ ᠵᡳᠯᡝ᠈ ᡤᡳᠰᡠᠨ ᠪᡝᡳ ᡨᡠᠸᠠᠪᡠ ᠪᡳᡨᡥᡝᠪᡝ ᡨᡡᠨ
ᡩᠣᠩᡤᠣᠯᡳ ᠪᡝ ᡨᡠᠸᠠᡶᡳ ᡤᡳᠪᡠᡵᡝᠮᡝ ᠰᡳᠪᡠ᠈ ᡤᡳᠰᡠᡵᡝ ᠪᡳᠮᡝ
ᡨᡠᠸᡳᠩᡤᡝ ᠰᡝ ᡳ ᡩᠣᠩᡤᠣᠯᡳ ᠮᡝᡨᡝᡵᡝ ᡳ ᡨᠠᠯᠠ ᡳ ᡨᠠᡥᡝ ᠪᡝ
ᠰᡠᠪᡠᡥᡝ᠉ ᡨᠠᠯᡥᡳᠪᡠ ᠮᠠᠨ᠈ ᠰᡳᠨ ᡤᡳᠨᡳᠨ ᠵᠠᠮᠠ ᠮᠠᠨ! ᠰᡳᠨ
ᠰᡳᠨᡳᠪᡝ᠈ ᠪᠠᠨᡳᠨ ᡤᡳᠪᡠᡵᡝ ᡳ ᡤᡳᠨᡳᠨ ᠰᡳᠪᡝᡵᡝ ᠮᠠᠨᡤᠠᠨ ᡨᠠᠯᡥᡠᠪᡠᡵᡝ
ᠪᡳᠯᠠᠨ ᠪᡝ ᡤᡳᠨᡳᠯᡳᠨᡳᡵᡝ᠈ ᡨᠣᡥᠣ ᠪᡝ ᡨᠠᠯᡳᡵᡝ ᡨᡝᡵᡳᠯᡝᠮᡝ
ᡨᠠᠯᡥᡠᠪᡠᠮᡝᡵᡝ ᠵᠠᠮᠠ ᠪᡝ ᡨᡠᠪᡠᠰᡠᠨ᠈ ᠰᡳᠨ ᡨᡠᠸᡝᡵᡝ ᡨᠣᡶᠣᡥᠣ ᠪᡝ ᠮᡳᠮᠠᠮᡝ᠈
ᡨᠠᠯᡝ ᡳ ᡨᠠᠯᡥᡝ ᠰᡳᡥᡝ᠈ ᠰᡳᠮᡝ ᠰᠣᠮᠠᡵᡝ ᠰᠣᡨᡝᡵᡝ ᠰᡝ
ᡨᠠᠯᡳᠮᡝ ᡨᠠᠯᡝ ᡳ ᡤᡳᠰᡠᡵᡝ ᠪᡳᠮᡝ ᡨᡠᠰᡠᠰᡠ ᠰᡝ ᡨᡠᠰᡳᡥᡝ᠈
21. ᡤᡳᠰᡠᡵᡝ ᠪᡳᠮᡝ ᡨᠠᠯᡝ ᠪᡝ ᠪᡳᡨᡥᡝᠪᡠᠮᡝ

27. mentuhun gung alin be guribuhengge

amargi alin i mentuhun gung uyunju se oho, alin i ishun tehebi . terei tucire dosire de ildungga akū be ubiyafi , ini juse omosi be gaifi, damjan be meihereme , šoro be jafame necihiyeki serede, birai mudan i mergen sakda injefi ilibume hendume : asuru kai , sini mergen akū kai ! sini ebereke se i funcehe hūsun i alin i emu da funiyehe be efuleme muterakū sehede, mentuhun gung jabume : tuttu waka , mini beye udu bucecibe jui bikai! jui geli omolo be banjimbi ,

27. 愚公移山

北山的愚公已經九十歲了，面對山而住。他討厭出入不便，帶領了他的兒孫，挑著扁擔，拿著簸箕，要鏟平地面。住在河灣的聰明老人笑著阻止他說：「你太不聰明了啊！憑你的殘年餘力，連山的一根毫毛也毀壞不了。」愚公回答說：「不然，我自己雖然死了，有兒子啊！兒子又生孫子，

ᠣᡵᡥᠣᡩᠣ ᠨᡳᠶᠠᠨ ᠵᡠᠸᠠᠨ ᠪᡝ ᠪᠠᡳᡨᠠᠯᠠᠪᡠᠮᡝ , ᠵᡠᠸᠠᠨ ᡳ ᠵᡠᠸᠠᠨ , ᠣᡵᡥᠣᡩᠣ ᡳ

ᠣᡵᡥᠣᡩᠣ , ᡤᡠᠸᡝᡴᡠ ᠮᡠᠰᡝ ᠠᠮᠪᠠ ᠠᠨ . ᠠᠯᡳᡥᠠ ᡨᡠᠮᡝᠨ ᠨᡳᠩᡤᡠᠨ

ᠠᠮᠪᠠᠨ ᠪᠠᠨᠵᡳᠨ ᠨᡳᠩᡤᡠᠨᠵᡠᡶᡠᠨ ᡤᡠᠸᡝᡴᡠᠰᠠ ᠪᡝ ᠠᠯᡳᡥᠠᠪᡠᠮᠪᡳ?

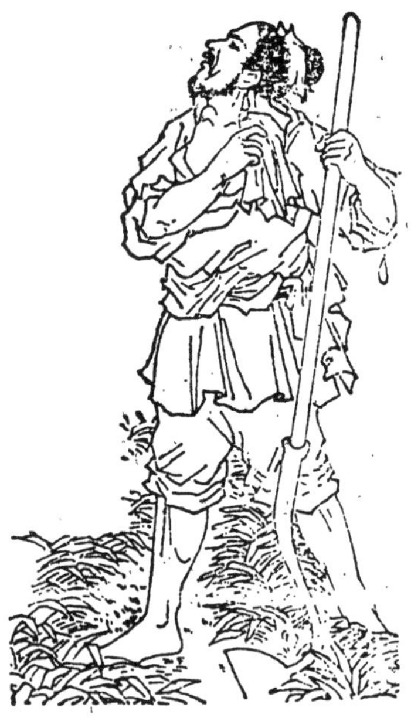

omolo geli jui be banjimbi , jui i jui , omolo i omolo , mohon wajin akū kai . alin oci nemerakū, aide terei necihiyeme muterakū de sengguwembini?

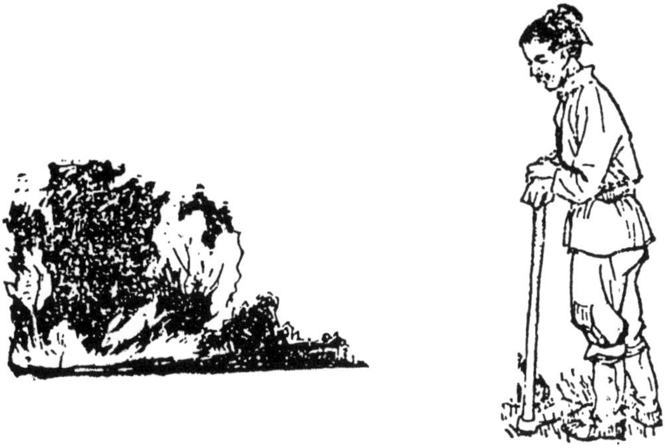

孫子又生兒子，兒子的兒子，孫子的孫子，沒有窮盡啊。山不會加高，那還怕什麼不能把它鏟平呢？」

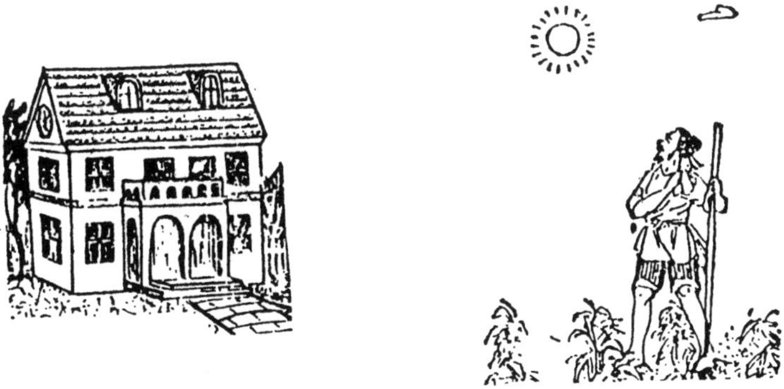

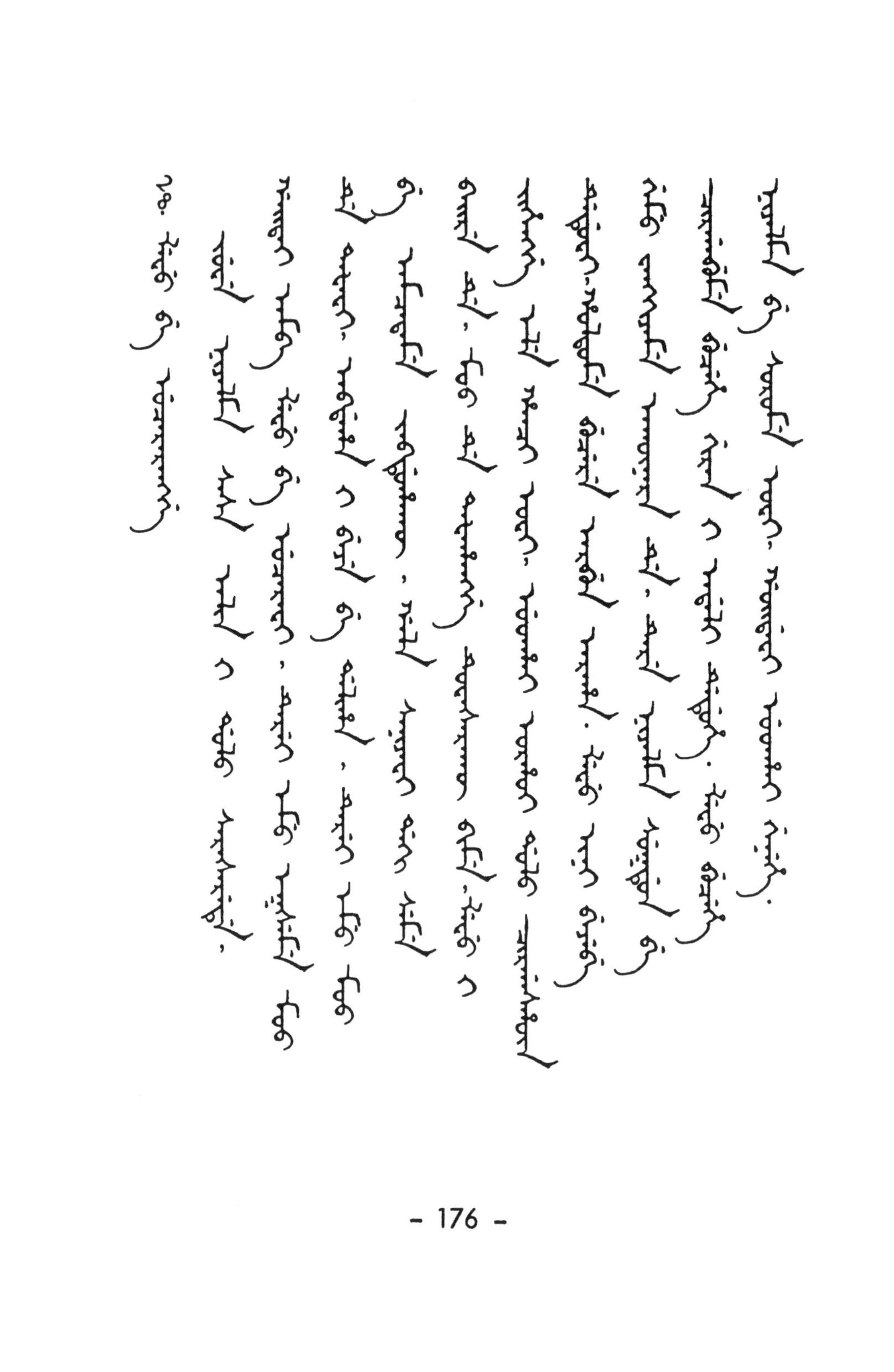

28. lefu be ucararangge

juwe niyalma sasa alin i dolo sarašarede, gaitai amba lefu be ucarafi , terei emu ekšeme moo de tafafi, abdaha i beye be daliha , terei emu moo be amcatame jabduhakū , gala saniyafi daki seme baire de, moo de tafahangge tuwašarakū bime,lefu i jihengge ele hanci ofi, uthai orhoi dolo cirgashūn dedufi,holtome bucere arbun araha. lefu ini beyebe gemu wangkiyame akūnara de, tere niyalma sukdun be cirgabume bucehe giran i adali deduhe. lefu bucehe niyalma be sorome ofi, goidafi uthai genehe.

28. 遇熊

兩個人一同到山中遊玩，忽然遇到大熊，其中一人急忙爬到樹上，用樹葉遮住身體，另外一人來不及爬上樹，伸手求援時，爬到樹上的人不理他，因熊來的越近，他就僵臥在草裡，假裝死的樣子。熊嗅遍他的全身，那個人閉氣像死屍的躺著。熊忌諱死人，好一陣子後就走了。

ᠨᡳᠶᠠᠯᠮᠠ᠉

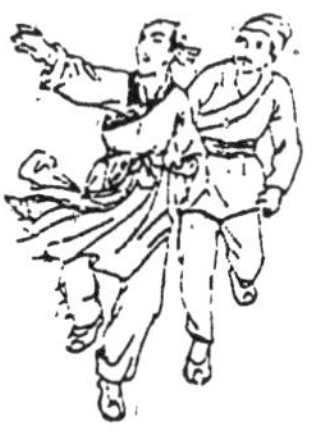

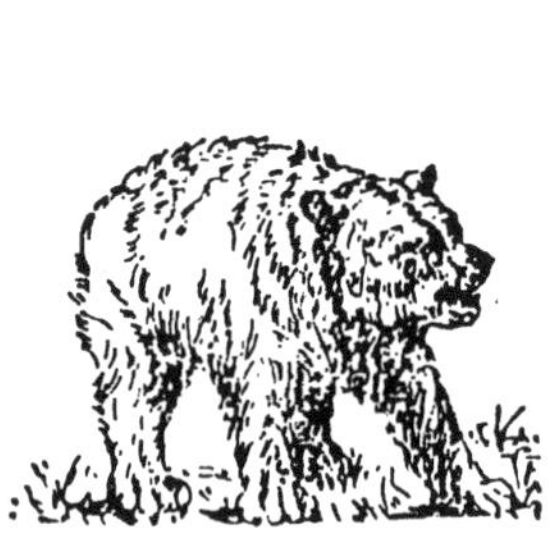

moo de tafahangge lefu emgeri goromiha be sabufi, elhe nuhan i wasifi, injeme gisureme hendume: lefu agu i šan de šušunggiyame ai gisun hendumbihe sehe. tere niyalma jabume : lefu minde alahangge, gucu be sonjoro de olhošoci acambi . yaya elhe sebjen i fonde ishunde hailame, jobocun suilacun i fonde ishunde ashūrengge be emgi guculeci ojorakū sembi.

爬上樹的人看見熊已經走遠了，從容的下來，笑著說：「熊附在老兄耳邊說了什麼話？」那個人回答說：「熊告訴我，擇友應該謹慎，凡是安樂時相親，患難時相棄者，不可同他交友。」

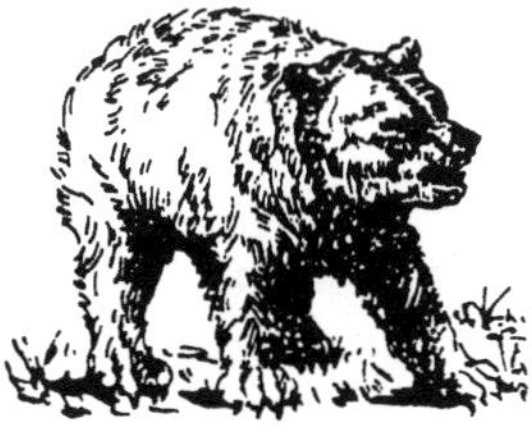

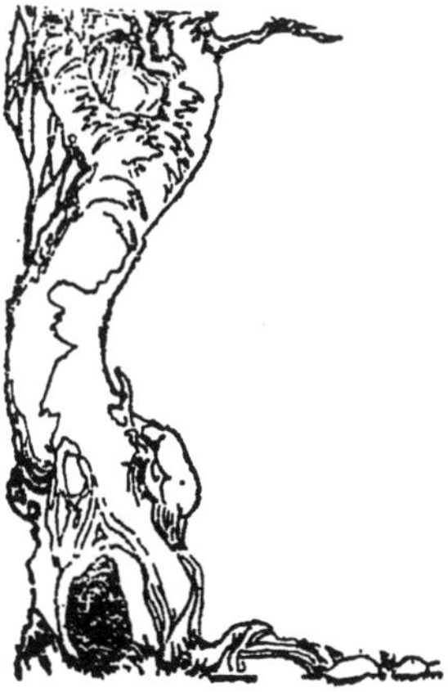

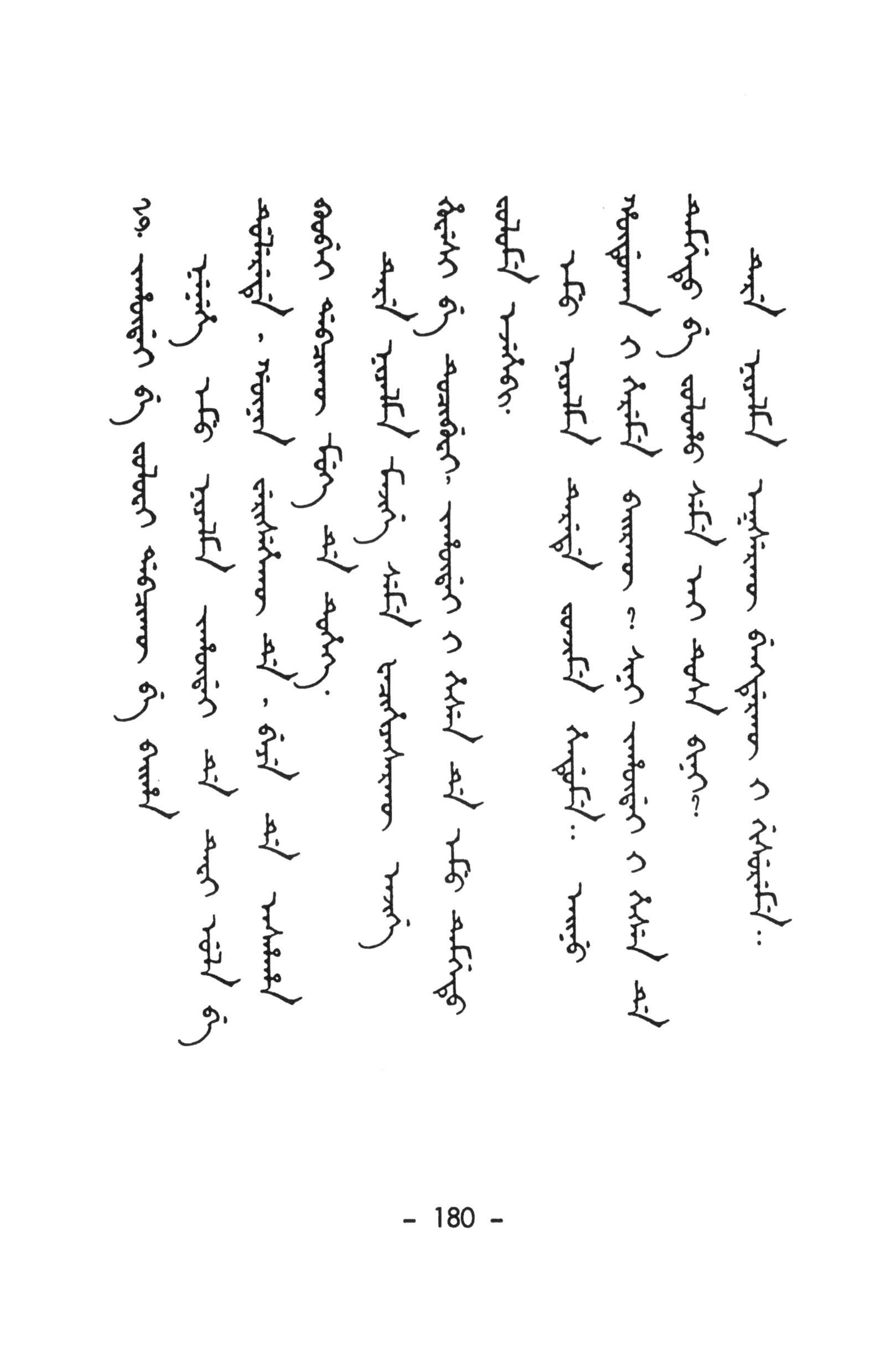

29. jahūdai be folofi dabcikū be baiha

nenehe emu niyalma jahūdai de tefi ula be dulerede , gūnin werišehekū de , beye de ashaha boobei dabcikū muke de tuheke.

tere niyalma majige seme facihiyašarkū ajige huwesi be tucibufi, jahūdai i hešen de emu temgetu folome ejehebi.

emu niyalma terede fonjime hendume: " ainu hūdukan i hereme bairkū ? sini jahūdai i hešen de temgetu be foloho seme ai tusa bini? "

tere niyalma ekšerkū bengderkū i gisureme:

29. 刻舟求劍

從前有一個人坐船過江的時候，一不留意，身上佩帶的寶劍掉到水裡去了。

那個人一點兒也不著急地取出小刀，在船邊刻了一個記號。

有一個人問他說：「為什麼不趕快打撈呢？你在船邊刻記號有什麼用處？」

ᠵᡳᡵᡤᠠᠮᡝ ᡩᡝ ᠪᡠᡩᡠᠮᡝ᠈ ᠶᠠᠨ ᠪᠣᠣᠪᡠᠨ ᠮᡠᠸᠠᠰᡳᠮᡝ
ᡠᠪᡠᡵᡳᠨ ᠪᡠᡵᡠᠨᡩᡝ᠈ ᠰᡠᡵᡠᠨ ᠮᡠᡥᠠᠨ ᠪᡝ ᠶᠠᡵᡤᡳᠶᠠᠨ᠈ ᠰᡳᡵᠠᠨ
ᠪᡝ ᡠᡵᡤᡠᠨᡩᡝ ᠶᠠᡵᡤᡳᠶᠠᠨ᠈ ᠪᡝ ᠶᠠᠨ ᠮᡠᡩᡠᠪᡠ ᠴᠠᠮᡥᠠ ᠪᡝᡳᠨ
ᡤᡳᠶᠣᠣ ᠪᡝ ᠨᡳᠶᠠᠮᡳᠶᠠᠨ ᠪᡝᡵᡳᠨ᠈ ᠨᡳᠶᠠᠮᠠᠨ ᠪᠣᠣᠪᡠᠨ ᠮᡠᠸᠠᠰᡳᠮᡝ ᡩᡝ
ᠨᡳᠶᠠᠯᠮᠠ ᠪᡠᠨᡴᠣ ᠰᠠᡳᠨ! ᠰᡝᠮᠪᡳ᠉

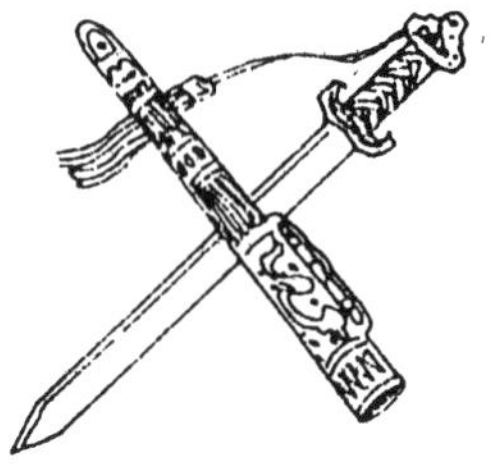

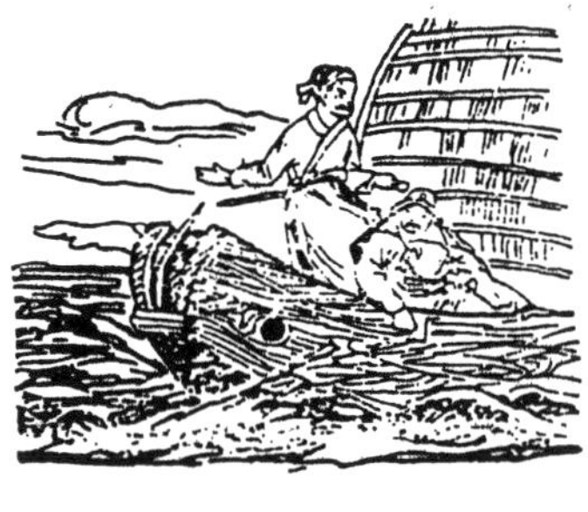

"facihiyašara be baiburkū , mini boobei dabcikū ubaderi tuhekengge.jahūdai tatan de isiname, ekcin de latunaha amala , bi ere temgetu foloho baderi muke de keongneme dosici, uthai boobei dabcikū be hereme bahambi kai! " sehe.

那個人不慌不忙地說：「不急著找，我的寶劍是從這裡掉下去的。船到了停泊的地方，靠了岸以後，我從這刻記號的地方跳進水裡去，就可以撈到寶劍啊！」

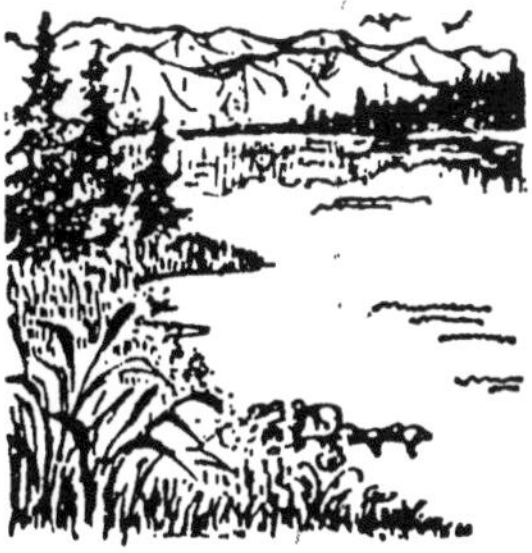

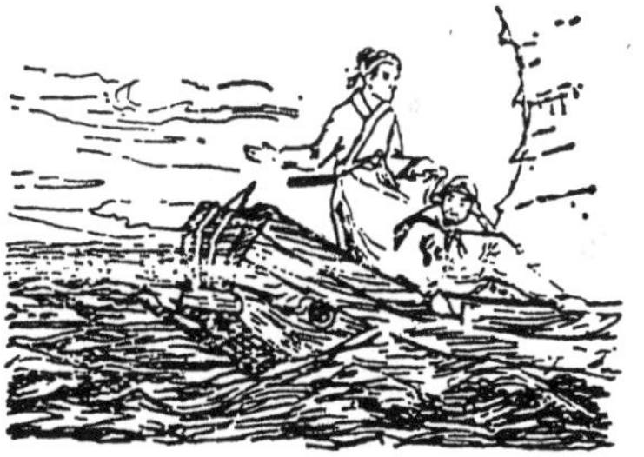

[illegible] ᡤᡳᠰᡠᡵᡝᠮᠪᡳ᠉ ᠰᡳ [illegible]

[illegible] ᡨᡠᡨᡨᡠ [illegible] ᠪᡝ [illegible]

ᠪᡝ [illegible]᠈

[illegible]

[illegible]

[illegible]

30᠈ ᡨᡠᡨᡨᡠ ᡨᡝᡵᡝ ᡳ [illegible] ᡩᡝ [illegible]

30. dobi tasha i horon de ertuhe

luku fisin bujan weji i dolo , emu tasha jing jefelin baime yabumbi. ere teisu , emu dobi tashai dalbabe ukame dulere de , tasha fekume genefi dobi be jafaha.

jalingga dobi yasai faha be tor seme torgibufi jilgan sindame tashai baru gisureme : " si gelhun akū mimbe jeme mutembio? " sehe.

tasha bekterefi gisureme :" ai turgunde jeme muterkūni? " sehe.

dobi gisureme:

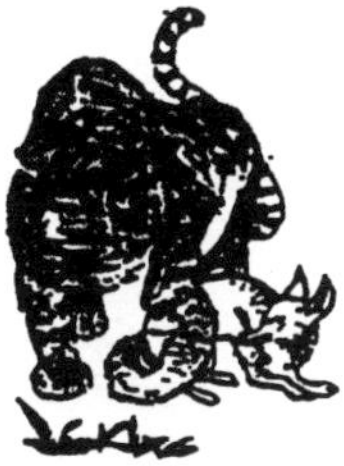

30. 狐假虎威

在茂密的叢林裡，有一隻老虎正在走動覓食。這時候，有一隻狐狸從老虎旁邊逃過去，老虎跳過去抓住了狐狸。

奸詐的狐狸轉了轉眼珠子，大聲對老虎說：「你敢吃我嗎？」

老虎愣了一下說：「為什麼不能吃呢？」

狐狸說：

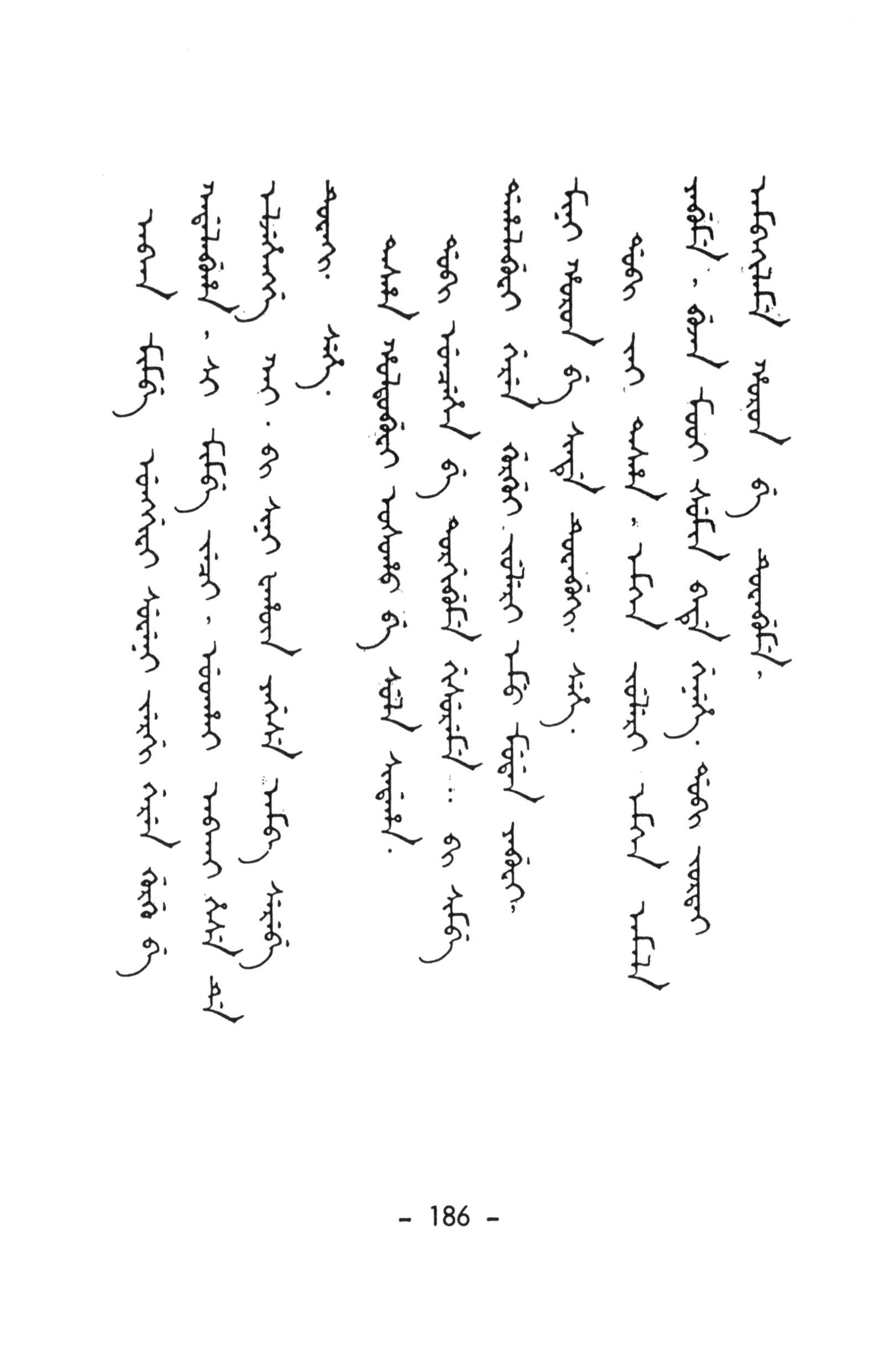

" abka mimbe unggifi suweni jergi geren gurgu be kadalabuha , si mimbe jeci , uthai abkai hese de eljehengge kai . bi sini fahŭn yagese amba serebe tuwaki. " sehe.

tasha holtobufi ošoho be sula sindaha.

dobi uncehen be torgibume gisureme :" bi simbe dahalabufi geren gurgui juleri emu mudan yabufi, mini horon be sinde tuwabuki." sehe.

dobi jai tasha , emken juleri emken amala yabume , bujan mooi šumin bade genehe. dobi jortai ambakilame horon be tuwabume,

「上天派我來管轄你們百獸，你吃了我，就是違抗天意啊。我想看看你的膽有多大？」

老虎受了騙，放鬆了爪子。

狐狸旋轉了尾巴說：「我讓你跟隨在後，在百獸的前面走一趟，讓你看看我的威武。」

狐狸和老虎一前一後地走到叢林深處，狐狸故意大模大樣顯得很威武，

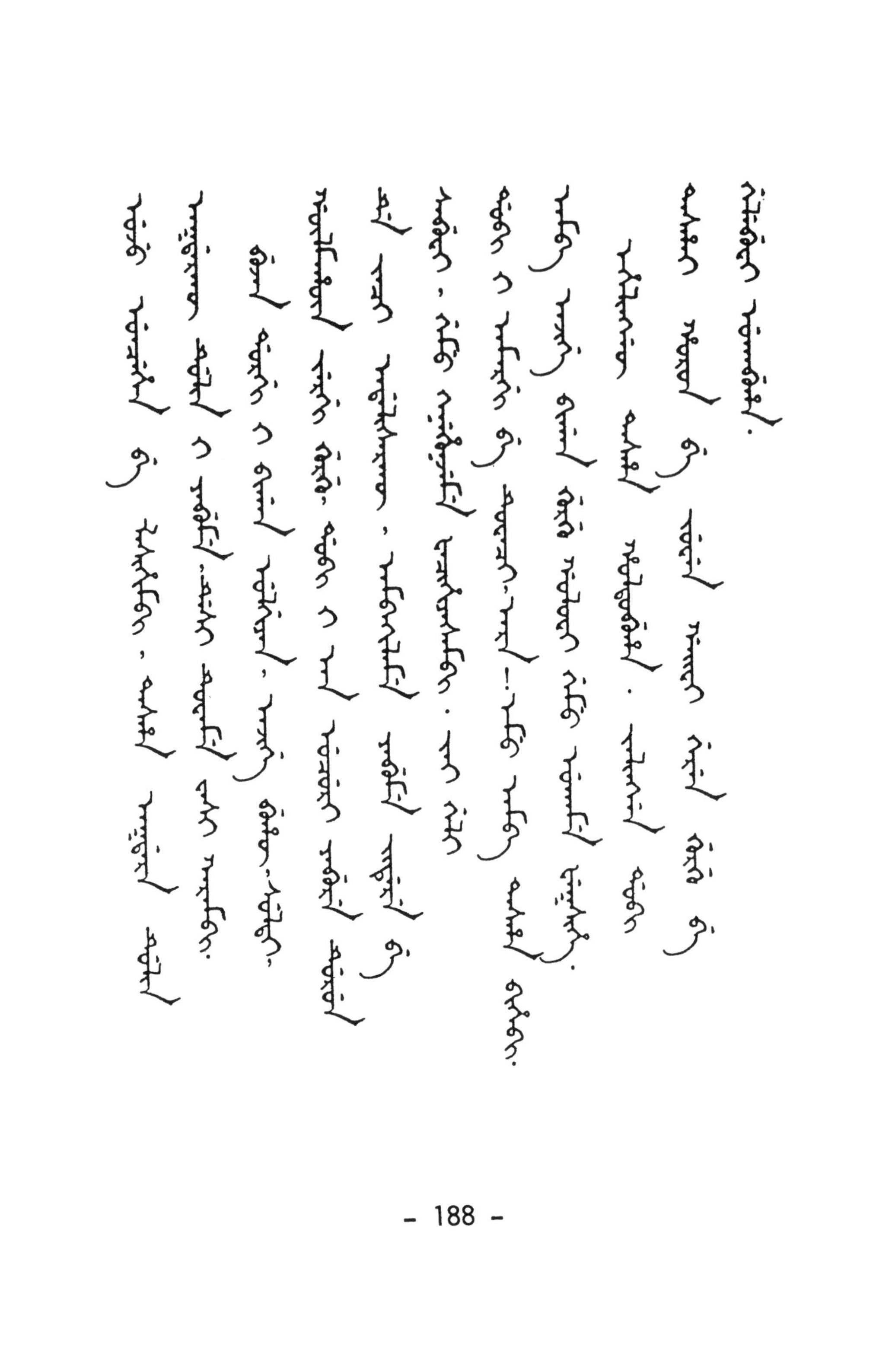

uju uncehen be lasihimbi , tasha akdara dulin akdarkū dulin i yabume,desi tuwame wasi karambi.

bujan dorgi i bigan ulgiyan, ajige buhū,sulti, gūlmahūn jergi gurgu, dobi i an ucuri yabure durun de jaci adališarkū , ambakilame yabume jidere be sabufi , gemu kenehunjeme facihiyašambi . jai geli dobi i amargi be tuwaci,ara!emu amba tasha bihebi. amba ajige bigan gurgu golofi gemu ukame feksihe.

ehelinggū tasha holtobuha . jalingga dobi tashai horon be juwen gaifi geren gurgu be gelebufi ukabuha.

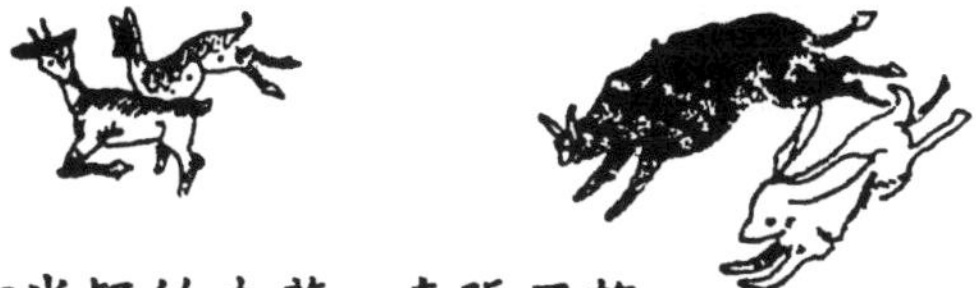

搖頭擺尾，老虎半信半疑的走著，東張西望。

叢林裡面的野豬、小鹿、黃羊、兔子等野獸，看見狐狸和平時走路的樣子很不相似，大模大樣地走過來，都疑惑不安，再一看狐狸的後面，噯喲！有一隻大老虎。大大小小的野獸嚇得都逃跑了。

凶惡的老虎受了騙。奸詐的狐狸假借老虎的威武，嚇跑了百獸。

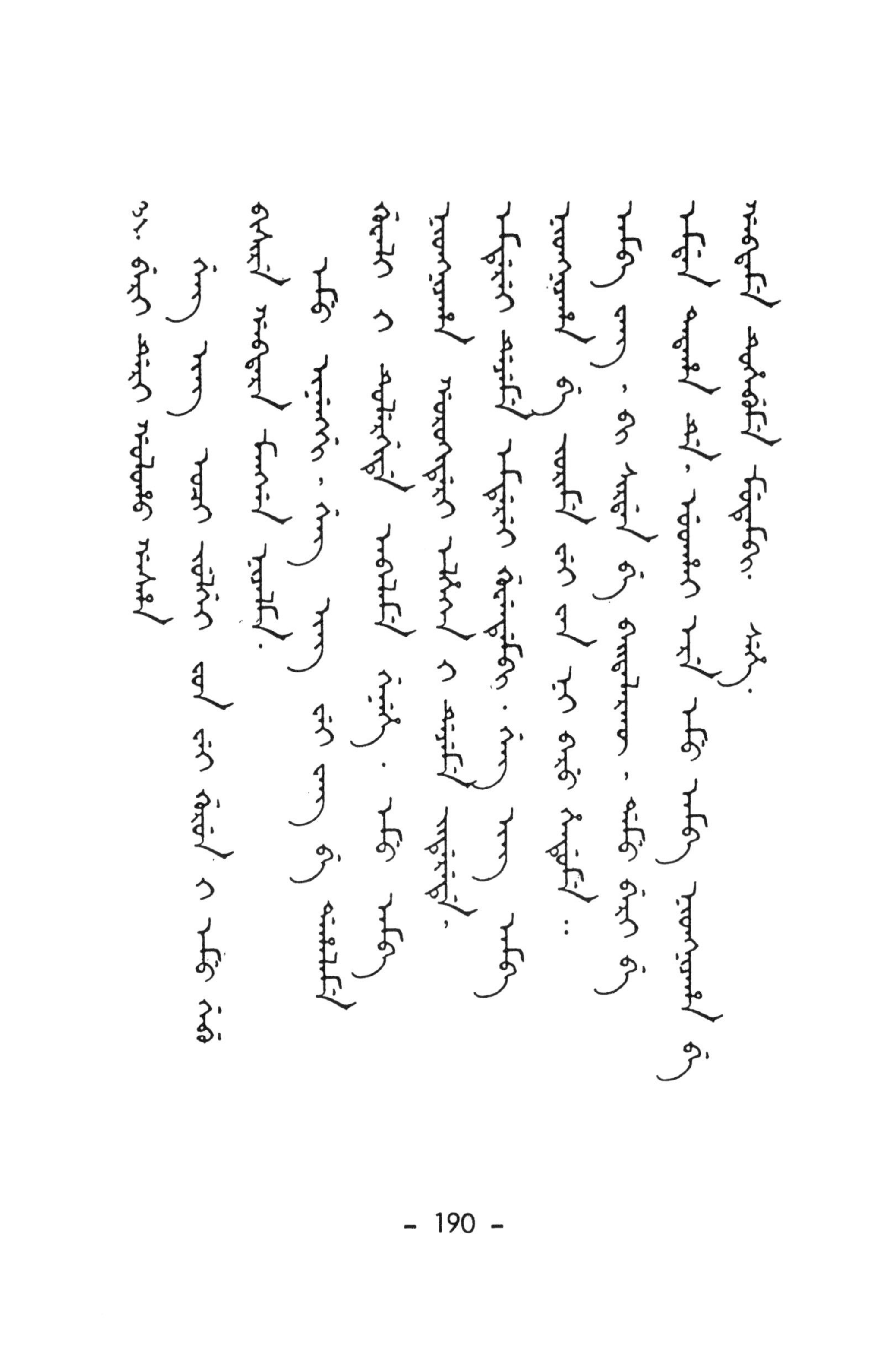

3. [illegible]

[illegible] ᡩᡝ [illegible] ᡳ [illegible]

[illegible] ᡳ [illegible]

[illegible] ᡩᡝ [illegible] ᡳ [illegible]

[illegible] ᡩᡝ [illegible]

[illegible] ᡳ [illegible]

[illegible] ::

[illegible] ᡩᡝ [illegible]

[illegible] ᠪᡳ.

31. beri deri goloho gasha

geng ing oci julgei fon wei gurun i emu gebu bisire gabtara mangga niyalma.

emu inenggi , geng ing wei wang be dahalame guwali i tulergide abalame genehe . emu amba niongniyaha gorokideri elheken i deyeme jiderede, emderei deyeme emderei guwendembi . geng ing amba niongniyaha be jorime wei wan ni baru hendume : " amba wang , bi sirdan be baitalarkū , damu beri be emdan tataha de, uthai ere emu amba niongniyaha be gabtame tuhebume mutembi. " sehe.

31. 驚弓之鳥

更羸是古時候魏國一個有名的善射的人。

有一天，更羸隨魏王到城外去打獵。一隻大雁從遠處徐徐飛過來，一面飛著一面鳴叫。更羸指著大雁對魏王說：「大王，我不用箭，只一拉弓，就能射下這隻大雁。」

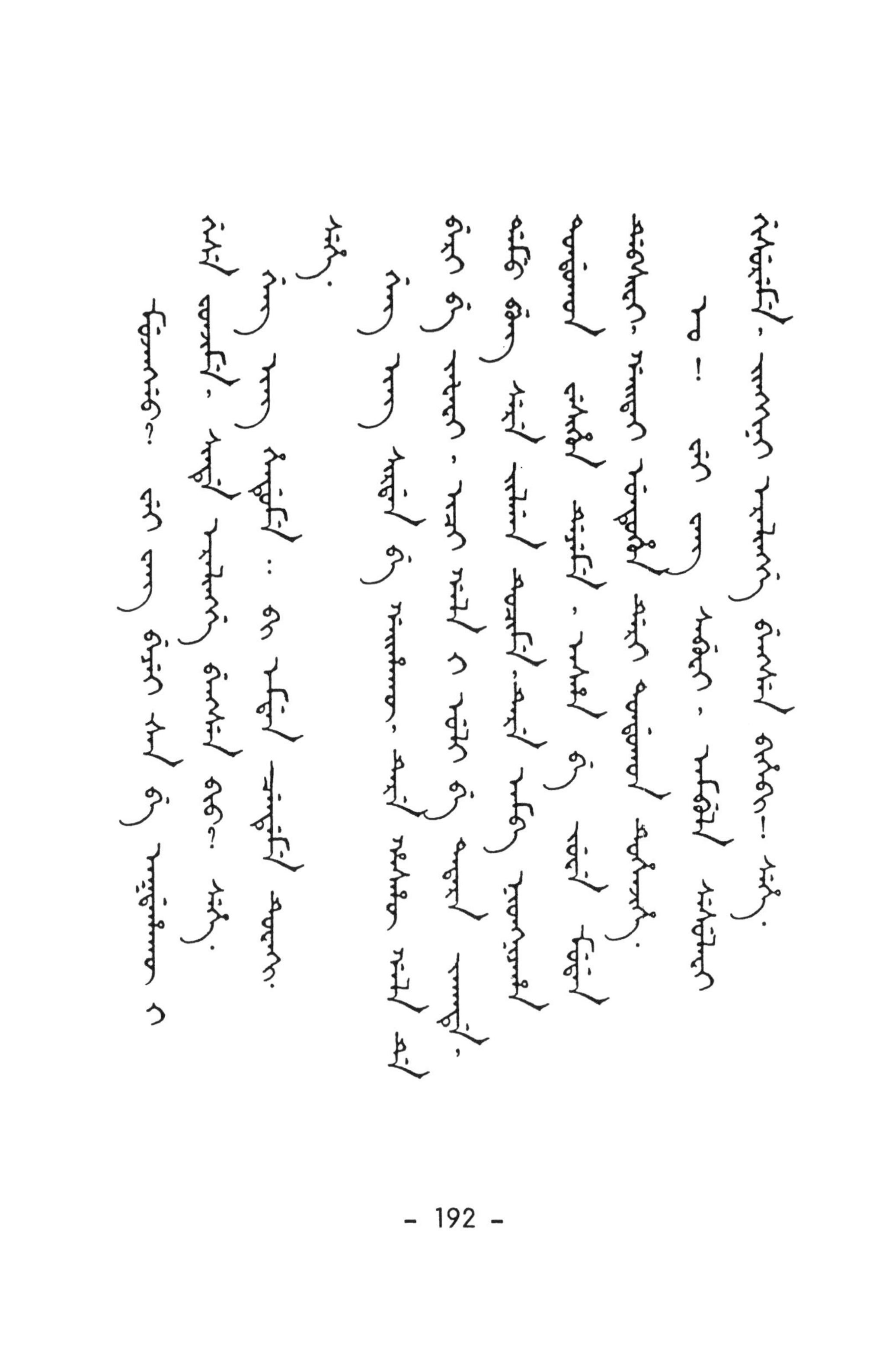

" mujanggo? " wei wang beyei šan be akdahakŭ i gese fonjime," sinde eralingge bengsen bio? "sehe.

geng ing hendume :" bi emdan cendeme tuwaki. " sehe.

geng ing sirdan be gaihakŭ, tere hashŭ gala de beri be jafafi , ici gala i uli be tatara jakade, damu pung sere jilgan tucime,tere amba niongniyaha tondokon wesihun deyeme , asha be juwe mudan debsifi, gaitai untuhun deri tondokon tuhenjihe.

" o ! " wei wang sabufi , ambula sesulafi gisureme,"jingkini eralingge bengsen bihebi!"sehe.

「果真？」魏王好像不相信自己耳朵似地問道：「你有這樣的本事嗎？」

更羸說：「我試一次看看。」

更羸未取箭，他左手拿弓，以右手拉弓弦，只這砰一聲，那隻大雁直直往上飛，翅膀拍了兩下後，忽然從空中直落下來。

「哦！」魏王看了大為驚奇地說：「真是有這樣的本事！」

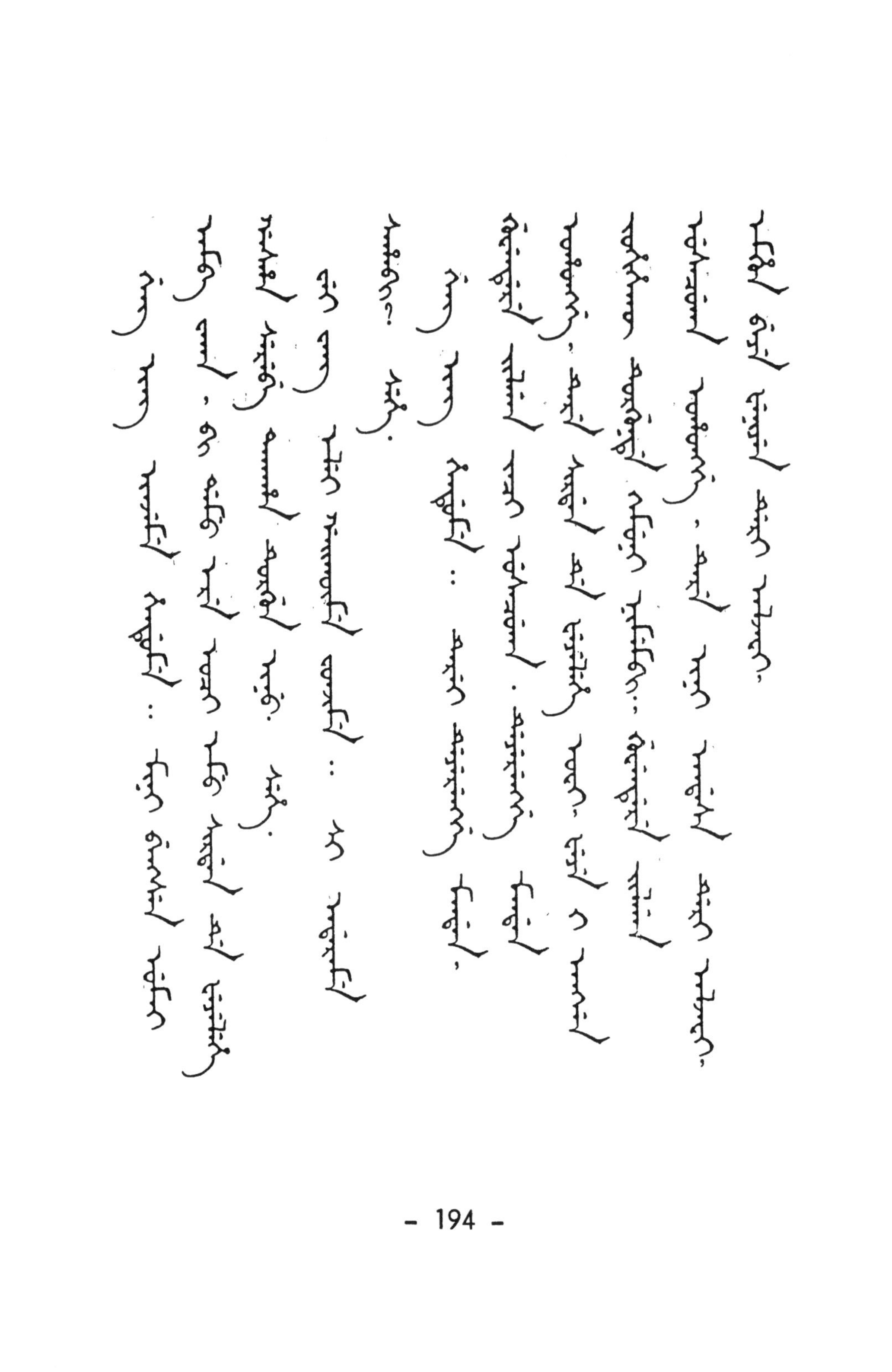

geng ing injeme hendume :" mini bengsen umai amba waka , bi damu ere oci emu sirdan de feyelehe gasha serebe takaha turgun inu. " sehe.

wei wang elei gaikūme fonjime : " si adarame sahabi? " sehe.

geng ing hendume : " terei deyerengge mandan, guwendere jilgan jaci usacuka . deyerengge mandan ohongge, tere sirdan de feyelehe ofi, feye i angga johihekū turgunde kemuni nimembi; guwendere jilgan usacuka ohongge , tere ini andasa deri aljafi, emhun beye feniyen deri aljafi,

更羸笑著說：「我的本事並不大，不過只是知道這是一隻為箭所傷的鳥的緣故。」

魏王更為訝異地問：「你怎麼知道？」

更羸說：「牠飛的慢，鳴聲很悲傷。飛的慢，是因為牠受了箭傷，傷口未癒合，還疼痛；叫聲悲傷，是因為牠脫離了牠的伙伴，獨自離群，

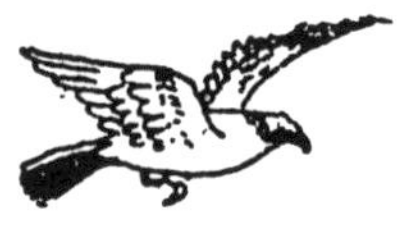

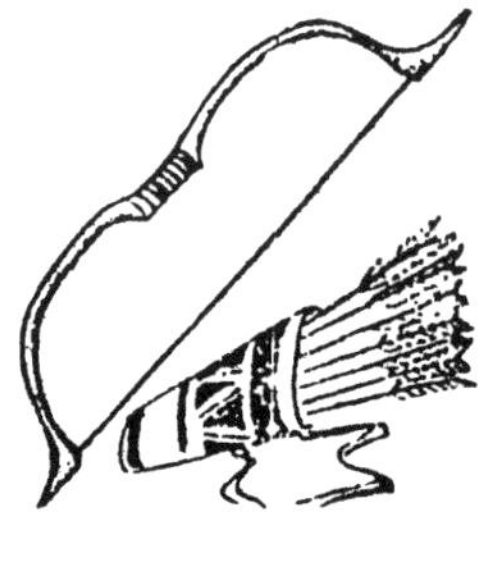

[illegible]

aisilara be bahame alirkū turgun inu . tere beri uli jilgan be emdan donjihade , mujilen dolo jaci gelehe ofi, ergen be šeleme wesihun deyehe . tere emgeri hūsun baitalaha bici , feye i angga geli hūwajafi, wasihūn tuhenjihebi. " sehe.

得不到協助。牠一聽到了弓弦的聲音，心裡很害怕，拚命往上飛，牠一用力，傷口又破裂，所以掉落下來了。」

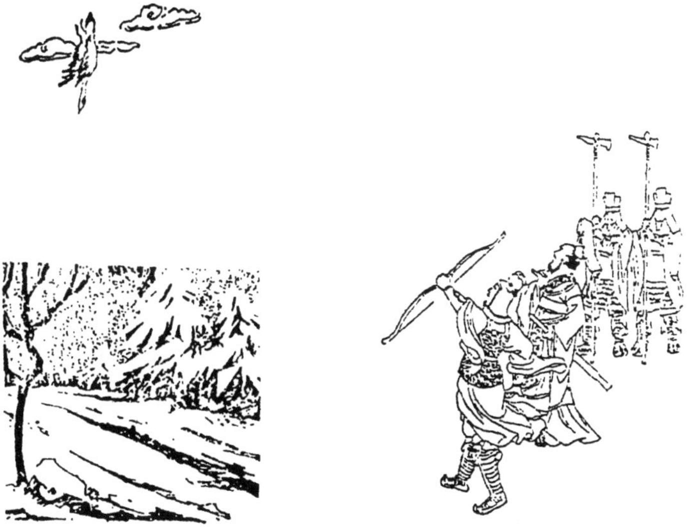

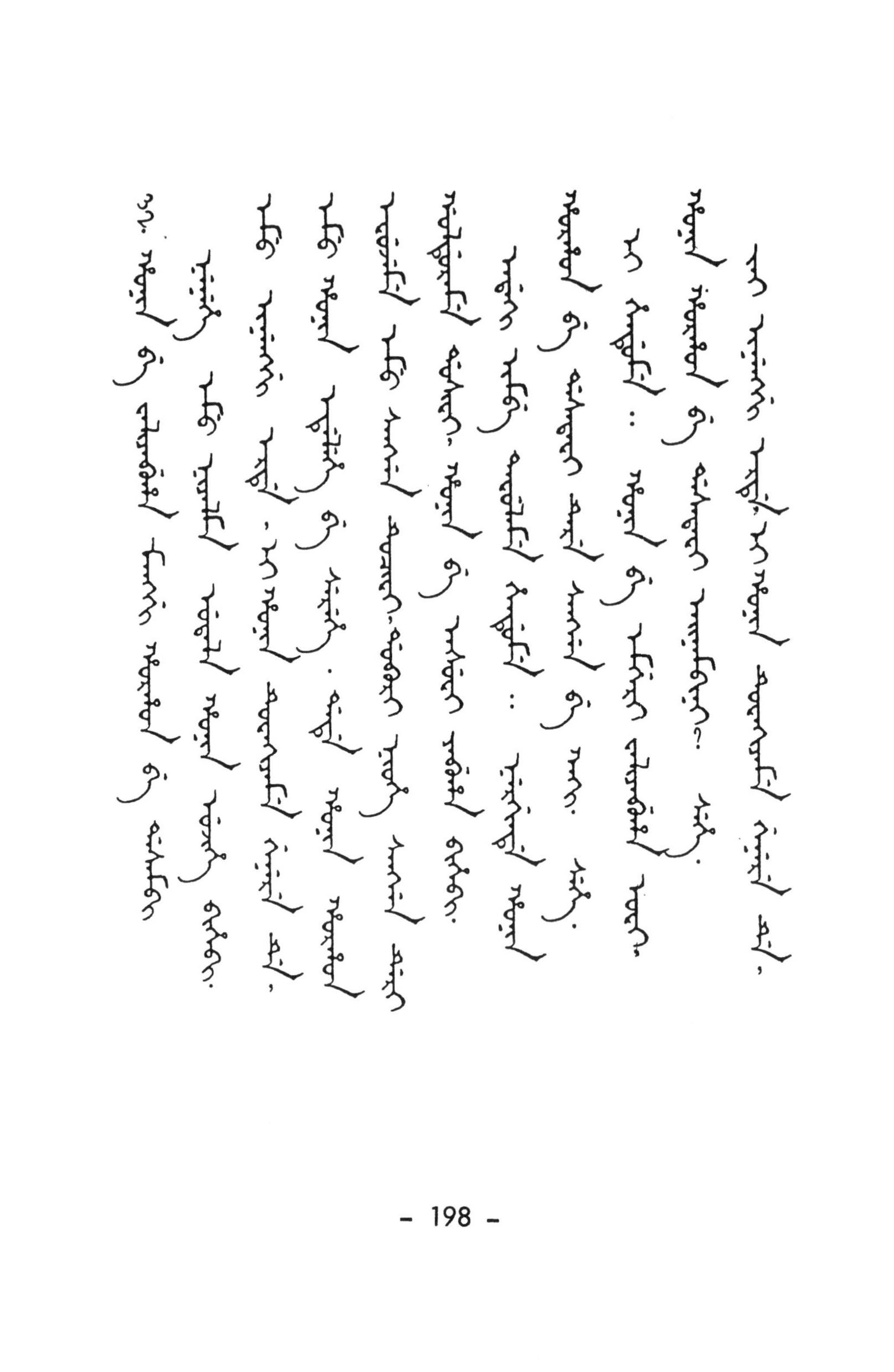

[illegible]
[illegible]
[illegible]
[illegible]
[illegible]
[illegible]
[illegible]
[illegible]
[illegible]
[illegible]
[illegible]

32. honin be waliyabuha manggi horhon be dasambi

nenehe emu niyalma utala honin ujihe bihebi. emu inenggi erde , i honin tuwakiyame genere de, emu honin edelehe be serehe . dade honin horhon efujeme emu sangga tucifi,dobori niohe sangga deri goldurame dosifi, honin be ašufi yabuha bihebi.

adaki imbe tafulame hendume : " nerginde honin horhon be dasatafi tere sangga be kaki. " sehe.

i hendume : " honin be emgeri waliyabuha ofi, honin horhon be dasatafi ainambini? " sehe.

jai inenggi erde,i honin tuwakiyame genere de,

32. 亡羊補牢

從前有一個人，養了許多羊。有一天早晨，他去放羊，發現少了一隻羊。原來羊圈破了一個窟窿，夜晚狼從窟窿鑽進去，把羊叼走了。

鄰居勸告他說：「趕快把羊圈修好，堵住窟窿。」

他說：「羊已經丟了，修理羊圈做什麼呢？」

第二天早晨，他去放羊，

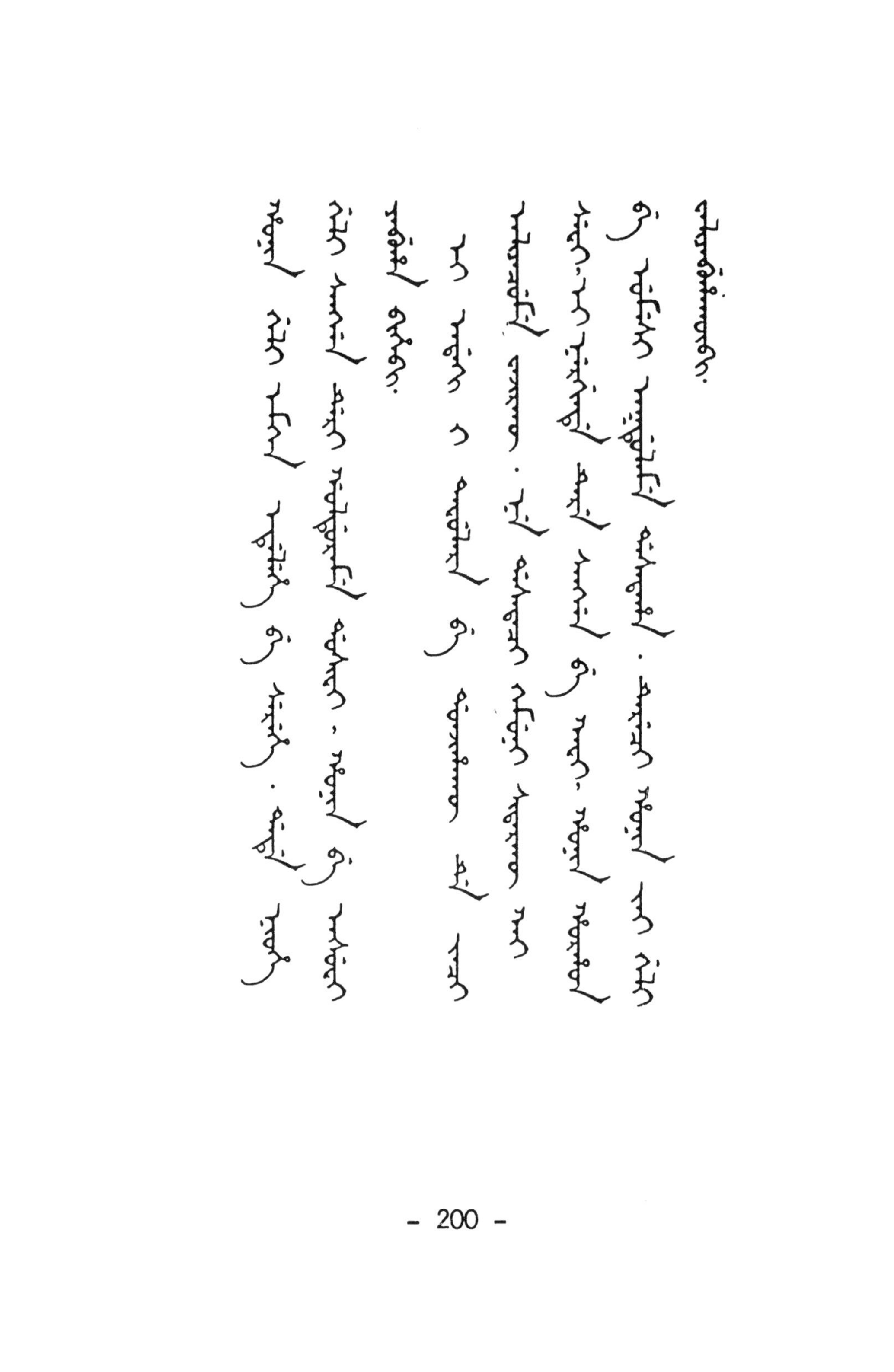

[illegible]

[illegible]

[illegible]

[illegible]

[illegible]

[illegible]

[illegible]

[illegible]

honin geli emken edelehe be serehe . dade niohe geli sangga deri goldurame dosifi , honin be ašufi yabuha bihebi.

i adaki i tafulara be donjihakū de jaci aliyacume wajirkū . ne dasataci kemuni sitarkū kai sefi, i nerginde tere sangga be kafi, honin horhon be umesi akdulame dasataha . tereci honin jai geli waliyabuhakūbi.

發現羊又少了一隻。原來狼又從窟窿鑽進去，把羊咬走了。

他不聽鄰居的勸告，實在後悔不已。他說現在修理還不遲啊！他馬上把窟窿堵住，羊圈修得很牢固，從此以後羊再也不丟了。

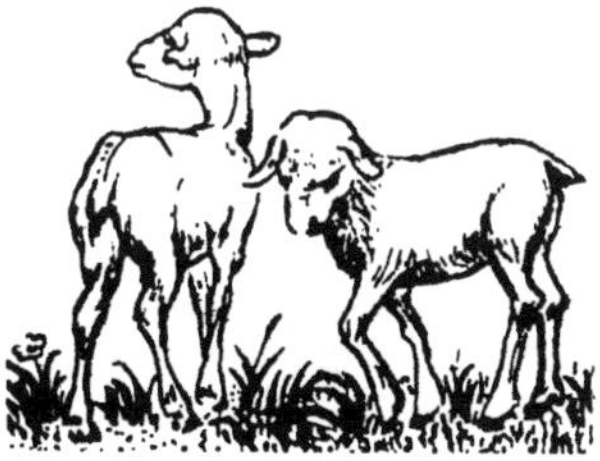

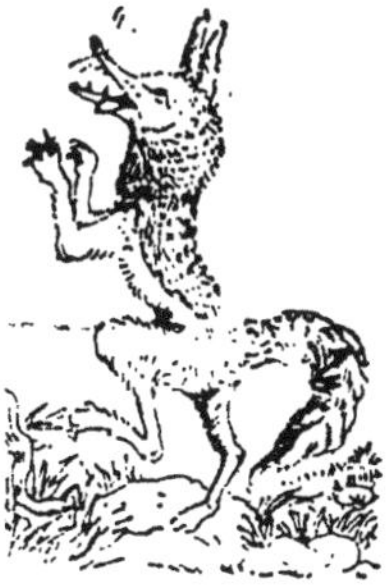

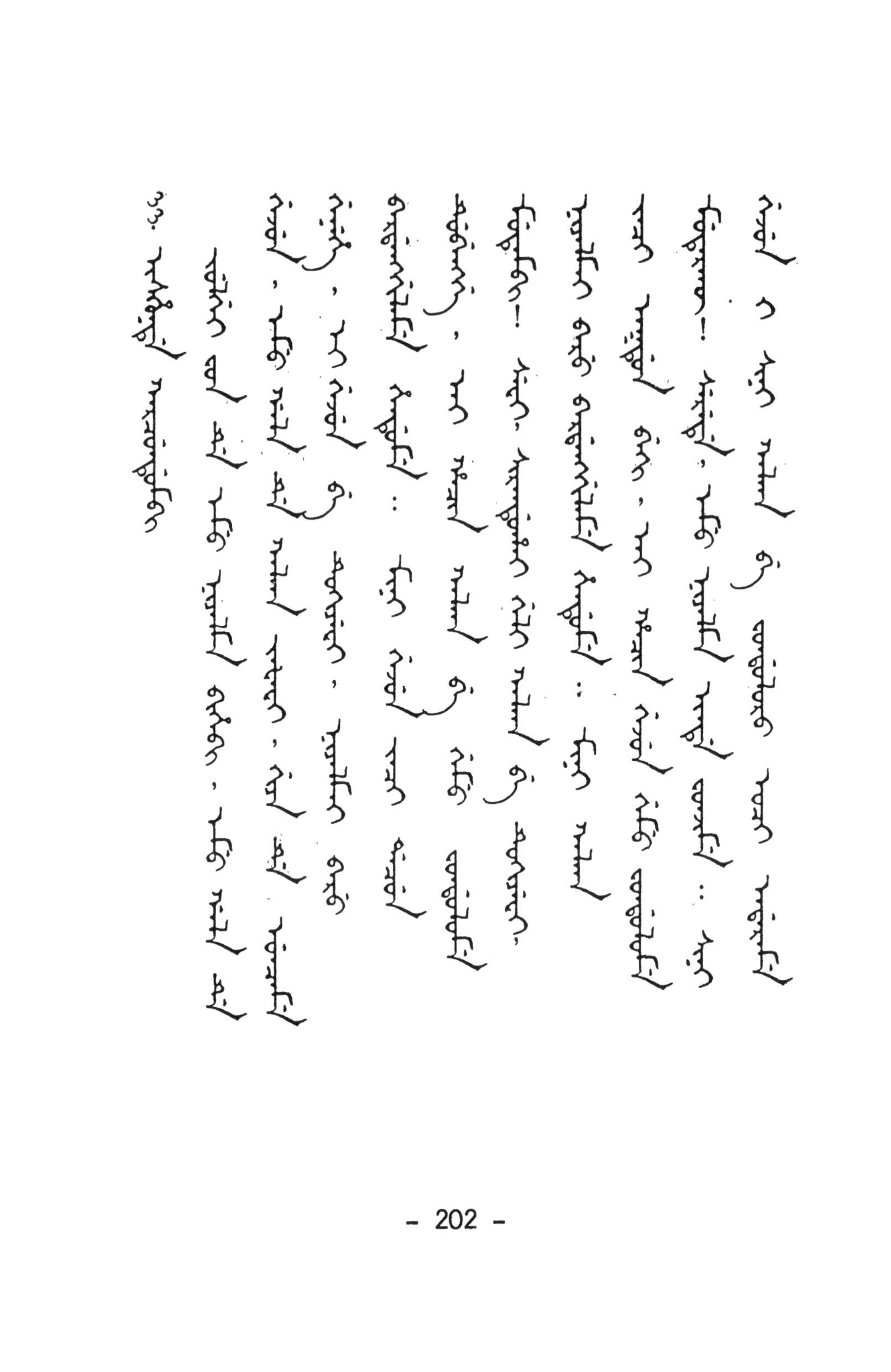

33. [illegible]

[illegible]

[illegible]

[illegible]

[illegible]

[illegible]

[illegible]

[illegible]

[illegible]

[illegible]

[illegible]

33. ishunde karcundumbi

julgei fon de emu niyalma bihebi , emu gala de gejun , emu gala de kalka jafafi , giya de uncame genehe , i gejun be tukiyefi , niyalmai baru bardanggilame hendume : " mini gejun jaci dacun dubengge , ai hacin kalka be gemu fondolome mutembi! "sefi, siranduhai geli kalka be tukiyefi, niyalmai baru bardanggilame hendume :" mini kalka jaci akdun beki , ai hacin gejun gemu fondolome muterkū!" serede, emu niyalma inde fonjime :" sini gejun i sini kalka be fondoloro oci adarame

33. 互相矛盾

古時候有一個人，一手拿矛，一手拿盾，到街上去賣。他舉起矛對人誇說：「我的矛最尖銳，無論那一種盾都能穿透！」接著又舉起盾對人誇說：「我的盾最堅固，無論那一種矛都不能穿透！」有一個人問他說：「以你的矛穿你的盾如何

ᠶᠠᠭᠤᠨ? ᠨᠢᠭᠡ ᠪᠢᠴᠢᠨ᠂ ᠠᠨ᠎ᠠ ᠡᠭᠡᠯᠡ ᠪᠤᠯᠤᠭᠰᠠᠨ ᠠᠮᠤᠭᠤᠯᠠᠩ ᠨᠣᠭᠠᠯᠠ
ᠪᠣᠯᠤᠨ᠎ᠠ᠃

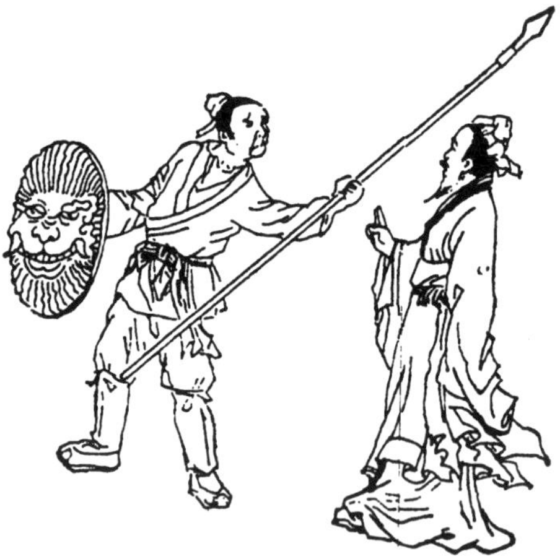

ombini? " sehe bici , i hele tatabufi jabure gisun bahahakū.

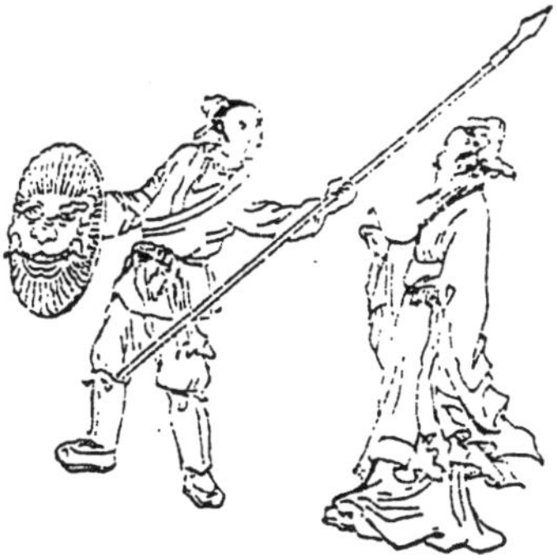

呢？」他啞口無言答不出來了。

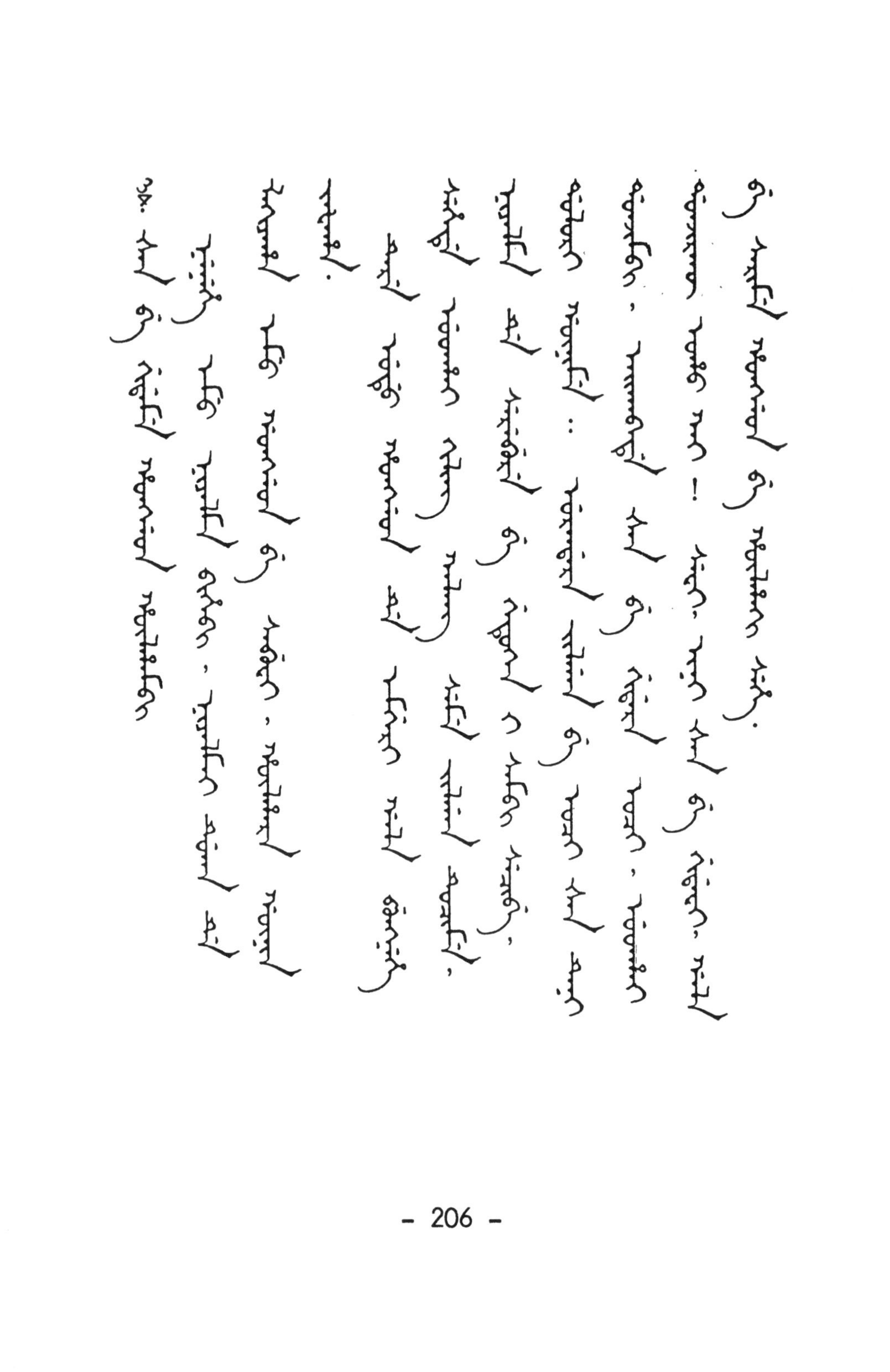

34. šan be gidame honggon hūlhambi

nenehe emu niyalma bihebi , niyalmai duka de lakiyaha emu gonggon be sabufi , hūlhara gūnin jafaha.

tere udu honggon de emgeri gala pungnehe sehede uthai kiling kalang seme jilgan tucime, niyalma de serebure be getuken i sambi secibe, dolori gūnime : " urandara jilgan be oci šan teni donjimbi , aikabade šan be gidara oci , uthai donjirkū oho kai ! " sefi, ini šan be gidafi, gala be sarime honggon be hūlhaki sehe.

34. 掩耳盜鈴

從前有一個人，看到人家的門上掛著一個鈴，決心盜取。

他幾次手一碰鈴，鈴就叮呤噹啷地響起來，雖然明知會被人發覺，但是他心裡想著：「響聲是只有耳朵才聽到的，倘若掩住耳朵，就聽不到了啊！」於是掩住他的耳朵，伸手想盜鈴。

[illegible]

[illegible]

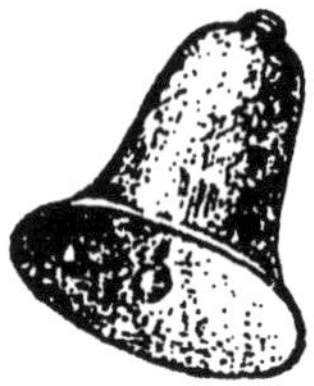

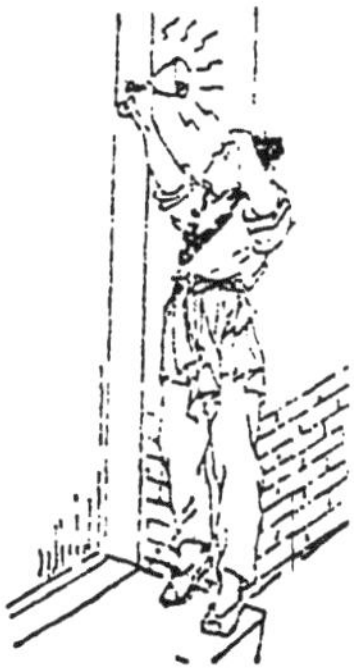

we saha gala teniken honggon de pungnehe bici,
uthai niyalma de serebuhe.

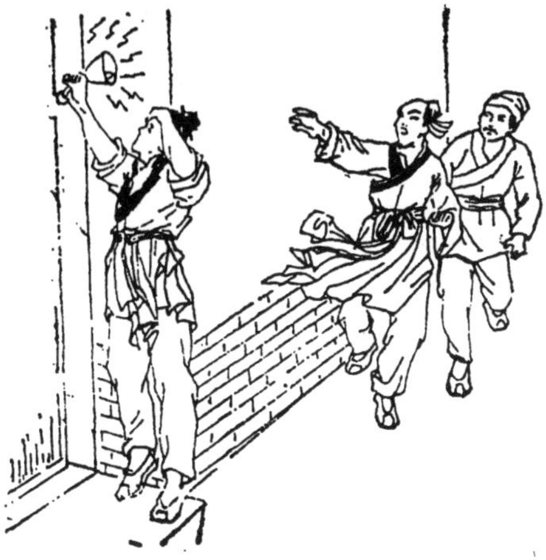

誰知手才碰到鈴，就被人知道了。

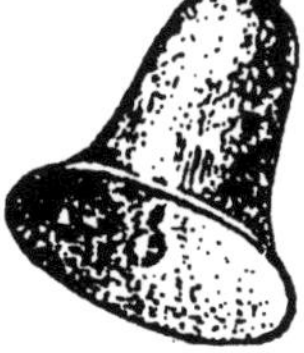

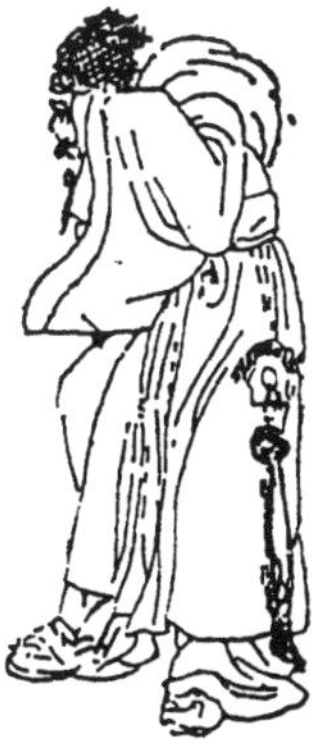

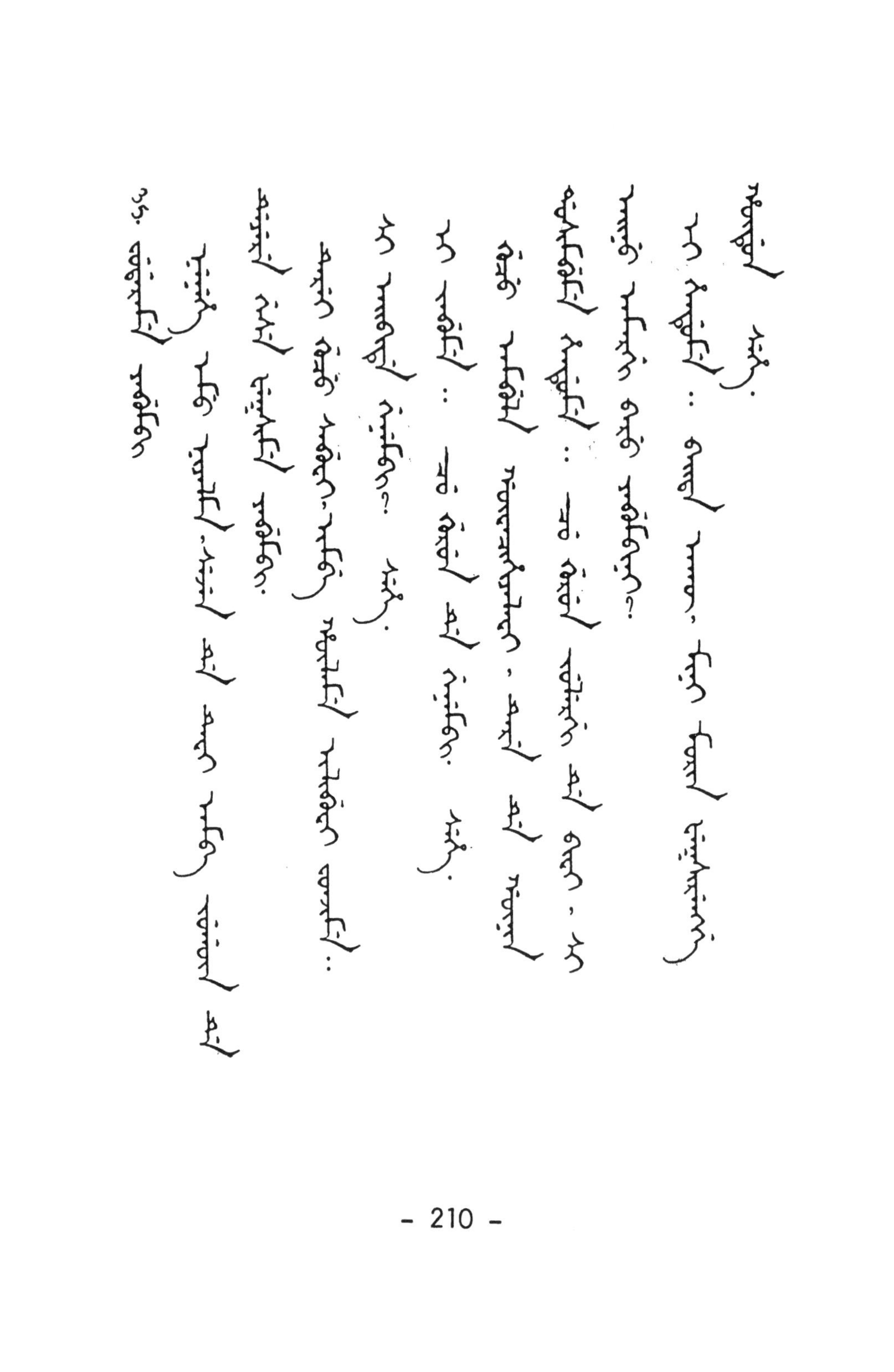

35. fudarame yabumbi

nenehe emu niyalma,sejen de tefi amba jugūn de deyere gese feksime yabumbi.

terei gucu sabufi,imbe hūlame ilibufi fonjime: " si aibide genembi? " sehe.

i jabume : " cu gurun de genembi. " sehe.

gucu ambula gūwacihiyalafi , tere de gūnin dosimbume hendume :" cu gurun julergi de bifi , si ainu amargi baru yabumbini? "

i hendume :" baita akū, mini morin feksirengge hūdun " sehe.

35. 南轅北轍

從前有一個人乘車在大路上飛也似地奔馳。

他的朋友看到了，叫住他問道：「你要去那裡？」

他回答說：「要到楚國去。」

朋友很奇怪，提示他說：「楚國在南邊，你為何向北走呢？」

他說：「沒關係，我的馬跑得快。」

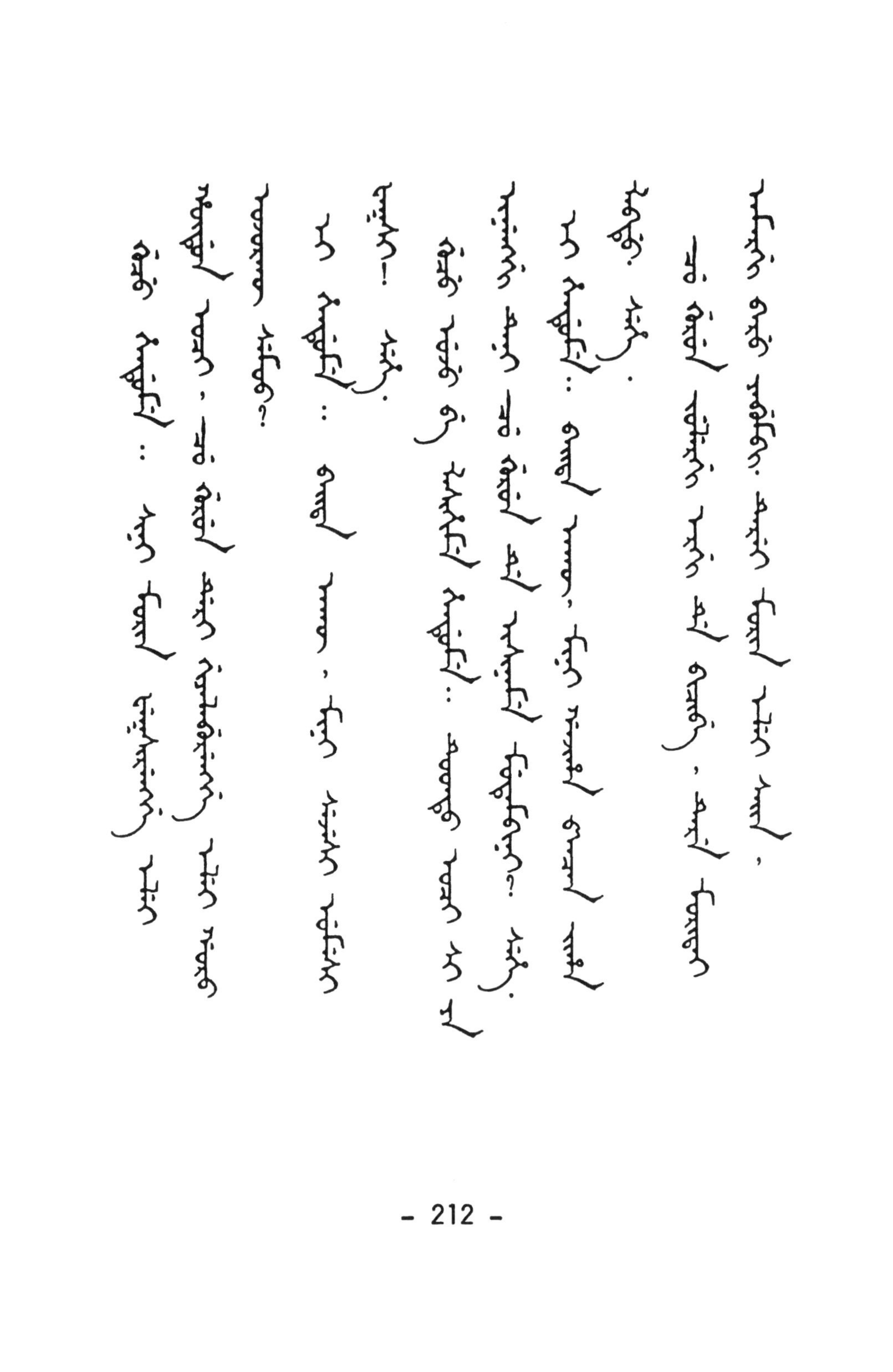

gucu hendume : " sini morin feksirengge elei hūdun oci , cu gurun deri giyalaburengge elei goro ojorkū semoo? "

i hendume : " baita akū , mini sejesi umesi faksi! " sehe.

gucu uju be lasihime hendume:" tuttu oci si ya inenggi teni cu gurun de isiname mutembini?" sehe.

i hendume:" baita akū, mini gajiha pancan jiha labdu." sehe .

cu gurun julergi ergi de bicibe , tere moritai amargi baru yabumbi. terei morin elei sain ,

朋友說:「你的馬跑得越快,不是離楚國越遠了嗎?」
他說:「沒關係,我的車夫很靈巧。」
朋友搖頭說:「那麼,你那一天才能到達楚國呢?」
他說:「沒關係,我帶來的盤纏很多。」
楚國雖在南方,但他執意乘馬車向北走。他的馬越好

[illegible]

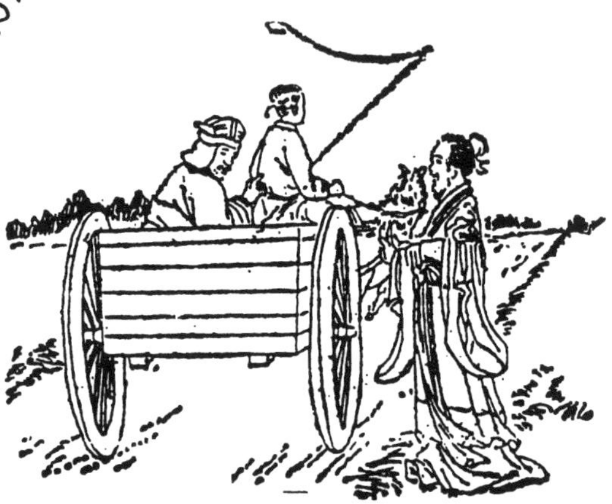

sejen dalire bengsen elei amba, pancan gajihangge elei labdu oci, tere cu gurun deri giyalaburengge inu uthai elei goro ombi.

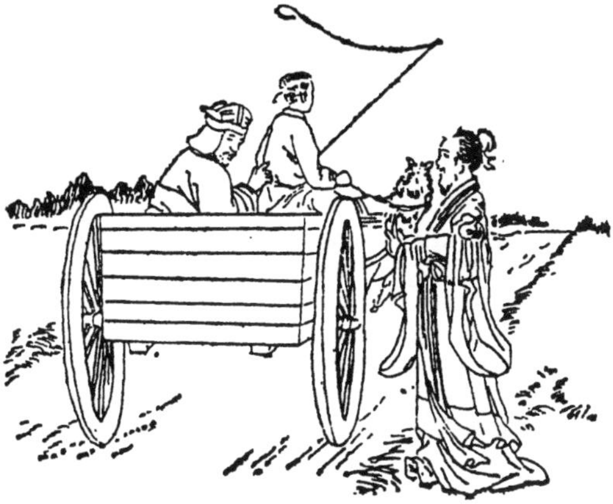

,趕車的本事越大,盤纏帶的越多，他離楚國也就越遠了。

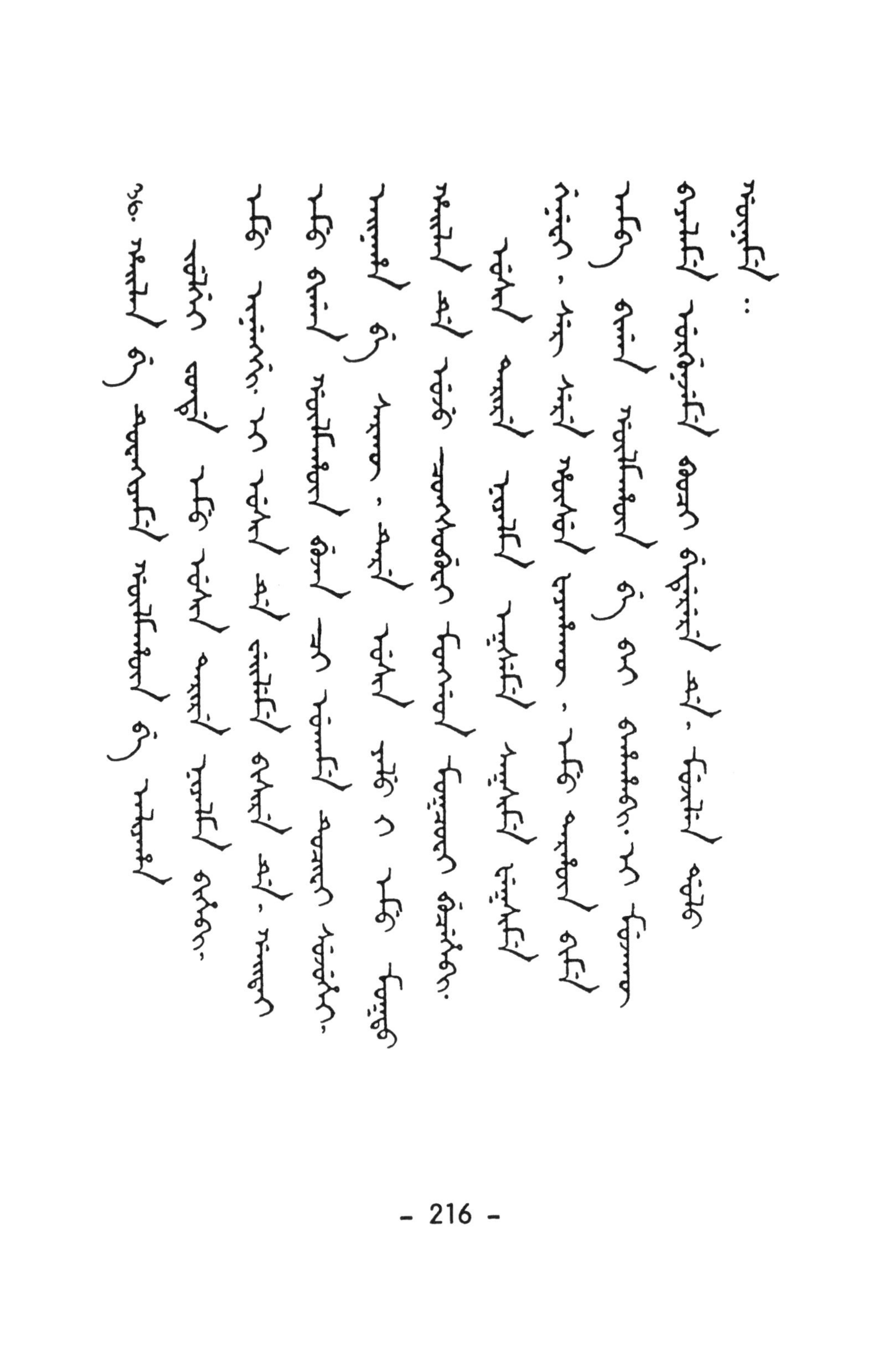

36. hailan be tuwakiyame gūlmahūn be aliyaha

julgei fonde emu usin tarire niyalma bihebi, emu inenggi , i usin de weileme bisire de, gaitai emu bigan gūlmahūn bujan ci ukame tucifi sujuhei, ainaha be sarkū , tere usin yalu i emu mokto hailan de uju congšobufi monggon mokcofi bucehebi.

usin tarire niyalma ekšeme saksime feksime genefi , ser sere hūsun fayahakū , emu tarhūn bime amba bigan gūlmahūn be bai bahahabi . i mujakū bayalame urgunjeme booci bederere de, mujilen dolo gūnime :

36. 守株待兔

古時候有一個種田的人，有一天，他在田裡工作的時候，忽然有一隻野兔從樹林裡逃跑出來，一路跑去，不知道怎麼，牠的頭撞在田邊一棵枯樹上，因脖子折斷死了。

種田的人急急忙忙跑過去，不費一點力氣，就白白地得到了又肥又大的野兔。他非常高興地回家的時候，心裡想著：

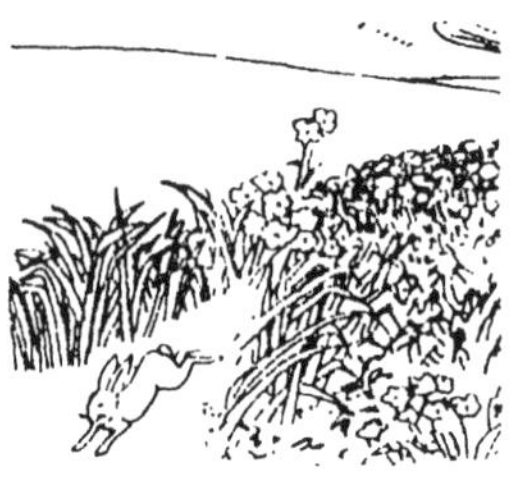

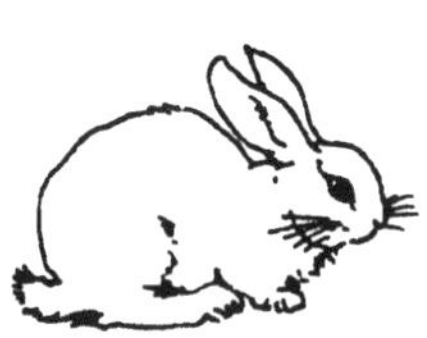

aikabade inenggi tome emu bigan gȗlmahȗn be baha oci, tere yala sain baita secina sehe.

tereci i homin be sindafi , šuntuhuni mokto hailan i dalbade tefi tuwakiyame , bigan gȗlmahȗn geli feksime jifi congšobume bucerengge bi akȗ be aliyaha. emu inenggi emu inenggi duleme yabuha, bigan gȗlmahȗn jai geli jihekȗbi, damu ini usin de jalu orho mutufi , jeku wacihiyame orho de gidabuhabi.

假使每天得到一隻野兔，那實在是好事呀。

從此他放下鋤頭，整天坐在枯樹旁邊守候，等待著是不是又有野兔跑來撞死。一天一天地過去，野兔再也沒來，只是他的田長滿了草，莊稼完全被掩沒了。

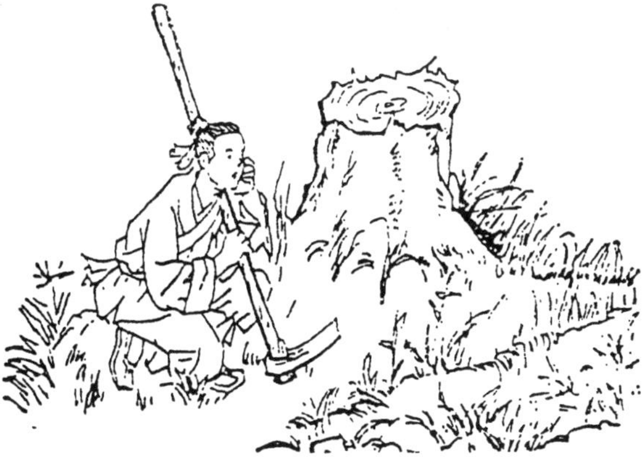

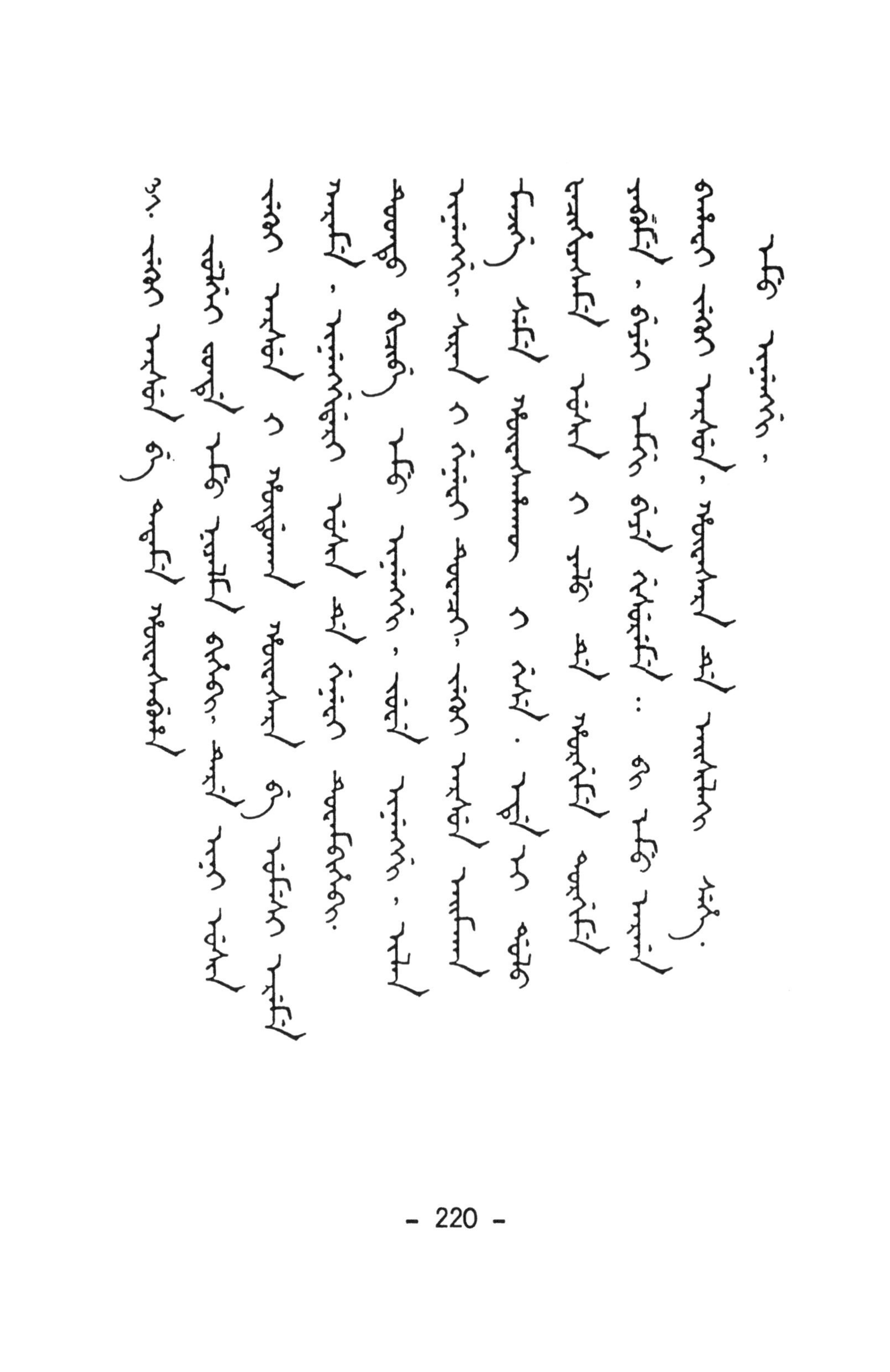

37. jekui arsun be tatame hūwašabuha

julgei fonde emu niyalma bihebi, tere ini usin jekui arsun i hūdukan hūwašara be umesi ereme karame , inenggidari usin de genefi tuwambihebi. tuttu bicibe emu inenggi , juwe inenggi , ilan inenggi, siran i genefi tuwaci, jekui arsun aimaka majige seme hūwašahakū i gese . ede i dolo facihiyašame usin i yalu de horgime torgime yabume , beyei emgi beye gisureme : " bi emu arga bahafi jekui arsun, hūwašara de aisilaki " sehe.

emu inenggi ,

37. 揠苗助長

古時候有一個人，他很希望他田裡的禾苗趕快長大，每天到田裡去觀察。但是一天、兩天、三天連續去看，禾苗好像一點也沒長大。因此，他心裡很著急，在田邊繞來繞去,自言自語地說:「我要想一個法子幫助禾苗長大。」

有一天，

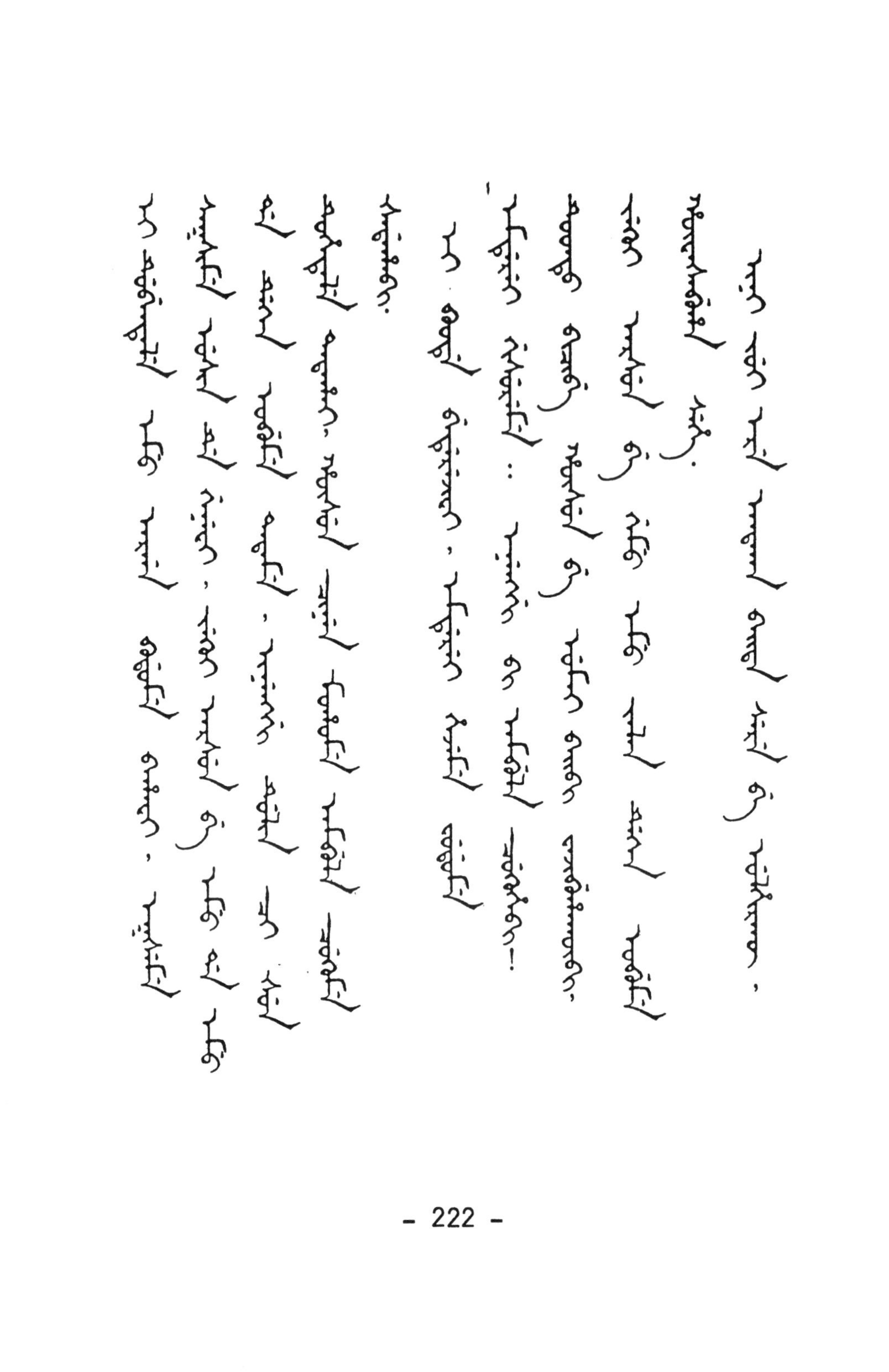

[illegible]

i dubentele emu arga bodome bahafi , ekšeme saksime usin de genefi , jekui arsun be emu da emu da deken obume tatame , inenggi dulin ci šun tuhetele tatahai, hūsun cinen mohome ambula cukume šadahabi.

i boode bederejifi , emderei hejeme fudome emderei gisureme : " enenggi bi ambula cukuhebi! tuttu bicibe hūsun be umai baibi wajibuhakūbi, jekui arsun be gemu emu jalan deken obume hūwašabuha " sehe.

ini jui ere antaka baita sere be ulhirkū ,

他終於想出了一個法子，急急忙忙去到田裡，
把禾苗一根一根的拔高，從中午一直到日落，精疲力盡，很是勞累。

他回到家裡，一面喘氣，一面說：「今天我很累了，但是並沒白費力氣，禾苗都長高一截了。」

他的孩子不曉得怎麼回事，

ᡨᡝᠨ ᡠᠰᡳᠨᡳᠩᡤᡝ ᡠᠰᡳᡥᡝ ᠪᡝ ᠵᡳᡩᡝᡵᡝ ᠰᡝᡵᡝ ᡳᠯᡳᡥᠠ ᡥᠣᡩᠣᠨ᠈
ᡤᡝᡵᡝᠨ ᠠᡵᡤᠠᠮᡝ ᠪᠣᠪᡠᠨ ᠰᠠᡳᡧᡠᡥᡝ ᠪᡝᡳᡤᡠᠸᡝ᠉

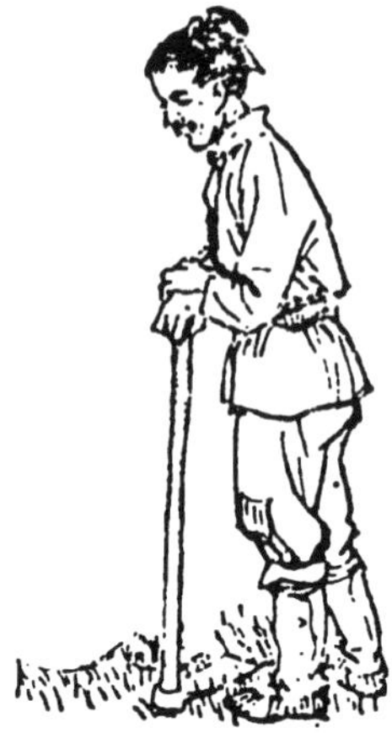

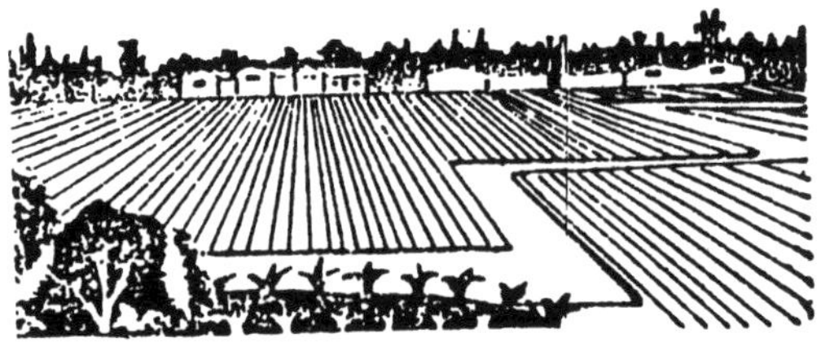

jai inenggi usin de feksime genefi emgeri tuwaci, jekui arsun yooni naihūme bucehebi.

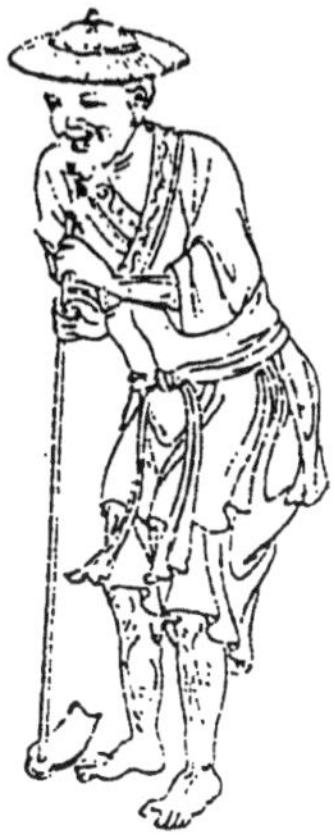

第二天跑去田裡一看，禾苗全都倒下死掉了。

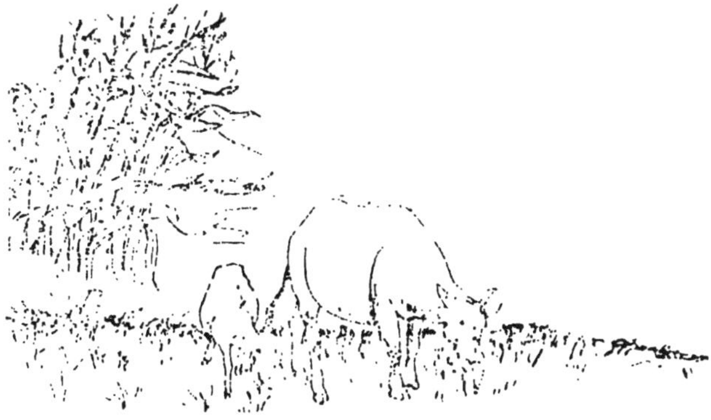

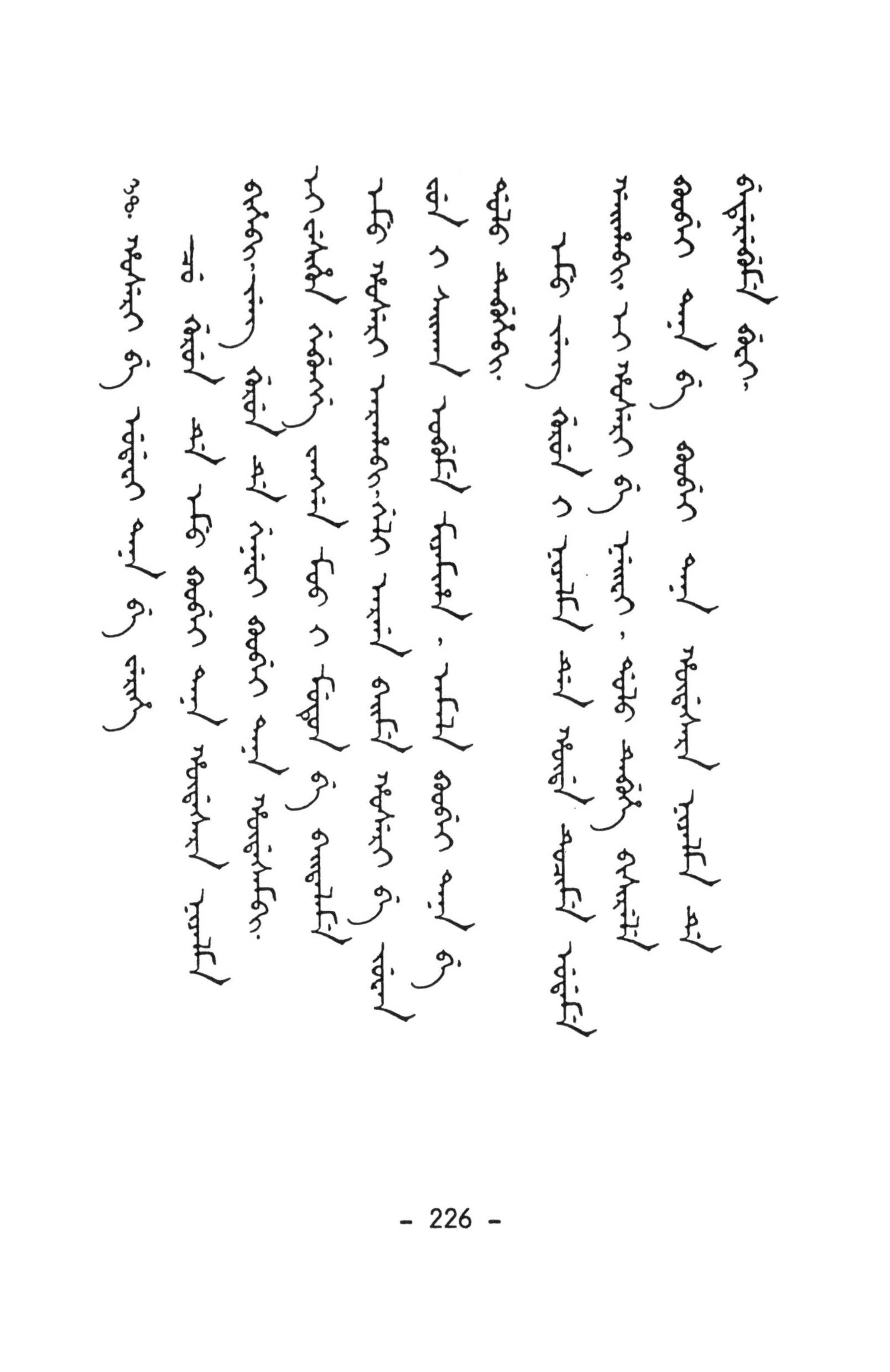

[illegible]
[illegible]
[illegible]
[illegible]
[illegible]
[illegible]
[illegible]
[illegible]
[illegible]
[illegible]
[illegible]
[illegible]

38. hoseri be udafi tana be werihe

cu gurun de emu boobei tana hūdašara niyalma bihebi,jeng gurun de genefi boobei tana hūdašambi. i wesihun gebungge wangga moo i mutun be baitalame emu hoseri arahabi,geli arga baime hoseri be juwan fun i saikan obume miyamiha , amala boobei tana be dolo tebuhebi.

emu jeng gurun i niyalma den hūda tucime udame gaihabi . i hoseri be neifi , dolo tebuhe bisirele boobei tana be boobei tana hūdašara niyalma de bederebume bufi,

38. 買櫝還珠

楚國有一個珠寶商，要到鄭國去買賣珠寶。他用名貴的香木材料做了一個盒子，又設法把盒子裝飾得十分的美麗，然後把珠寶盛在裡面。

有一個鄭國人出高價買了去。他打開盒子，把裡面所盛的珠寶還給珠寶商，

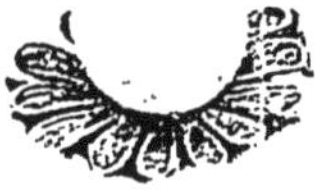

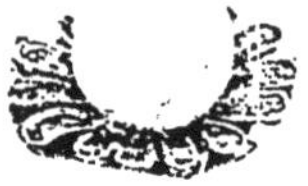

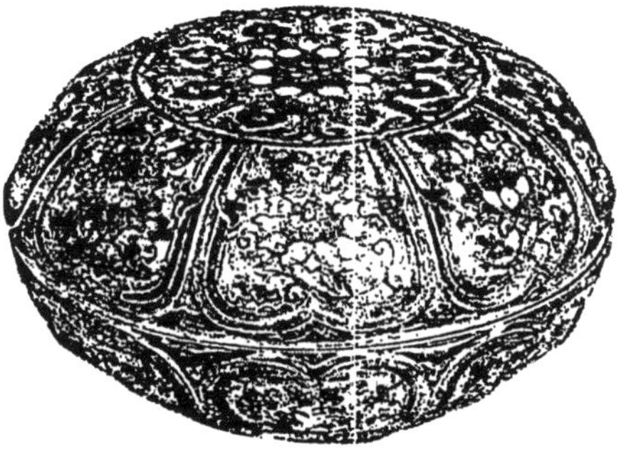

damu hoseri i teile werime gaihabi.

hoseri be arahangge jaci saikan ofi, tere jeng gurun i niyalma damu hoseri i teile gūnin de cihalafi , boobei tana hoseri deri ududu ubu hūda amba sere be takahakūbi.

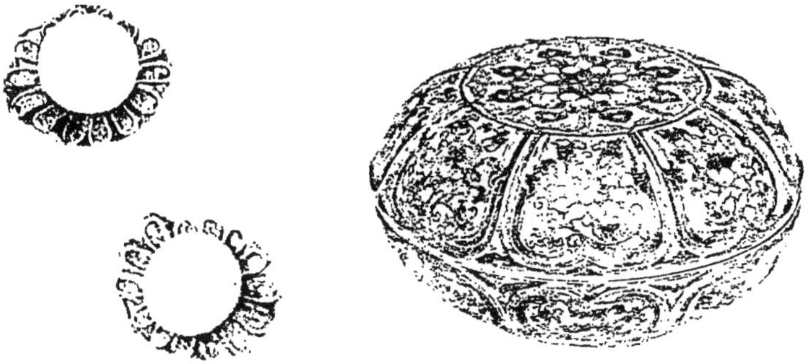

只留下盒子。

因為盒子做得很美，那個鄭國人心裡只喜歡盒子，而不知道珠寶比盒子的價值大好幾倍。

ᠰᡠᡥᡝᠨ᠈ ᠰᡠᠸᠠᠯᡳᠶᠠᠨ ᠵᡝᠨ ᠰᡠᡩᡝᠨ ᠠᠮᠠ ᡝᠨ ᡩᡝᡵᡳ ᡤᡳᠩᡤᡠᠨ᠈
ᡩᡝ ᡨᡠᠸᠠᡴᡳᠶᠠᡵᠠ ᠪᠠᡳᡨᠠᠯᠠᠮᡝ ᠪᠠᡳᠪᡳ᠈ ᠰᡳᠨ ᠰᡳᠨᡳ ᠰᡳᠨᡩᡝᡵᡝ ᡩᡝ
ᠰᡳᠪᡝ ᠰᡳᠨ ᡨᡝ ᠰᡠᠸᠠᠯᡳᠶᠠᠨ᠈ ᠰᡳᠨ ᡠᠰᡠᠪᡝ ᠪᡝᠶᡝᠯᡝᠮᡝ ᡨᡝᠨᡩᡝᠮᡝ
ᡨᡠᠸᠠᡴᡳᠶᠠᡵᠠ ᠰᡝᡵᡝᠪᡝ ᡠᠵᡝᡵᡝᠪᡠᡥᡝ᠉
ᡠᠯᡳᠨ ᡳᠵᡳᠯᡝᠮᡝ ᡩᡝ ᠰᡳᠪᡠᠪᡝ ᠪᡝᠶᡝᠯᡝᠮᡝ ᡨᡝᠨᡩᡝᠮᡝ ᡩᡝ
ᡠᠪᡝ ᠰᡠᠸᠠᠯᡳᠶᠠᠨ ᠰᡳᠯᡝ ᡠᠯᡳᠨ ᡳᠵᡳᠯᡝᠮᡝ ᠪᠠᠨᡳᠰᡳᠨ ᡠᠰᡠᠪᡠᡥᡝ ᠰᡳᠨᡝ ᠰᡳᠯᡝ
ᡳᠯᡳᡥᠠ ᠪᡝᠶᡝᠯᡝᠮᡝ ᡨᡝᠨᡩᡝᠮᡝ ᡩᡝ ᡨᡠᠸᠠᡴᡳᠶᠠᡵᠠ ᠪᠠᡩᡝ ᡨᡝᡵᡝ
ᠰᡳᠪᡠᡥᡝᡵᡝ ᡨᡳᠯᡳᡥᠠᠯᠠ ᡩᡝ ᠵᠠᠯᡳᠯᡝᡵᡝ ᠰᡠᡩᡝᠨ᠈ ᡠᡵᡳᠨ ᡨᡳᠯᡝᠨ
ᡨᡝᠨᡩᡝᠮᡝ ᡳ ᡨᡠᡩᡝᠯᡝ ᡩᡝ ᡠᠵᡳᠯᡝ ᠵᠠᠯᡳᠯᡝᠪᡠᡥᡝ᠈ ᡩᡳᠯᡝᠨ
ᠰᡳᠯᡝ ᡤᡳᡩᡝᠯᡝ ᡳ ᡨᡠᠸᡝᠪᡝ᠈ ᠵᡝᠨ ᠰᡠᡩᡝᠨ ᠠᠮᠠ ᠪᡝᠶᡝᠯᡝᠮᡝ
39. ᠮᡠᡩᡝ ᡩᡝ ᠪᡳᠰᡳᠨ ᡨᡠᠸᡝᠴᡝᠪᡠᡥᡝ

39. ton be balai jalubumbi

afan gurun i fonde , ci siowan wang baksangga ficakū i mudan be donjime cihalambime , geli ambarame mamgiyara be cihalame ofi , terei galai fejile baksangga ficakū be fulgiyere kumun meyen de uthai ilan tanggū niyalma bi.i daruhai ere ilan tanggū niyalma be embade baksangga ficakū be fulgiyeme inde donjibumbi.

emu nan g'o siyanšeng, i dade baksangga ficakū be fulgiyeme bahanarkū bihebi , i ere nashūn be sabufi , uthai ci siowan wang ni bade genefi,

39. 濫竽充數

在戰國的時候，齊宣王既喜好聽竽笙的音樂，而且又喜好大肆奢侈，在他手下吹奏竽笙的樂隊就有三百人。他常常叫這三百人在一處吹奏竽笙給他聽。

有一個南郭先生,他原本不會吹奏竽笙,但他看到這個機會，就到齊宣王的地方去，

ᠵᠠᡳ ᡝᠮᡠ ᡩᡝᡵᡝ ᠠᠨᠠ ᠠᠨᠠ ᡳ ᡥᠣᠯᠪᠣᡥᠣ ᠪᡝ ᡨᡠᠸᠠᠮᠪᡳ.

ᠠᠮᠪᠠᠯᡳᠩᡤᡡ ᡩᡝᡵᡳ, ᡝᠮᡠ ᡥᠣᠯᠪᠣᡥᠣ ᠠᠨᠠ ᡨᡠᡵᡤᡠᠨ ᡨᠠᠴᡳᠮᠪᡳ. ᡨᡠᠸᠠᠮᡝ
ᠣᠯᡥᠣᠪᠠ ᠪᠠᡳᡨᠠ ᠣᠯᡥᠣᠪᠠᠰᡠ ᠪᠣᠣ.
ᠨᡳᠶᠠᠯᠮᠠ ᠰᠠᡳᠨ ᠰᠠᡳᠨ ᠪᡳᠶᠠ ᡥᡝᠴᡝᠮᡝ ᡝᡵᡤᡝᠮᡝ, ᡳᠴᡝ ᡥᡝᡨᡝᠮᡝ
ᠨᡳᠶᠠᠯᠮᠠ ᡳ ᠪᠣᠣ ᡳᠰᡳᠨᡳᠮᡝ ᠪᡝ ᡨᡠᠸᠠ ᡝᠮᡠ ᠪᡝ ᡨᡠᠸᠠᠮᡝ.
ᠪᡝᡳᡩᡝᠨᡝᠮᠪᡳ ᡩᠠᠰᠠᠮᡝ ᠣᠮᡳᡵᡳ ᠪᡝ ᡳᠰᡳᠨᡳᠮᡝ, ᠪᠠᠨᠵᡳᠪᡠᡵᡝ,
ᠨᡳᠶᠠᠯᠮᠠ ᡳᠯᡳᡥᠠ, ᠰᠠᡵᡤᠠᠨ ᡳᠯᡳᠮᡝ ᡩᠠᡥᠠᡵᡝ ᠪᡝ ᠪᡠᡵᡝ,
ᠮᡝᡵᡤᡝᠨ ᡳ ᠪᡝᠶᡝᠪᡝ ᡳᠰᡳᠨᡳᠮᡝ. ᡨᡝᡵᡝ ᡝᡵᡤᡝᠨ ᠪᡝᡳᡩᡝᠨᡝᠮᠪᡳ ᡩᠠᠰᠠᠮᡝ ᡳ
ᡨᡠᠰᠠᠩᡤᠠ ᠪᡝᡳᡩᡝᠮᡝ, ᡝᡵᡤᡝᠮᡝ, ᠪᡝᡳᡩᡝᠨᡝᠮᠪᡳ ᡩᠠᠰᠠᠮᡝ ᡳ ᡨᡠᠰᠠᠩᡤᠠ
ᠪᡝᡳᡩᡝᠨᡝᠮᠪᡳ. ᠰᡝᠮᡝ ᡝᡵᡤᡝᠨ ᠰᡝᡵᡝ ᠠᠮᠪᠠ ᠰᡝ ᡳ ᡝᠮᡠ
ᠪᡝᡳᡩᡝᠨᡝᠮᠪᡳ ᡩᠠᠰᠠᠮᡝ ᡨᡠᠰᠠᠩᡤᠠ ᠨᡳᠶᠠᠯᠮᠠ ᡳ ᡝᠨᡝᡥᡝ ᡳ

baksangga ficakū fulgiyere meyen de adanara be baihanaha . ci siowan wang imbe ten i den jergi funglu bahabume,imbe baksangga ficakū be fulgiyere meyen de dosibuha . yaya mudan baksangga ficakū be fulgiyere erinde , tere inu cira be gulubume, baksangga ficakū yasa be gidame , durun arame, meyen i dolo suwaliyabume bifi ton be jalubuha. tere mudan mudan gemu holtome dulembume , yaya hacin baita tucikekū bihebi.

amala jime, ci siowan wang urihe manggi, terei jui ci min wang wang ni soorin be sirahabi.

請求參加吹奏竽笙的樂隊。齊宣王給他至高品級的俸祿，讓他加入吹奏竽笙的樂隊。每吹奏竽笙的時候，他也鼓起腮幫子，按住竽眼，做樣子，混在隊中充數。他每次都矇混過去，沒有出任何事。

後來，齊宣王崩殂後，他的兒子齊湣王繼位。

[illegible]

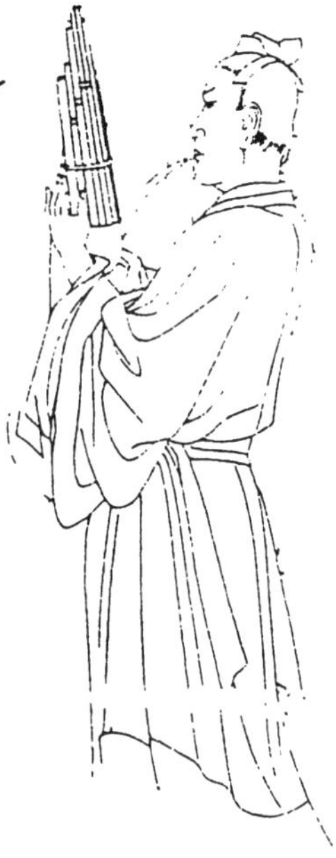

ci min wang ni banin ci siowan wang de adališarkū, tere geren embade baksangga ficakū fulgiyere be donjime cihalarkū, tere baksangga ficakū fulgiyere urse be emke emken fulgiyeme inde donjibu sehe.

nan g'o siyanšeng ere mejige be donjifi , arga akū sereburkū i ukame yabuhabi.

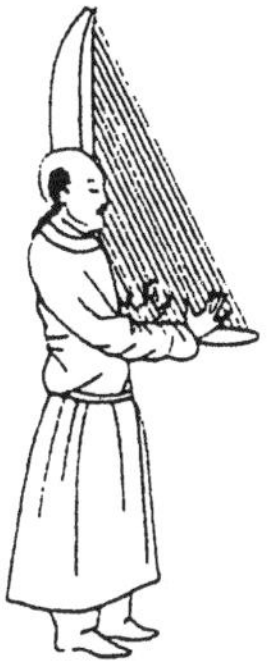

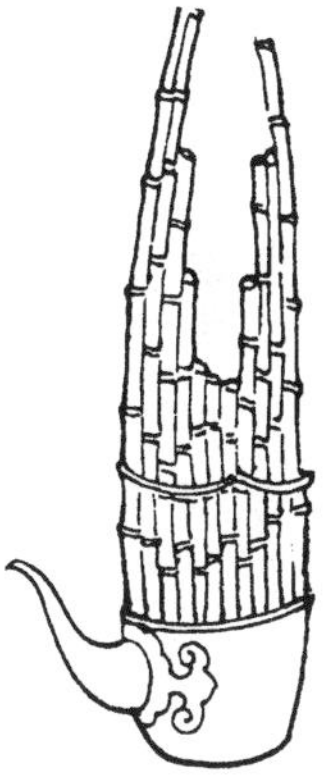

齊湣王的個性和齊宣王不同，他不喜歡聽眾人在一處吹奏竽笙，他讓吹奏竽笙的人一個一個吹給他聽。

南郭先生聽到這個消息，無可奈何悄悄地逃走了。

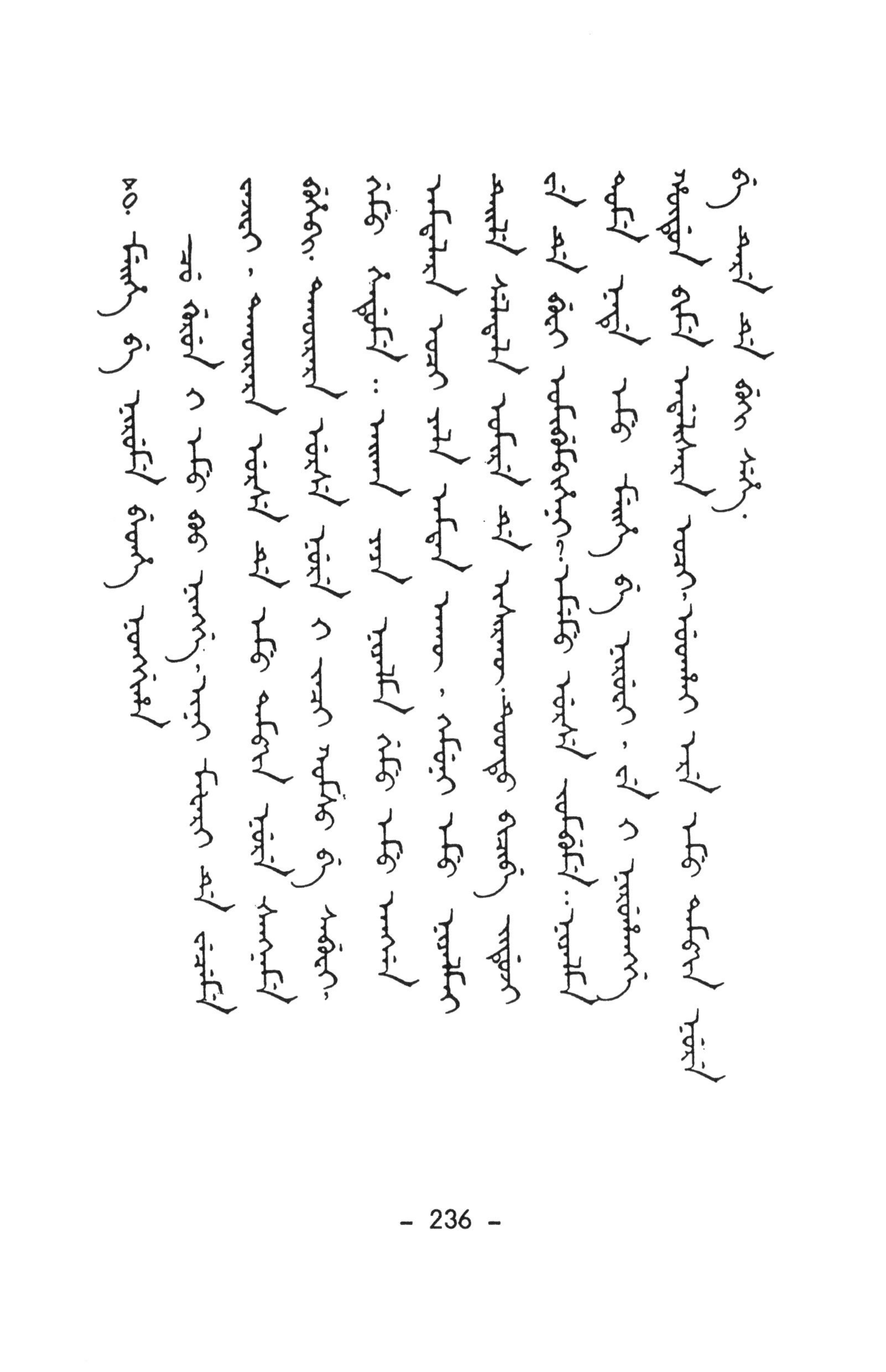

[illegible]

40. meihe be nirume bethe nonggiha

cu gurun i emu boo ningge,ini mafari de weceme wajifi , takūrara urse de emu tampin nure šangname buhebi. takūrara urse nure i jaci komso be sabufi, gemu hendume : aika yaya niyalma gemu emu angga amtalara oci yala amtan akū , kemuni emu niyalmai teile selatala omire de isirkū.tuttu bicibe jiduji we de bufi omibumbiheni?ememu urse jombume:niyalma tome nade emu meihe be nirufi , we i niruhangge hūdun bime adališara oci,uthai ere emu tampin nure be tere de buki sehe.

40. 畫蛇添足

楚國的一個家，他祭祖完畢後，賞給差人一壺酒。差人們見酒很少，都說：若是每個人都嚐一口，實在沒味道，還不如只一個人喝來得痛快。但是到底給誰喝呢？有人提議說：每個人在地上畫一條蛇，誰畫得又快又像，就給他喝這一壺酒。

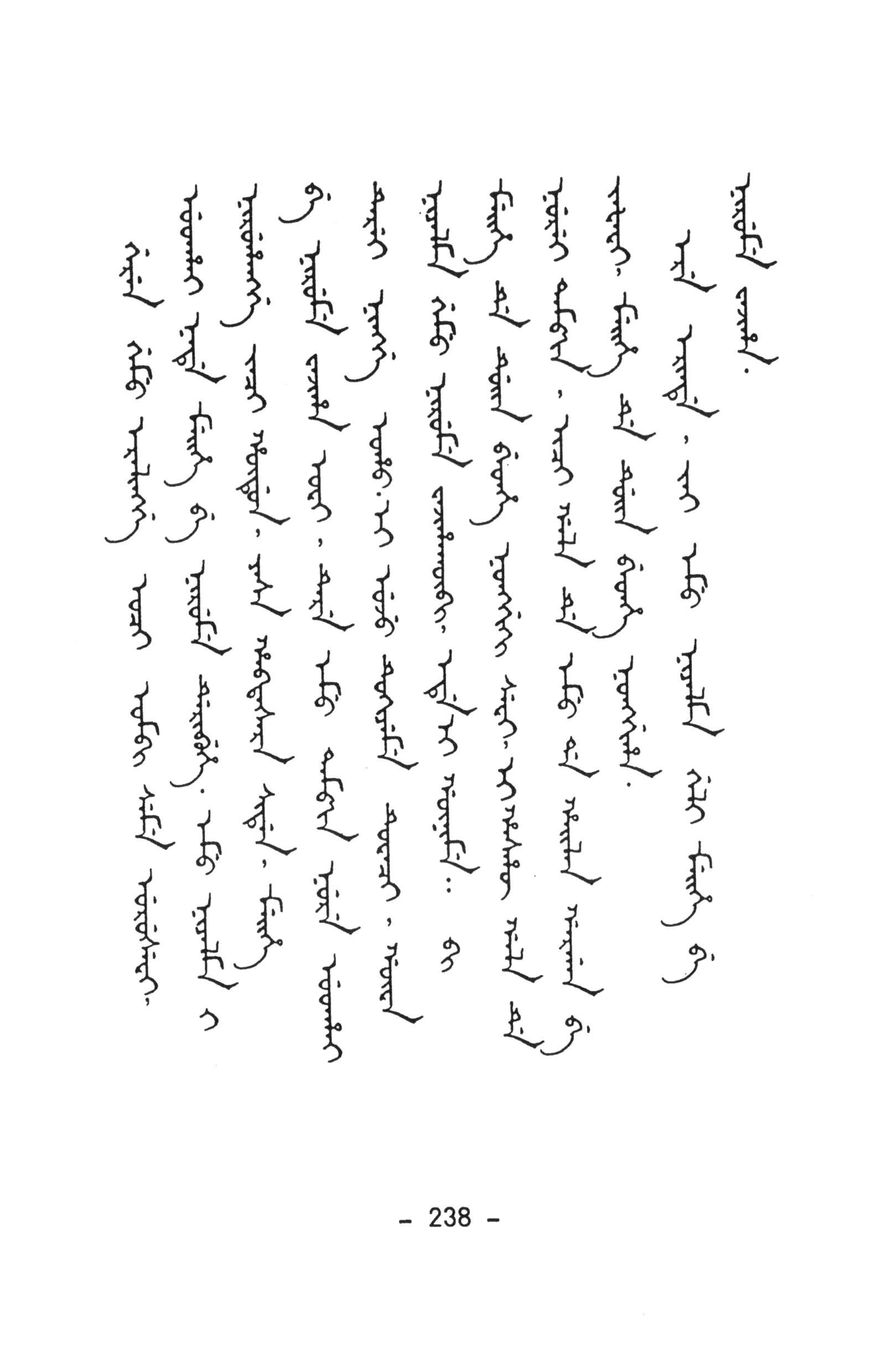

geren gemu eralingge oci ombi seme urušefi, uthai nade meihe be nirume deribuhe. emu niyalma i niruhangge jaci hūdun, yasa habtašara siden, meihe be nirume wajiha ofi , tere emu tampin nure uthai terei ningge oho . i uju tukiyeme tuwaci , gūwa niyalma gemu nirume wajihakūbi, ede i gūnime: " bi meihe de duin bethe nonggiki"sefi, i hashū gala de nurei tampin , ici gala de emu da hailan gargan be jafafi, meihe de duin bethe nonggiha.

ere erinde , jai emu niyalma geli meihe be nirume wajiha.

眾人都同意這樣做，就開始在地上畫蛇。有一個人畫的很快，轉眼間，就畫完了蛇，那一壺酒就是他的了。他抬頭一看，別人都沒畫完，因此他想：「我給蛇添上四足。」他左手拿酒壺,右手拿著一根樹枝,給蛇添上了四足。

這時候，又有一人也把蛇畫完了。

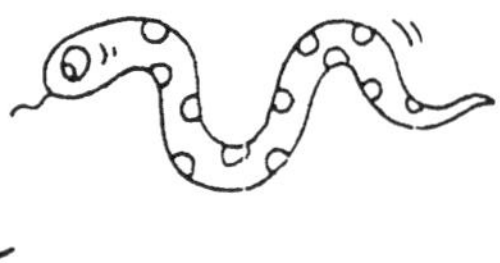

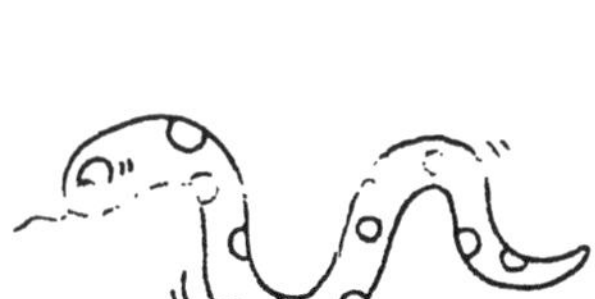

tere niyalma ini gala deri nurei tampin be durime gaifi hendume :" meihe de bethe akū bime , si ainu bethe niruhabi ? uttu ofi meihe be ujude nirume wajiha niyalma oci, umai si waka ! " seme gisureme wajifi uthai uju be oncohon maktafi , nure be kūlur kūlur seme gemu omiha.

那個人從他的手裡搶過了酒壺說：「蛇沒有脚，你為何畫了脚？因此首先把蛇畫完的人，並不是你！」說完就仰起脖子，咕嚕咕嚕地把酒都喝完了。

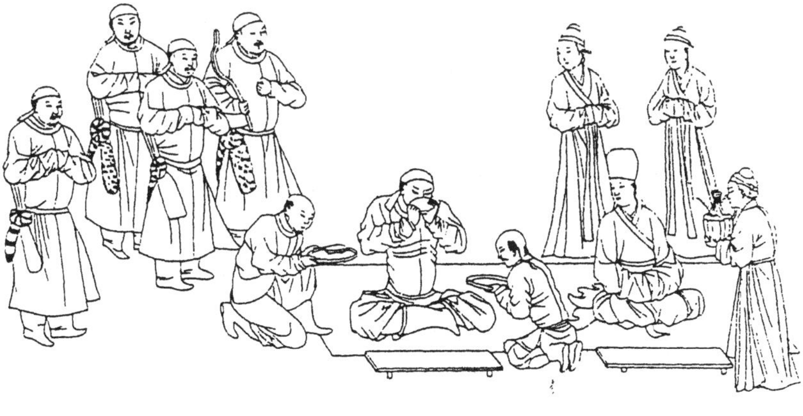

書ᠪᡝ字先寫ᠣ次寫ᠪ次寫ᠪᡝ。○如書ᠶᠣ字先寫ᠶ次寫ᠶᠣ次寫ᠶᠣ。○如書ᡨᠣ字先寫ᠠ次寫ᡨ次寫ᡨᠣ。○如

○如書ᠣ字先寫ᠠ次寫ᠠ次寫ᠣ。○如書ᠶ字先寫ᠠ次寫ᠠ。○如書ᡨ字先寫ᠠ次寫ᡨ次寫ᡨ。

○凡書ᠯ字先寫、次寫ᠠ次寫ᠠ次寫ᠯ次寫ᠯ。○如書ᠯ字

○ [illegible] [illegible] [illegible] [illegible] [illegible] [illegible] [illegible]

ᠪ字先寫ᠣ次寫ᠪ、○如書ᡳ字先寫丶次寫ᠠ次寫ᡳ

ᠪᠣ、○如書ᠪᠣ字先寫ᠣ次寫ᠣ次寫ᠪ次寫ᠪᠣ、○如書

寫ᠣ次寫ᠪ、○如書ᠪᠣ字先寫ᠣ次寫ᠣ次寫ᠪ次寫

○如書ᠪᠣ字先寫丨次寫ᠣ次寫ᠣ次寫ᠪᠣ、○如書ᠪ字先

ᠰᠣ次寫ᠰᠣ、○如書ᠪᠣ字先寫丨次寫ᠣ次寫ᠣ次寫ᠪᠣ

ㅂ字先寫ㅣ次寫ㅓ次寫ㅂ-○如書ㄴ字先寫ノ次寫

ㄴ次寫ㄷ-○如書ㄴ字先寫ㅣ次寫ㅓ次寫ㄴ-○如書

次寫ㄴ-○如書ㅛ字先寫ㅗ次寫ㅛ-○如書ㄷ字先寫

ㄑ次寫ㅇ次寫ㅗ-○如書ㅗ字先寫ㅣ次寫ㅏ次寫ㅑ

次寫ㅗ-○如書ㅈ字先寫ㅗ次寫ㅈ-○如書ㅗ字先寫

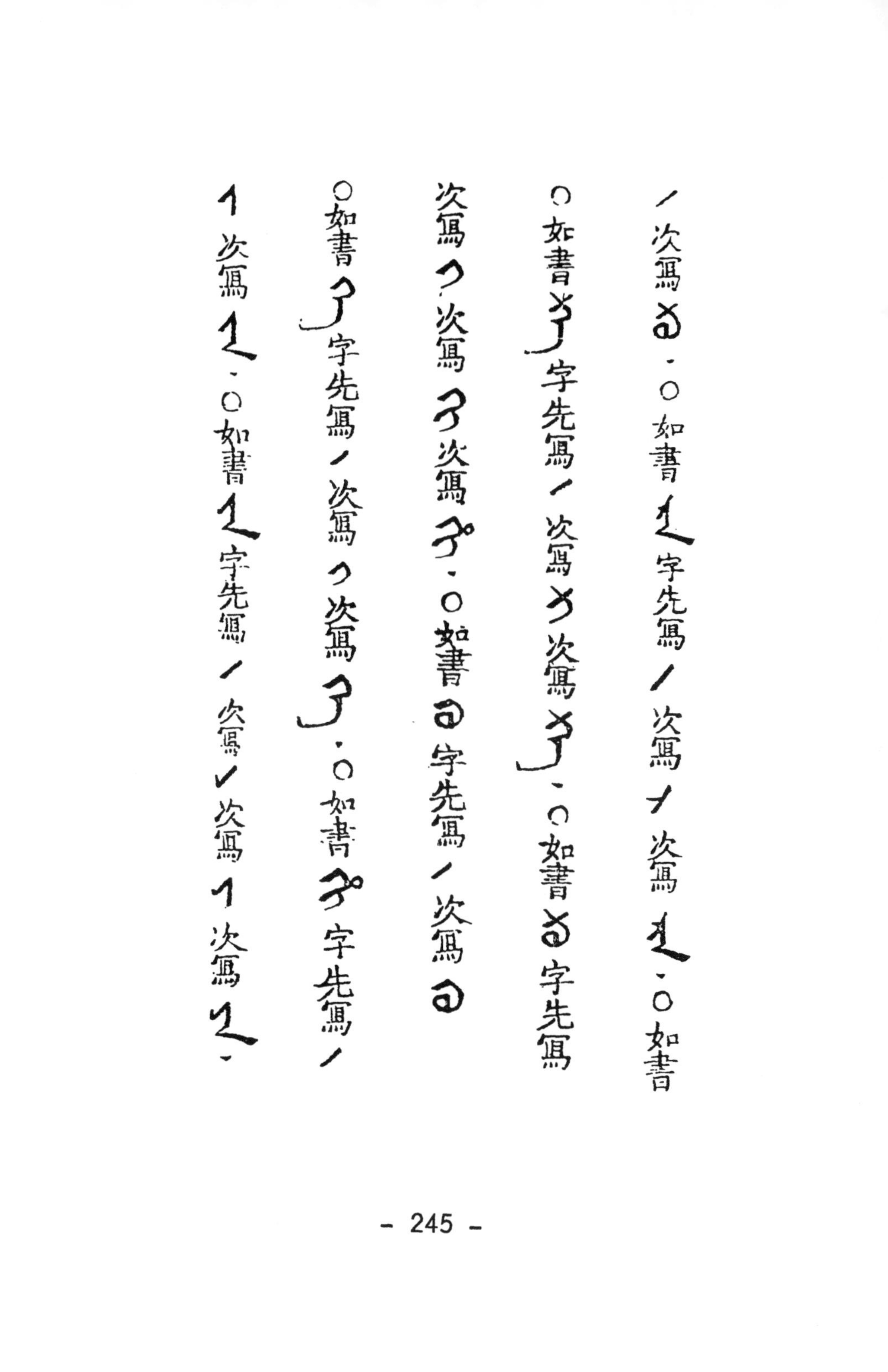

ノ次寫 。○如書 字先寫ノ次寫 次寫 。○如書

○如書 字先寫ノ次寫 次寫 。○如書 字先寫

次寫 次寫 次寫 。○如書 字先寫ノ次寫

○如書 字先寫ノ次寫 次寫 。○如書 字先寫ノ

次寫 。○如書 字先寫ノ次寫 次寫 次寫 。

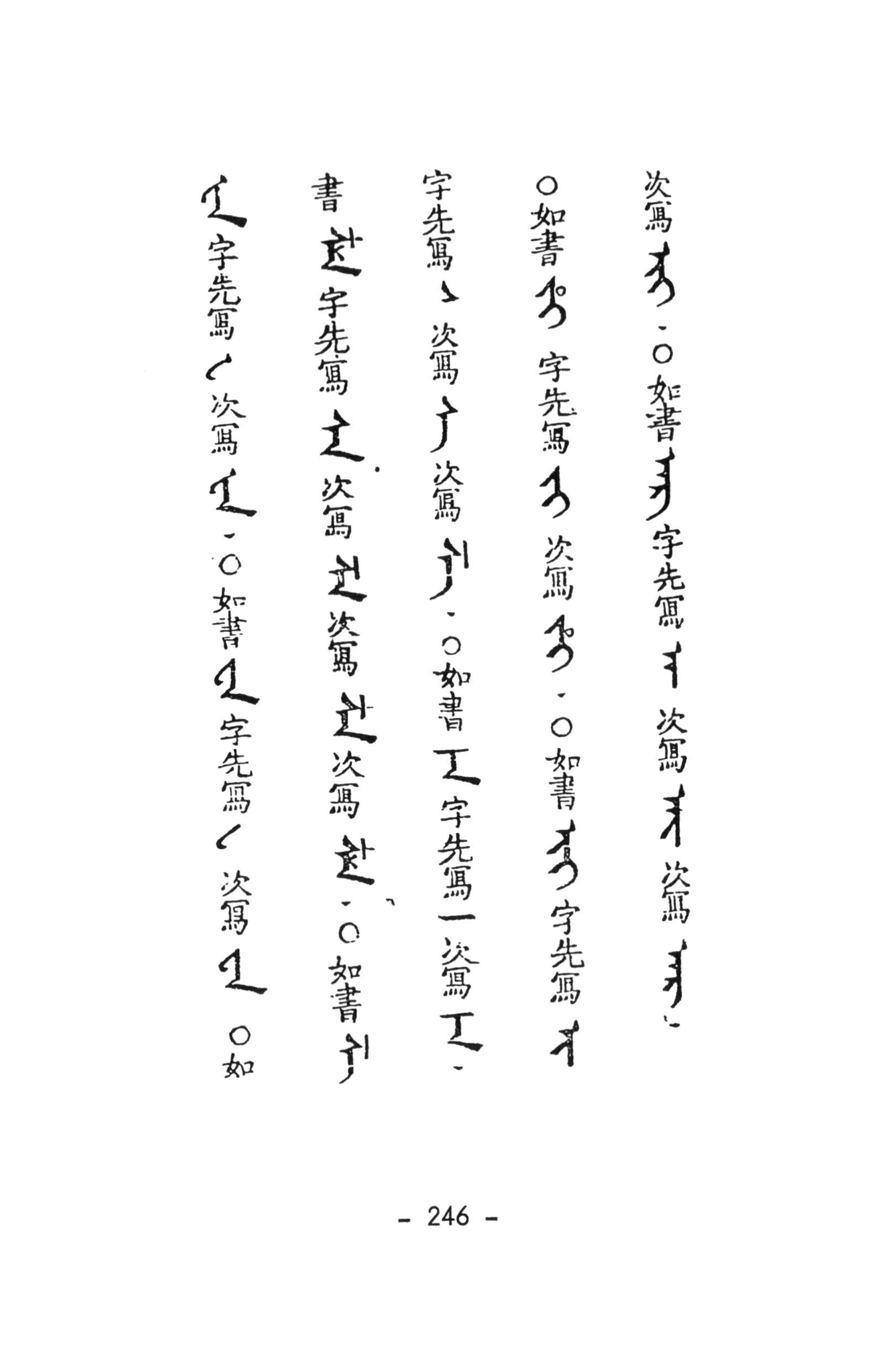

次寫 。○如書 字先寫 次寫 次寫 。

○如書 字先寫 次寫 。○如書 字先寫

字先寫 次寫 次寫 。○如書 字先寫 次寫 。

書 字先寫 次寫 次寫 次寫 。○如書

字先寫 次寫 。○如書 字先寫 次寫 ○如

先寫 [Manchu word] 次寫 [Manchu word] · ○如書 [Manchu word] 字先寫 [Manchu word] 次寫 [Manchu word] ·

○如書 [Manchu word] 字先寫 [Manchu word] 次寫 [Manchu word] 次寫 [Manchu word] · ○如書 [Manchu word] 字

[Manchu word] 次寫 [Manchu word] · ○如書 [Manchu word] 字先寫 [Manchu word] 次寫 [Manchu word] 次寫 [Manchu word] ·

[Manchu word] · ○如書 [Manchu word] 字先寫 [Manchu word] 次寫 [Manchu word] · ○如書 [Manchu word] 字先寫

○如書 [Manchu word] 字先寫 [Manchu word] 次寫 [Manchu word] · 如書 [Manchu word] 字先寫 [Manchu word] 次寫

字先寫 次寫 次寫 ○如書 字

次寫 次寫 ○如書

次寫 ○如書 字先寫 次寫

○如書 字先寫 次寫 次寫 次寫

○如書 字先寫 次寫 ○如書 字先寫 次寫

次寫[illegible]○如書[illegible]字先寫[illegible]次寫[illegible]○如書

次寫[illegible]次寫[illegible]○如書[illegible]字先寫[illegible]次寫[illegible]

次寫[illegible]次寫[illegible]○如書[illegible]字先寫[illegible]

次寫[illegible]次寫[illegible]○如書[illegible]字先寫[illegible]次寫[illegible]

先寫[illegible]次寫[illegible]次寫[illegible]○如書[illegible]字先寫[illegible]

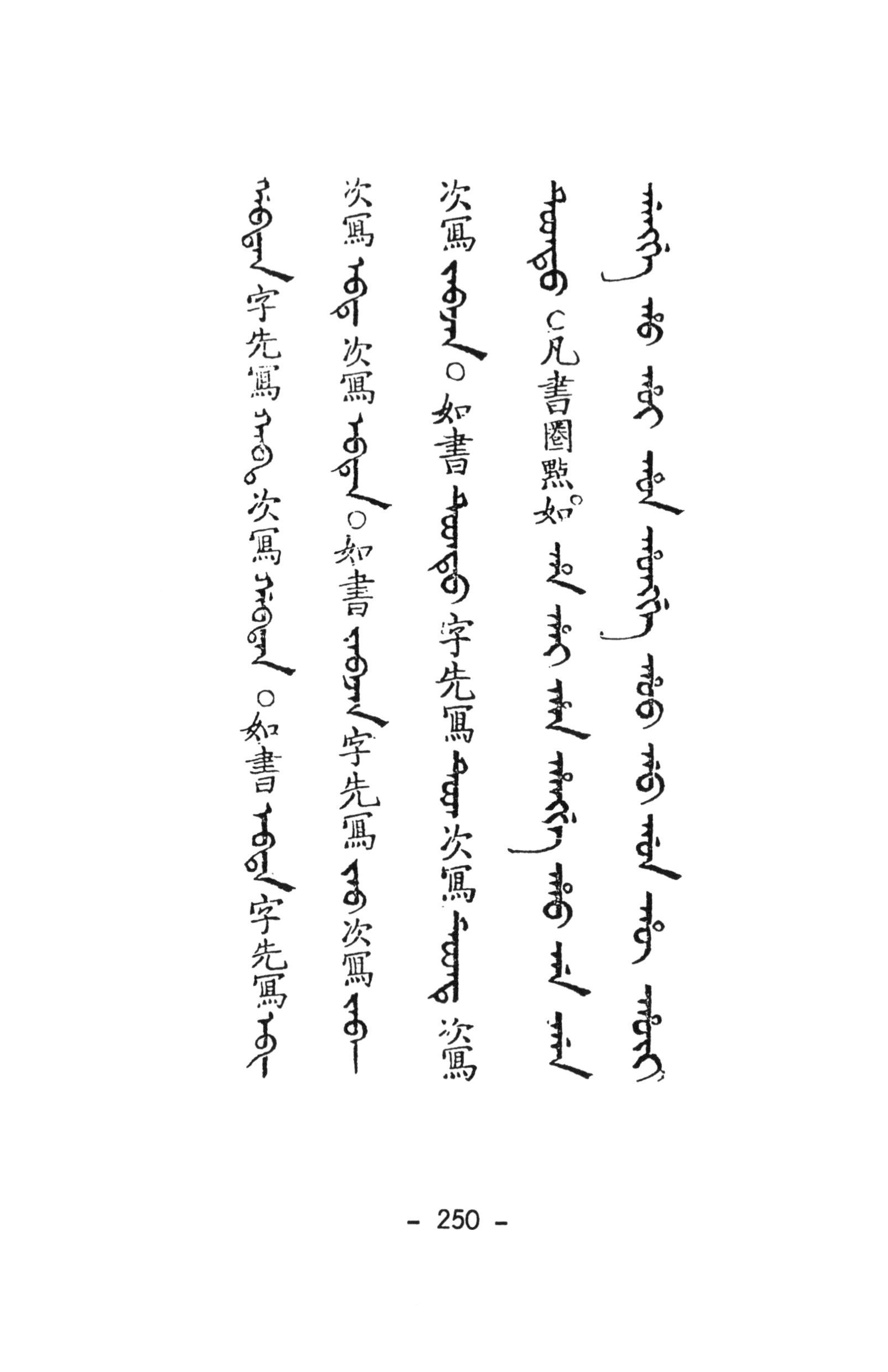

[Manchu] [Manchu] [Manchu] [Manchu] [Manchu] [Manchu] [Manchu] [Manchu] [Manchu] [Manchu]

[Manchu] ○凡書圈點如 [Manchu] [Manchu] [Manchu] [Manchu] [Manchu] [Manchu] [Manchu]

次寫 [Manchu] ○如書 [Manchu] 字先寫 [Manchu] 次寫 [Manchu] 次寫

次寫 [Manchu] 次寫 [Manchu] ○如書 [Manchu] 字先寫 [Manchu] 次寫 [Manchu]

[Manchu] 字先寫 [Manchu] 次寫 [Manchu] ○如書 [Manchu] 字先寫 [Manchu]

類推。舉一可貫百矣。

兩個阿兒之下。圈點方是。以上運筆。字雖無幾。法可作 [Manchu] 式樣。乃是兩個阿兒。今如下筆。必除去 [Manchu] 字的

[Manchu] [Manchu] [Manchu] 共二十字。俱係 [Manchu] 字首。此 [Manchu] 字聯寫必

（二）满文字母表

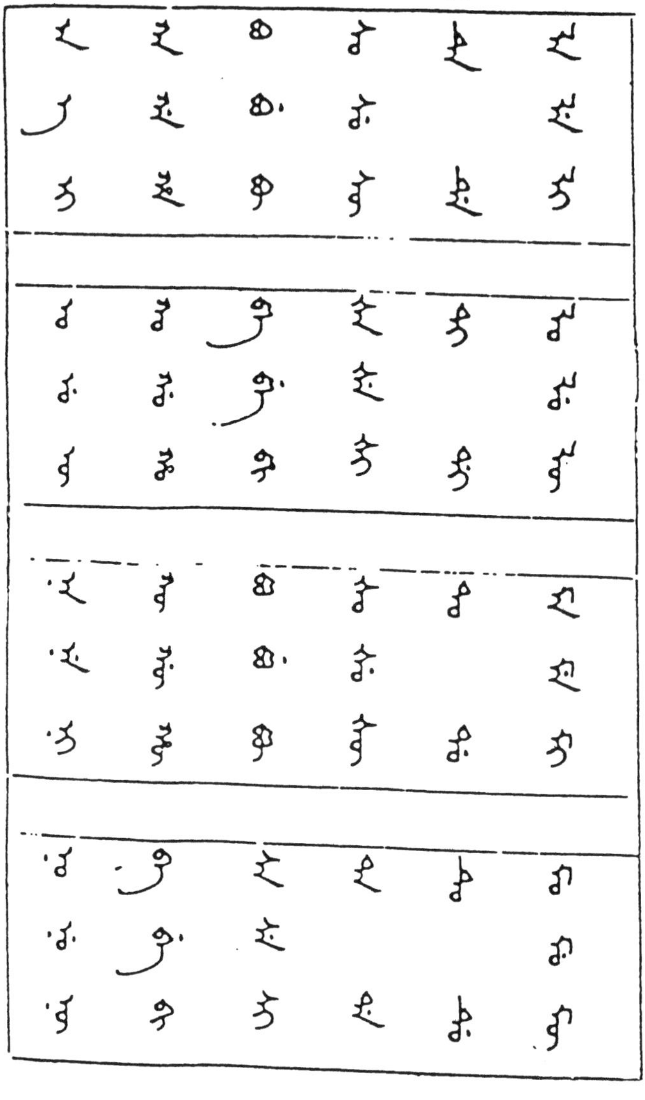

另外有些字母，以往因為連寫成習，並不認為單獨的字母，但在電出現，所以就抽出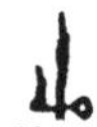單獨成立字母。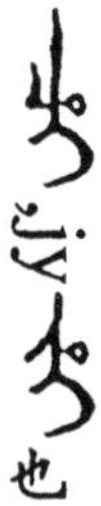也是同樣的情形，這兩個字母中都有一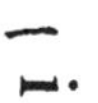，屬於重覆成，那麼詞中形的就沒有必要再單獨佔一個字母的位置了。節省篇幅。如詞中形的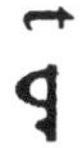可以由詞中形的○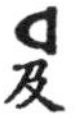及詞中形的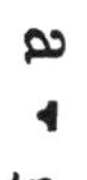組認為可以由另外兩個字母組成，這類字母就不再循例列入電腦中，以滿文字母有其複雜性。像有些以往認為是單獨的字母，經過分析，文字母放入一個字元（BYTE）、256個空位的內碼表中。馬字母及常用控制碼（0、7、15、27、126）等，將所需滿滿文字母約有130個左右，比諸英文字母只多不少。本表避開羅電腦內碼（如附表），開始利用電腦處理滿文。的滿文珍貴史料，常有出版印刷的需求，於是我們就開發了一套滿文滿文自1599年創製至今，已有394年。由於各處積存了大量

（三）電腦字母說明（節錄自廣定遠、張華克九二年北京第一屆滿學研討會論文《滿文內碼與排版印刷》）

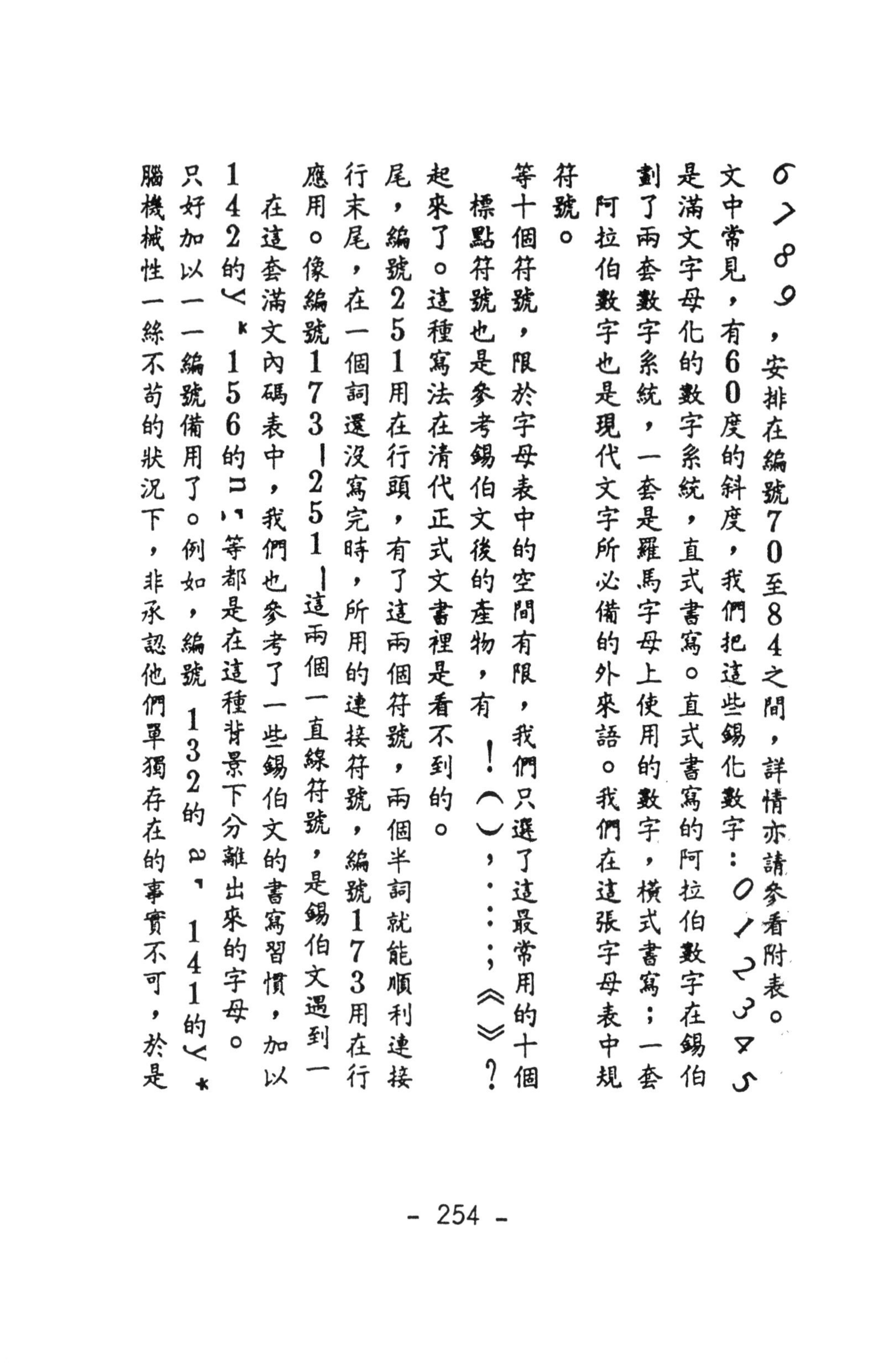

6789，安排在編號70至84之間，詳情亦請參看附表。文中常見，有60度的斜度，我們把這些錫化數字：012345是滿文字母化的數字系統，直式書寫。直式書寫的阿拉伯數字在錫伯劃了兩套數字系統，一套是羅馬字母上使用的數字，橫式書寫；一套

　阿拉伯數字也是現代文字所必備的外來語。我們在這張字母表中規符號。

　標點符號也是參考錫伯文後的產物，有！（），：；《》？等十個符號，限於字母表中的空間有限，我們只選了這最常用的十個符號。

起來了。這種寫法在清代正式文書裡是看不到的。

應用。像編號173｜251｜這兩個一直線符號，是錫伯文遇到一行末尾，在一個詞還沒寫完時，所用的連接符號，編號173用在行尾，編號251用在行頭，有了這兩個符號，兩個半詞就能順利連接起來了。這種寫法在清代正式文書裡是看不到的。

　在這套滿文內碼表中，我們也參考了一些錫伯文的書寫習慣，加以應用。

142的[illegible]、156的[illegible]等都是在這種背景下分離出來的字母。

只好加以一一編號備用了。例如，編號132的[illegible]、141的[illegible]

腦機械性一絲不茍的狀況下，非承認他們單獨存在的事實不可，於是

(四)電腦字母表

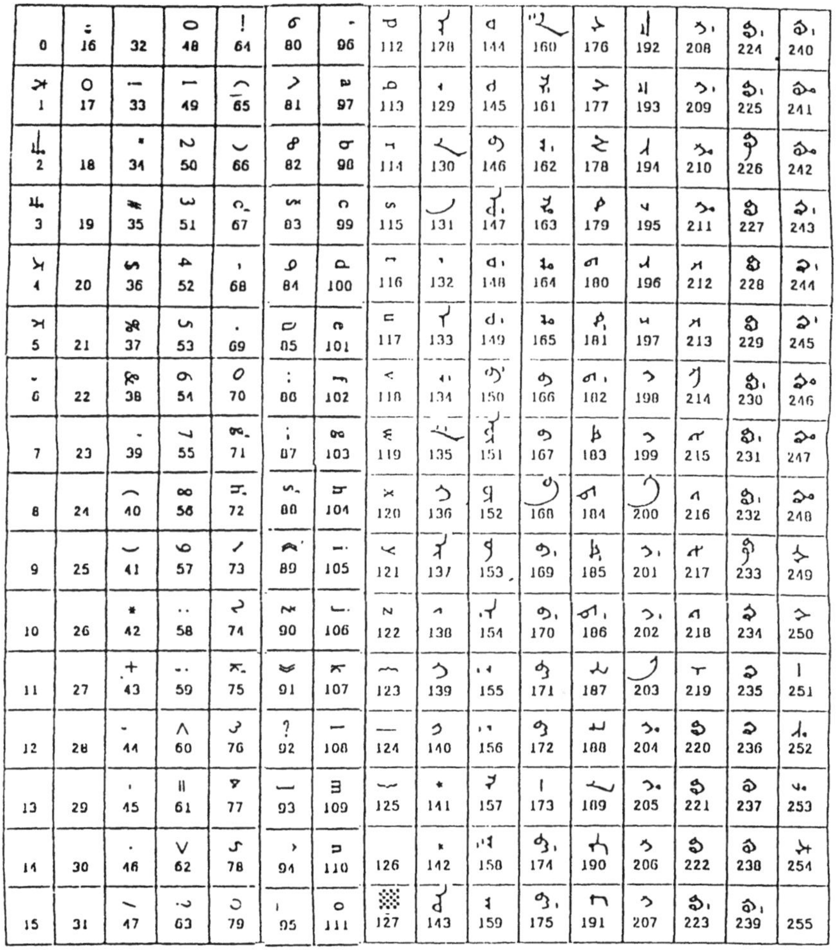
0 16 32 48 64 80 96 112 128 144 160 176 192 208 224 240
1 17 33 49 65 81 97 113 129 145 161 177 193 209 225 241
2 18 34 50 66 82 98 114 130 146 162 178 194 210 226 242
3 19 35 51 67 83 99 115 131 147 163 179 195 211 227 243
4 20 36 52 68 84 100 116 132 148 164 180 196 212 228 244
5 21 37 53 69 85 101 117 133 149 165 181 197 213 229 245
6 22 38 54 70 86 102 118 134 150 166 182 198 214 230 246
7 23 39 55 71 87 103 119 135 151 167 183 199 215 231 247
8 24 40 56 72 88 104 120 136 152 168 184 200 216 232 248
9 25 41 57 73 89 105 121 137 153 169 185 201 217 233 249
10 26 42 58 74 90 106 122 138 154 170 186 202 218 234 250
11 27 43 59 75 91 107 123 139 155 171 187 203 219 235 251
12 28 44 60 76 92 108 124 140 156 172 188 204 220 236 252
13 29 45 61 77 93 109 125 141 157 173 189 205 221 237 253
14 30 46 62 78 94 110 126 142 158 174 190 206 222 238 254
15 31 47 63 79 95 111 127 143 159 175 191 207 223 239 255

Manchu Symbol Set 廣定遠 張華克